MAINTENANT OU JAMAIS

DU MÊME AUTEUR

Le monde était à nous, Fayard, 2012.

L'Échéance : Français, vous n'avez encore rien vu, avec Irène Inchauspé, Fayard, 2011 ; J'ai lu, 2012.

Zéro faute. L'orthographe, une passion française, Mille et une nuits, 2009 ; J'ai lu, 2011.

Le Divorce français, Fayard, 2007 ; J'ai lu, 2008.

Plus encore !, Fayard/Plon, 2006 ; Le Livre de Poche, 2007.

Une vie en plus, avec Dominique Simonnet, Joël de Rosnay et Jean-Louis Servan-Schreiber, Seuil, 2005.

Ne dites pas à Dieu ce qu'il doit faire, Seuil, 2004 ; coll. « Points Sciences », 2006.

La Dernière Liberté, Fayard, 2001 ; Le Livre de Poche, 2003.

L'Imposture informatique, avec Bruno Lussato, Fayard, 2000 ; Le Livre de Poche, 2001.

Le Compte à rebours, Fayard, 1998 ; Le Livre de Poche, 1999.

Le Bonheur d'apprendre : et comment on l'assassine, Seuil, 1996 ; coll. « Points », 1997.

Tant et plus : comment se gaspille votre argent, Grasset/Seuil, 1992 ; Le Livre de Poche, 1993.

La Grande Manip, Seuil, 1990 ; coll. « Points actuels », 1992.

Le Pari de la responsabilité, Payot, 1989.

Tous ensemble : pour en finir avec la syndicratie, Seuil, 1985 ; coll. « Points actuels », 1987.

Toujours plus !, Grasset, 1982 ; Le Livre de Poche, 1984.

Le Système E.P.M., Grasset, 1980.

Scénarios du futur. Le monde de l'an 2000, Denoël, 1979.

Scénarios du futur. Histoire de l'an 2000, Denoël, 1978.

La France et ses mensonges, Denoël, 1977 ; coll. « Médiations », 1978.

Le Bonheur en plus, Denoël, 1973 ; coll. « Médiations », 1975.

En danger de progrès, Denoël, 1970 ; coll. « Médiations », 1975.

La Lune est à vendre, Denoël, 1969.

L'Espace. Terre des hommes, Tchou, 1969.

François de Closets

Maintenant ou jamais

Fayard

Couverture : Un chat au plafond/Ô majuscule

ISBN : 978-2-213-67822-1

LE DÉCROCHAGE

Nous connaissions des pays pauvres et des pays riches, nous découvrons aujourd'hui des pays en voie de sous-développement qui se sont crus riches et se retrouvent pauvres. Chaque matin, nous prions pour que la France ne devienne jamais l'un d'entre eux. Ma génération avait la certitude que ses enfants vivraient mieux qu'elle. La suivante a été peu à peu gagnée par le sentiment contraire. Et voici qu'aujourd'hui les trentenaires ne s'interrogent plus sur le sort de leurs descendants, mais sur leur propre futur. La régression n'est plus affaire de décennies mais d'années, sinon de mois. Nous sommes passés du monde des droits acquis au monde des droits fongibles.

S'agit-il d'une épidémie fatale frappant l'Occident comme tous les empires dans l'histoire avant lui ? Sans doute, car toutes les nations européennes sont atteintes, mais pas au même degré. Certaines s'en sortent mieux que d'autres, preuve qu'il n'existe aucune fatalité et qu'il nous appartient de surmonter l'épreuve pour repartir de l'avant. Aujourd'hui, la révolte des peuples à l'abandon gagne tout l'arc méditerranéen, fait tanguer la démocratie, entre sauvetage *in extremis* et basculement dans le populisme. Et nous, et nous, et nous ? La France n'a pas encore coulé, mais les Français sont tout autant déboussolés. Nos repères politiques ne sont-ils pas en train de vaciller ?

Cette rupture, dont les craquements nous angoissent, c'est le passage du déclin au décrochage. Le premier, que nous connaissons depuis une quarantaine d'années, nous mine de l'intérieur sans nous agresser, comme une maladie sourde et chronique. Au fil des ans, notre économie reculait, notre chômage augmentait, notre dette s'alourdissait. Mais sans à-coups, insensiblement. Nous avions la déchéance tranquille de ces riches rentiers qui croient pouvoir s'appauvrir sans jamais devenir pauvres. Le décrochage, au contraire, enclenche une dérive autoaccélérée qui risque de se terminer en chute irrémédiable. Les Français le savent et le disent. Les deux tiers d'entre eux considèrent que la France est « en faillite », et un Français sur deux craint de devenir un jour SDF. Nos dirigeants se veulent rassurants, mais les chemins que nous suivons conduisent tous à la catastrophe, et la télévision nous donne le spectacle des peuples qui nous ont précédés dans cette voie.

En 2011, j'annonçais dans mon livre *L'Échéance*[1] que nous arrivions à ce point où le débiteur est arrêté dans sa fuite en avant. Il ne peut plus emprunter, il doit rembourser et entrevoit le spectre de la banqueroute. Le scénario était écrit, l'actualité a tourné le film. Désormais, nous ne pourrons plus nous payer de mots. Il faudra payer comptant. Nul satisfecit dans cette confirmation, bien au contraire. Rien que la rage de constater que ni cet avertissement ni aucun autre n'a pu infléchir le cours des choses.

---

1. François de Closets, Irène Inchauspé, *L'Échéance : Français, vous n'avez encore rien vu*, Paris, Fayard, 2011.

La France va donc de mal en pis, cela est assuré. Mais où va-t-elle ? Cela reste incertain, et la réponse est plus que jamais nécessaire. Non pour savoir ce qu'il faudrait faire. Le diagnostic et le traitement sont connus, nous avons toutes les études et tous les rapports nécessaires. L'interrogation porte sur ce qui va se passer, la situation dans laquelle nous nous trouverons et les possibilités de nous en sortir. Où nous mène la politique actuelle ? Quelle dernière chance nous laissera-t-elle ? Voilà ce qu'il faut maintenant comprendre.

Regardez autour de vous ces signes de mauvais augure qui sont apparus dans le paysage. Quand les plus brillants diplômés ne trouvent plus de travail et s'en vont, quand l'ensemble de la population voit baisser ses revenus et s'appauvrit, quand la machine à prélever devient folle et ne sait plus s'arrêter, quand la gauche doit faire la politique qu'elle a toujours condamnée, quand la Commission européenne donne à la France la feuille de route qu'elle doit suivre, alors les Français découvrent qu'ils ont changé d'histoire. Fini les discours, adieu les promesses : nécessité fait loi. C'est elle qui dicte la ligne à suivre : après avoir contraint Nicolas Sarkozy à changer de direction, elle oblige aujourd'hui François Hollande à suivre le même chemin, jusqu'à nous imposer demain la politique de salut public, la dernière chance du pays.

Le président peut gouverner le pays à sa guise quand il s'agit de marier les homosexuels, de faire la guerre au Mali ou de ne laisser qu'un mandat sec aux élus, mais pour les finances, l'économique ou le social, il ne jouit d'aucune marge de manœuvre et ne peut plus s'autoriser le moindre écart. Quand on chemine en terrain miné, on ne contemple pas le paysage. On regarde ses pieds.

Telle est la loi du surendettement, loi absolument générale et universelle. Inutile de maudire Angela Merkel, la Commission européenne, la Banque centrale européenne, le Fonds monétaire international, les agences de notation ou les marchés financiers. Tout débiteur incapable d'honorer ses échéances tombe sous la coupe de son créancier. L'alternative est simple : trouver l'argent ou se retrouver en faillite. Le crédit est un piège dans lequel la France est tombée. Il va maintenant falloir nous en sortir et, pour commencer, ne pas nous illusionner sur la situation présente.

En 2011 et en 2012, la crise des dettes souveraines nous emportait dans le train de l'horreur. Les marchés financiers étranglaient l'Espagne, le Portugal, l'Italie. La France était la prochaine sur la liste. En 2013, l'embellie succède à l'orage. Ces « pays du Club Med », aux finances toujours aussi délabrées, placent leurs emprunts sans difficulté. Même l'Italie, sans gouvernement, n'inspirait aucune crainte aux investisseurs. Et la Commission européenne permet à la France de prendre son temps pour réduire ses déficits. En quelques mois, nous sommes passés de l'urgence à l'aisance financière, du moins en avons-nous le sentiment.

Il a suffi que les banques centrales ouvrent grandes les vannes du crédit pour que les marchés cèdent à l'euphorie. Rien que de la fausse monnaie qui ne correspond à aucune création de richesse. Cela s'appelle une « bulle ». Enivrante lorsqu'elle se développe, dévastatrice lorsqu'elle explose. Rien n'est plus inquiétant que ce vent d'optimisme qui, curieusement, souffle davantage dans les milieux dits informés. Les économistes, les financiers font semblant de croire que ces facilités monétaires portent en elles les remèdes à toutes nos difficultés. En réalité, nous sommes toujours face aux mêmes risques, aussi mal armés pour y faire face. Que nous ayons gagné un ou deux ans ne change rien aux menaces qu'à l'évidence nous ne sommes pas en état d'affronter. J'ai donc tenté d'explorer les suites de cette échéance manquée et j'ai constaté que nous étions pris dans un engrenage, une machine infernale. C'est cela que je vous invite à découvrir.

De chapitre en chapitre, vous verrez comment se met en place et se referme le piège qui enserre la France. N'y a-t-il donc aucun espoir ? Si, justement. La situation périlleuse à laquelle nous allons arriver est précisément celle qui permet de rebondir. Les Français ont besoin de se confronter au gouffre pour se remobiliser au service de leur pays. Il faut que tout aille de mal en pis pour que nous allions ensuite de mal en mieux.

Le choc qui se prépare remettra en cause la façon de faire la politique. La République, la Ve en l'occurrence, se trouvera en panne, défaillante face au chaos qui succédera à l'actuelle fuite en avant. En votant socialiste, les Français sont entrés dans un film. Il ne leur a pas fallu six mois pour constater qu'il ne correspond pas à l'affiche. Mais, pour le meilleur ou pour le pire, ils ne l'arrêteront pas et en ignorent la fin. Sans doute nous faudrait-il un héros pour arriver au *happy end*. En 1958, une France en détresse a pu se raccrocher au général de Gaulle. Mais nous n'avons aucun homme providentiel sous la main. Rien qu'un système à bout de souffle.

La classe politique veut se persuader et nous persuader qu'elle pourra gérer le décrochage ; qu'au gré des alternances droite/gauche, elle saura tenir la barre dans les rapides et franchir les chutes. C'est faux, totalement faux. Le système pervers que nous voyons se mettre en place ne le permet pas. Nous allons au-devant d'événements extrêmes, de situations hors normes que notre régime parlementaire, même présidentialisé, est incapable de maîtriser. Il faut dès maintenant imaginer et préparer, pour ce cas de force majeure, les recours qui permettront de franchir une passe si dangereuse. Il ne s'agit pas de renoncer à la démocratie, surtout pas, mais de lui donner les moyens de dominer l'événement tout en résistant à l'assaut des mouvements populistes.

Le plus insupportable, dans de telles circonstances, c'est de voir le club des naufrageurs, les hommes politiques et les partis qui ont ruiné le pays, garder les commandes et s'apitoyer sur le sort des naufragés. Ne laissons pas l'indignation aveugler la réflexion et pas davantage le long terme nous voiler le court terme. Nous aurons bien des défis à relever dans les vingt, trente ou cinquante ans à venir, mais il faut d'abord nous interroger sur ceux qui nous attendent dans les prochaines années. Ce sont ceux-là qu'il faut affronter maintenant ou jamais.

Chapitre 1

LE CHOC DE LA RÉALITÉ

Le tournant de 2012 n'a pas été celui de l'alternance, mais celui de la réalité. Une rupture infiniment plus perturbante : la France s'accommode de la gauche comme de la droite, mais ne supporte pas le rappel des faits. Nous entretenions depuis si longtemps notre irréalisme querelleur que nous avions oublié le monde tel qu'il est. Le voici qui se rappelle à nous et nous rappelle à l'ordre, et ce délicat retour au réel peut se terminer par un atterrissage ou par un crash.

Les Français se sentent entraînés dans un jeu du réel, on pourrait dire un « *reality show* » si l'expression n'avait ailleurs un autre sens. Jour après jour, ils constatent que le monde se transforme, que les règles ne sont plus les mêmes. La pesanteur reprend ses droits, les faits pèsent de plus en plus lourd, les mots sonnent de plus en plus creux. Il nous faut tous sortir de la caverne aux illusions et plonger dans cette réalité que nous ignorons depuis tant d'années.

Invité à Leipzig pour célébrer le 150e anniversaire de la social-démocratie allemande, François Hollande a osé prononcer l'évangile des temps nouveaux : « Le réalisme, c'est le troisième apport de la social-démocratie. Le réalisme n'est pas le renoncement à l'idéal, mais l'un des moyens les plus sûrs de l'*atteindre*. Le réformisme, ce n'est pas l'acceptation d'une fatalité mais l'affirmation d'une volonté. Le compromis n'est pas un arrangement mais un dépassement [...]. On ne construit rien de solide en ignorant le réel. » La plupart des peuples ne relèveraient pas ces vérités d'évidence. Pour les socialistes français, ce fut la parole espérée ou redoutée selon qu'ils se voulaient sociaux-démocrates ou socialo-marxistes. Mais ce qui est dit est dit, il y aura bien un avant et un après-Leipzig. Désormais, la France doit inscrire sa politique dans la réalité, ce que ni la droite ni la gauche n'avaient jamais fait, et cette réalité s'annonce tempétueuse. De gré ou de force, nous voici condamnés au réalisme – j'aime mieux dire : au pragmatisme.

Depuis un an, François Hollande dirige ce retour sur terre. Non pas en pilote de croiseur fendant l'océan, mais en skipper de voilier. Chacun s'interroge : se contente-t-il de prendre la mer comme elle est, de louvoyer au mieux ? Sait-il où il veut nous mener ? Plutôt que sonder les intentions et les arrière-pensées de François Hollande, mieux vaut reprendre le cours des événements depuis son arrivée au pouvoir. Ce qui est advenu porte en germe ce qui va se passer. Ma conviction raisonnée, et je n'en aurai jamais d'autre, me fait toujours exclure la chance. Je ne crois qu'à l'opportunité, au concours de circonstances. Nul doute que la crise ultime qui s'annonce va créer des ouvertures, exclues aujourd'hui, à saisir demain.

Sans attendre, il faut nous interroger sur ce nouveau paradigme de la politique française : le réalisme.

Le réalisme à la française

Les Français détestent qu'on leur fasse le « coup de la réalité » pour leur imposer ce dont ils ne veulent pas, au seul prétexte qu'il n'y aurait pas moyen de faire autrement. Ils détestent tout autant qu'on leur fasse le « coup du changement » et vienne bouleverser leurs habitudes pour la seule raison qu'il faudrait s'adapter au monde moderne. Toujours irréalistes, ils seraient hyperréalistes pour conserver et hyporéalistes pour réformer. Capables de s'accrocher contre vents et marées à ce qui les arrange et de nier jusqu'à l'existence de ce qui les dérange.

Faut-il donc faire du réalisme la référence du progrès ? C'est supposer qu'une prétendue objectivité nous libérerait de nos fantasmes et distinguerait le vrai du faux, le raisonnable du déraisonnable, le réel de l'imaginaire. L'idée s'impose comme une évidence face aux dérives de la démagogie. Sans doute, mais l'évidence est bien souvent la fille de l'aveuglement, et les mérites du réalisme ne doivent pas servir de caution au *statu quo*.

Jean-François Kahn a tranché dans le vif : « Le réalisme est un pétainisme[1]. » La phrase peut s'inverser : c'est le pétainisme qui était un réalisme. En juin 1940, la France avait subi bien plus qu'une défaite, un effondrement. Selon toute apparence, elle ne s'en relèverait pas de sitôt. La plupart des Français qui cédèrent à cette impression première n'étaient pas, de nature, défaitistes, pessimistes ou déprimés : ils pensaient simplement ne pas se payer d'illusions. Le triomphe

---

1. Jean-François Kahn, *Philosophie de la réalité : critique du réalisme*, Paris, Fayard, 2011.

de l'Allemagne était à ce point écrasant, la défaite de la France à ce point totale, qu'il fallait l'admettre et reporter nos espérances sur le cours de l'histoire qui, au fil des siècles, fait et défait les empires.

Quand il déclare le 17 juin 1940 qu'« il faut cesser le combat », Pétain se réfère implicitement à une vision « réaliste ». Il s'en réclame d'ailleurs le 25 juin 1940 en présentant les conditions de l'armistice. Voici sa conclusion : « Je ne serais pas digne de rester à votre tête si j'avais accepté de répandre le sang des Français pour prolonger le *rêve* de quelques Français mal instruits des conditions de la lutte. » Tout est dit : il y a d'un côté les réalistes et, de l'autre, les rêveurs.

Depuis Londres, le général de Gaulle est bien conscient que les faits sont contre lui. Il doit argumenter pied à pied dans son appel du 18 juin ; son texte est un raisonnement militaire : « Ce sont les chars, les avions, la tactique des Allemands qui ont surpris nos chefs au point de les amener là où ils en sont aujourd'hui. [...] Les mêmes moyens qui nous ont vaincus peuvent faire venir un jour la victoire. [...] Foudroyés aujourd'hui par la force mécanique, nous pourrons vaincre dans l'avenir par une force mécanique supérieure. »

Deux réalismes s'opposent sur une même situation, car la réalité est une construction, une vision. La science seule la saisit indépendamment de l'observateur ; dans la vie ordinaire, les faits sont toujours reconstitués, mis en perspective, et n'existent qu'à travers l'image que l'on s'en fait. Dans la défaite de juin 1940, que l'un et l'autre camp reconnaissaient, la France pétainiste voyait la guerre perdue, tandis que la France gaullienne ne voyait qu'une bataille perdue.

Pétain se pose en administrateur judiciaire chargé de gérer la faillite du pays. Il s'incline devant les faits : défaite fait loi. De Gaulle, au contraire, est porté par son « idée de la France » qui interdit de capituler devant l'événement, de le laisser dicter notre conduite. Cette dernière est affaire de principes, pas de circonstances. Mais il n'est pas question non plus de nier la défaite. À Vichy, cet état des lieux prescrit de ne pas bouger. À Londres, il ne dit rien des routes à suivre. Réaliste dans sa démesure, de Gaulle s'appuie sur les faits pour les tourner en sa faveur. Ne songeant qu'à la reprise des combats, il attend les conditions favorables pour engager la France libre puis la Résistance dans la bataille. Les faits sont des moyens, pas des finalités. Pétain, de Gaulle : la fable tragique de la réalité.

Celle-ci est dangereuse, car elle fait naître le sentiment d'évidence, de certitude. Elle oppose l'absolu d'un fait à la relativité d'une opinion. En l'absence d'une éthique, la réalité est la forme la plus trompeuse du mensonge. En outre, elle peut faire du réaliste un conservateur, puis un réactionnaire quand il ne sait pas s'adapter à un monde qui change.

Le réalisme auquel je me réfère trace sa route entre ces deux précipices : le conservatisme et le mensonge. Il n'est pas une commodité mais une exigence. Malheureusement, les Français n'en ont toujours pas trouvé le bon mode d'emploi. Ils considèrent bien souvent que constatation vaut approbation et qu'il faut nier les choses pour s'y opposer. Libre à chacun, à moi le premier, de penser le plus grand mal du capitalisme financier qui s'est imposé depuis une vingtaine d'années. Mais nous ne pouvons ni l'ignorer ni le faire disparaître. Or cette simple acceptation du monde dans lequel nous vivons passe bien souvent pour une compromission. C'est ainsi que nous donnons facilement dans cet autre piège si typiquement français : l'irréalisme.

Revenons un instant en juin 1940 : la situation tragique de la France n'est pas un point de départ, mais un aboutissement. La défaite a été préparée par la politique de la

IIIe République, tout entière dominée par l'irréalisme. Irréalisme des années 1920 pendant lesquelles la France refuse d'entendre les avertissements de Keynes et entretient l'illusion que « l'Allemagne paiera ». Irréalisme des années 1930 pendant lesquelles elle refuse de regarder en face la montée du péril nazi et se persuade que la ligne Maginot la protégera efficacement. Le réalisme ne pouvait définir ni une politique économique ni une stratégie, il pouvait simplement dire en 1920 : « L'Allemagne ne paiera pas et la France doit trouver en elle les forces pour redresser son économie » ; puis, en 1930 : « La France fait face à une puissance agressive qui prépare une guerre totale, elle ne peut pas miser sur une diplomatie d'apaisement, ni réduire sa stratégie militaire à une ligne de fortifications. » Tous les gouvernements de la IIIe République – et pas seulement celui du Front populaire, comme voulut le faire croire Vichy – ont entretenu ce déni de réalité dans lequel se complaisaient les Français. La classe dirigeante marginalisa les quelques esprits lucides qui opposèrent la brutalité des faits au confort des illusions.

La politique se joue entre les mirages de l'irréalisme volontariste, le réalisme conservateur et résigné, et le pragmatisme progressiste et entreprenant. C'est évidemment cette troisième voie qu'il nous faut emprunter. Nous en sommes encore loin.

Lorraine au cœur d'acier

L'époque où la France était maîtresse de son destin et n'avait de comptes à rendre à personne est celle des Trente Glorieuses et, plus spécifiquement, du général de Gaulle. N'entretenait-elle pas une croissance de « dragon » grâce à un État tout-puissant, planificateur et interventionniste ? Elle pliait les événements à sa volonté, construisant Concorde et bombe atomique, assurant plein emploi et enrichissement. Quant aux financiers, ils étaient à ses pieds.

Un demi-siècle déjà ! Depuis, le monde a changé, les Français aussi, mais pas dans le même sens. Ils ont ouvert leurs frontières tout en refusant de s'adapter. Il fallait être réactif, ils sont devenus réactionnaires. C'est ainsi que la France est entrée dans le XXIe siècle avec tout l'attirail du XXe siècle. Voire du XIXe.

Une formule suffit à illustrer cet irréalisme français. En 1999, le groupe Michelin procède à des restructurations. Le Premier ministre socialiste, Lionel Jospin, est interpellé par des salariés licenciés et sommé de s'entremettre. Il répond que ce problème ne relève pas de la compétence gouvernementale, qu'il lui est impossible d'intervenir dans la marche d'une entreprise privée : « L'État ne peut pas tout. » En France, la formule, certes lapidaire, mais de simple bon sens, fait l'effet d'une bombe. Comment ! L'État ne serait pas tout-puissant ? Les héritiers de Colbert, Napoléon et de Gaulle n'en reviennent pas ; quant au peuple de gauche, il est durablement traumatisé.

Cette leçon de pragmatisme a-t-elle été retenue ? On pouvait l'espérer jusqu'en novembre 2012, quand la sidérurgie lorraine se réinvita au cœur de l'actualité. Le rêve français porte ici une très forte charge symbolique : Jeanne la Lorraine, l'Alsace et la Lorraine, la croix de Lorraine, on ne peut pas laisser tomber la Lorraine... Ajoutez le monde fascinant de la sidérurgie et l'attachement à des travailleurs qui se battent depuis quarante ans pour sauver leurs emplois et leur pays. La France a toutes les raisons de prendre à cœur la survie de ses hauts-fourneaux. Hélas, le marché de l'acier, lui, n'a pas de cœur. Il a condamné ces installations il y a déjà quarante ans, dès lors que les mines qui les alimentaient furent épuisées, qu'il fallut faire venir de très loin le minerai et le charbon nécessaires. Les gouvernements ne peuvent l'ignorer, les sidérurgistes ne peuvent l'accepter. Ils en appellent à la nationalisation qui fut leur planche de salut lorsque, en 1978, Raymond Barre fit basculer la sidérurgie lorraine dans le giron de l'État. Pourtant, de quelque façon que l'on tourne la question, ces hauts-fourneaux trop petits, trop anciens et mal situés n'ont plus d'avenir. Certes, le groupe Arcelor-Mittal s'est constitué sur une fuite en avant dans les acrobaties financières. Cela ne rend pas pour autant les hauts-fourneaux de Florange compétitifs.

Le ministre du Redressement productif, Arnaud Montebourg, ne peut se résigner à cette dure leçon des faits. Il enfourche son cheval de bataille, la nationalisation temporaire, et fonce tête baissée dans un combat perdu d'avance. Pour faire bon poids, il défie l'industriel : « Nous ne voulons plus de Mittal en France ! », oubliant au passage que l'entreprise emploie pas moins de 20 000 salariés dans l'Hexagone.

Une fois de plus, la France sacrifie le réalisme au volontarisme. Si encore Montebourg était seul à lancer cet assaut furieux. Mais non, il trouve de très larges appuis dans la classe politique de gauche et même de droite, dans les médias et chez les Français. Selon un sondage effectué pendant la semaine cruciale, 60 % des Français approuvent l'idée de nationalisation, pourcentage qui monte à 90 % chez les sympathisants de gauche !

Les socialistes savaient, avant les élections de mai-juin 2012, que des fermetures d'usines et des plans sociaux étaient en préparation un peu partout. Ni Aulnay, ni Petroplus, ni Goodyear, ni Sanofi, ni les autres ne furent de vraies surprises. L'expérience prouve que le politique est presque toujours impuissant face à de telles situations. Mieux vaut le savoir et s'abstenir de promesses qui traduisent un profond mépris pour les salariés. Mais rien n'est plus difficile que de tenir un langage de vérité au personnel d'une entreprise qui ferme. Avant d'être une action, le réalisme est d'abord une éthique. Celle qui dit les choses comme elles sont, et non pas comme on voudrait qu'elles soient. Sur cette simple remarque, c'est toute notre vie politique qui se trouve brouillée avec la réalité. Les hommes qui sont restés au plus près des faits, qui ont tenté d'assumer les rigueurs du réel, Pierre Mendès France, Raymond Barre, Jacques Delors, Michel Rocard ou Alain Juppé, n'ont jamais pu aller au bout de leur carrière politique.

Sur cette question cruciale de l'emploi, François Mitterrand disait qu'on avait « tout essayé ». Ce qu'on pourrait traduire par : « Soyez réalistes, il n'y a plus rien à faire. » Il avait oublié d'ajouter « tout ce qui ne marche pas ». Voilà bien le faux réalisme, celui qui prend les choses comme elles paraissent être, sans chercher à les appréhender comme elles sont. Nous avons multiplié les mesures symptomatiques : freins aux licenciements, emplois subventionnés, départs en préretraite, engagement de fonctionnaires. Cela n'a effectivement rien donné : le marché du travail n'est pas un gâteau qui se partage mais un système qui doit fonctionner. Ce ne sont pas les interdictions de licencier et la réduction générale du temps de travail qui peuvent faire reculer le chômage ; seule la dynamisation de l'embauche y parvient. La politique doit se plaquer sur cette réalité, se mettre au service des entreprises et des employeurs plutôt que se concentrer tout entière sur le traitement social. Mais comment expliquer cela aux travailleurs frappés par les restructurations ? Les Français se soucient comme d'une guigne des mécanismes de l'emploi. Le « Comment ça marche ? »

n'est jamais l'affaire des intéressés. La seule réalité qui compte est l'emploi bien réel, celui que l'on supprime ou que l'on préserve, et non celui, virtuel, qui n'a pas été créé. Donner la priorité au virtuel sur le réel, ce peut être, aussi, la loi du réalisme. Si l'on ajoute que ce sont les entreprises qui créent les emplois mais qu'elles s'efforcent sans cesse de réduire leur personnel, alors le fameux système paraît scandaleux dans son principe même.

Il a fallu que les drames sociaux se multiplient pour que le réalisme fasse peu à peu son chemin dans les esprits, que l'on remette en question des recettes qui, depuis quarante ans, ont prouvé leur totale inefficacité. Mais si timidement ! Face aux drames que vivent les victimes de ces plans sociaux, qui oserait expliquer que le plus inquiétant n'est pas le désespoir de ces ouvriers, mais le blues des patrons ? À l'encontre de toute compassion, la réalité oblige à admettre que la baisse du chômage dépend des chefs d'entreprise, et d'eux seuls. Le gouvernement ne peut ni les contraindre à augmenter leur personnel ni le faire à leur place. Or un employeur pessimiste ne recrute pas. Le moral des patrons est donc l'indicateur avancé du chômage, et le gouvernement n'a aucun espoir d'en inverser la courbe s'il ne leur rend pas l'optimisme.

Cette anticipation patronale est un élément clé de l'économie, c'est pourquoi un indicateur très élaboré, l'indicateur synthétique du climat des affaires, permet à l'INSEE d'en suivre l'évolution. Il a navigué au plus haut à l'époque de la bulle Internet, quand les start-up poussaient comme des champignons. Il a fortement baissé au pire de la crise financière, en 2008-2009. Il était bien remonté en 2010-2011, et le voici qui, depuis dix-huit mois, plonge de façon catastrophique. Les Français ne vont pas vivre l'œil fixé sur cette courbe ; en revanche, un gouvernement qui prétend faire de la lutte contre le chômage sa priorité devrait être obsédé par elle. Le pacte de compétitivité lancé par François Hollande et le discours qui l'a accompagné sont allés dans ce sens. De cet exemple et de dix autres semblables, retenons que la réalité se mérite et qu'elle constitue le meilleur rempart contre la démagogie.

La solution

« Mais alors, quelle est la solution ? » La question, je le sais, va jaillir. Inquiète, presque accusatrice. Depuis que les Français ont cessé de croire aux politiques qu'on leur impose, elle vient comme la rançon de la crédibilité. Hier encore la catastrophe, telle que l'annonçait *L'Échéance*, se heurtait à un scepticisme protecteur : « Vous faites peur, mais le pire n'est jamais sûr. » Nous n'en sommes plus là, les faits parlent d'eux-mêmes. La montée de l'angoisse a périmé tous les anxiolytiques. Même l'incertitude ne rassure plus. Chacun sent, en son for intérieur, que la France dérive irrésistiblement vers le gouffre, qu'elle va se retrouver dans la situation de l'Espagne ou de l'Italie, tout près d'y basculer si elle ne réussit pas un miraculeux redressement. Une question d'une ou deux années.

S'agissant de la France, tenter de trouver « la » solution est aussi déroutant que de chercher du sable dans le Sahara ou de la glace en Antarctique. Il faut résoudre un problème qui n'a aucune raison de se poser. Inutile de refaire la démonstration : la France dispose de plus d'atouts que n'importe quel autre pays pour être riche et prospère, et n'a connu aucune catastrophe dans une époque récente. L'état de délabrement dans lequel elle se trouve ne correspond ni à sa géographie ni à son histoire. Il tient d'abord et avant tout aux Français, au mode de fonctionnement aberrant de notre société depuis un

demi-siècle. Une politique qui se nourrit d'idéologies fallacieuses et de volontarisme fanfaron, qui écarte les faits comme
autant de vérités déplaisantes, n'a aucune chance d'assurer la
prospérité. L'irréalisme national est certainement la première
cause des malheurs du jour.

Si, par un coup de baguette magique, la France se trouvait
peuplée de Suédois, d'Allemands, de Canadiens ou d'Islandais, notre guérison serait programmée pour la fin du mandat
présidentiel, non sans efforts, mais avec certitude. La solution
est connue, elle s'impose chaque fois que l'on explore la réalité, mais les Français ne veulent pas en entendre parler.

Les peuples qui ont surmonté de telles épreuves étaient
avant tout des pragmatiques. En 1994, la Suède s'est retrouvée dans une situation pire que celle de la France en 2012.
Dépense publique : 70 % du produit intérieur brut contre
57 % chez nous, prélèvements obligatoires : 57 % du PIB
contre 47 %, déficit budgétaire : 10 % du PIB contre 4,5 %,
perte du triple A et le reste à l'avenant. Aujourd'hui, les
finances comme l'économie suédoises sont en bon état. Pas
de potion miracle, le pays a été redressé par une impitoyable
cure d'austérité sous l'égide de la fameuse « règle d'or » qui
interdit les déficits, mais le comportement du patient a plus
fait que le traitement lui-même pour cette guérison. C'est le
peuple tout entier, soudé dans l'épreuve, qui a sauvé le pays
en permettant notamment aux dépenses publiques de diminuer de 1 % tous les ans pendant quinze ans. La Suède est
tout sauf une société parfaite, comme l'ont montré les
émeutes suburbaines de mai 2013. Mais la perfection est un
idéal totalitaire, certainement pas démocratique. La perfecti-
bilité nous suffit.

À travers la diversité des peuples et des circonstances, les histoires de résilience nous livrent toutes la même morale. Qu'il s'agisse de la Finlande, du Canada ou de la Nouvelle-Zélande, c'est toujours la recherche du consensus et le pragmatisme qui permettent le succès. Cet accord *a minima* ne débouche pas sur une union nationale, sur la fin des controverses et des rivalités partisanes qui sont naturelles et nécessaires en démocratie. Pendant la remise en ordre de la maison, la vie politique continue, avec ses inévitables querelles. Mais le débat ne porte pas sur la stratégie, il se concentre sur sa mise en œuvre et sur la compétence des équipes. Il n'est pas nécessaire que l'adversaire soit l'ennemi pour s'imposer comme le meilleur.

Imagine-t-on, par comparaison, les réactions que provoquerait en France une politique à la suédoise qui a réduit la dépense publique de 14 % du PIB et les dépenses sociales de 8 % du PIB ? Imagine-t-on l'indignation et la colère que susciteraient les prescriptions impitoyables qui ont mis à genoux tant de peuples cigales ? Ne serions-nous pas emportés par une rage autodestructrice dont les plus faibles feraient les frais, car, dans ce genre de cataclysme, ceux qui n'ont rien sont aussi ceux qui ont le plus à perdre ?

Le retour à la réalité est le préalable à toute résilience. Car l'idéologie divise quand le réel rassemble. C'est pourquoi ces mêmes Français qui mènent leur guerre de tranchées à l'échelle nationale collaborent entre eux dans la proximité quand le concret et le quotidien prennent le pas sur l'abstrait et l'éternel. C'est dans le monde virtuel des mensonges idéologiques que s'entretient la guerre civile larvée qui rend impossible toute mobilisation. Laisser les lunettes déformantes au vestiaire et regarder le monde comme il est mettrait « la » solution à portée de main. Nous verrions alors que la France va mal parce que les Français ne savent plus vivre ensemble : c'est aussi simple que ça. Ils doivent civiliser leurs rapports sociaux et leurs comportements individuels. Point d'angélisme : ils ne le feront pas d'eux-mêmes. Mais ils vont tomber sous la férule d'une maîtresse impitoyable, la réalité, dont nous n'avons encore reçu que les toutes premières leçons.

Chapitre 2

À VRAI DIRE

Ce retour à la réalité implique d'abord un retour à la vérité. La société française a développé un art très subtil de ne pas dire les choses, soit en les ignorant purement et simplement, soit en faisant passer des erreurs pour avérées, soit en imposant le silence du tabou. Ce jeu de la vérité n'est évidemment pas gratuit. Il est toujours au service d'idéologies ou d'intérêts. Le mensonge est un valet, il faut trouver son maître. Mais il dispose d'une alliée redoutable : la morale. C'est elle qui, au nom de principes supérieurs, censure les faits gênants, impose les interprétations fallacieuses. Il n'est besoin ni de service de propagande ni de bureau de la censure pour assurer cette uniformisation de la pensée. La pression du conformisme y suffit. C'est elle qui transforme une erreur de complaisance en vérité du moment, elle qui récuse le témoin pour n'avoir pas à réfuter le témoignage, qui cimente ces groupes, ces réseaux, ces chapelles et ces clans qui font de la France une société d'endogamie et de connivence. Petit voyage au pays des vérités pas bonnes à dire…

Voyage au pays des non-dits

Prenons un exemple que nous allons retrouver tout au long de ces pages : le déficit budgétaire. Comment se fait-il que les Français aient pu le voir revenir année après année pendant quatre décennies sans s'alarmer ? Avant tout, pour une raison purement factuelle : pendant des années, ils n'ont pas su la vérité. Démonstration. En 2013, l'État aurait dû engranger 312 milliards d'euros et en dépenser 374 milliards. Si, en bonne règle comptable, on rapporte le solde aux recettes, on constate que le déficit de 62 milliards correspond à 20 % des 312 milliards. Telle est la réalité : un déficit de 20 %. Pourtant, on nous a rebattu les oreilles avec les fameux 3 % de déficit à atteindre. Comment passe-t-on d'un chiffre à l'autre ? En comparant ces 62 milliards non pas aux recettes budgétaires mais, ce qui n'a rien à voir, au PIB de la France, lequel atteint 2 000 milliards d'euros. On obtient alors bien nos 3 %. Le commissaire aux comptes qui couvrirait de telles pratiques se retrouverait vite en prison. D'autant que ce micmac n'a rien d'innocent. Il fut organisé en 1983 par les technocrates du ministère des Finances, sur ordre du ministre, à seule fin de rendre plus « présentables » les chiffres du budget. Cela s'appelle un maquillage des comptes. Certes, il était bien spécifié « du PIB », mais, comme on n'entendait plus jamais parler d'un déficit budgétaire de 20 %, que la mention « du PIB » était souvent oubliée, chacun a pu s'imaginer pendant trente ans que notre déficit était tout à fait marginal. Trois pour cent, ce n'est pas la mort du débiteur, mais qui peut imaginer tenir longtemps avec un compte en déséquilibre chronique de 20 % ? Aujourd'hui, alors que nous devons revenir à la réalité, il faudrait d'abord revenir à la première vérité, celle des chiffres.

La forme la plus efficace du mensonge, c'est encore l'ignorance. Ce qui n'est pas étudié n'existe pas. Premier exemple : la pénurie de main-d'œuvre. Alors que le chômage de masse est incrusté dans notre société depuis plus de trente ans, un nombre incertain mais important d'offres d'emploi ne trouve pas preneur. Comment peut-on, dans le même temps, manquer de travail et manquer de travailleurs ? La question gêne tout le monde. Elle pourrait laisser penser que les demandeurs d'emploi sont des fainéants qui refusent le travail qu'on leur propose. C'est incorrect pour les chômeurs. Ou bien que les offres présentées sont inacceptables. C'est incorrect vis-à-vis des employeurs. Ou bien, enfin, que les candidats n'ont pas la formation exigée. C'est incorrect vis-à-vis de l'Éducation nationale. On ne fera donc aucune étude sérieuse et indiscutable qui pourrait servir de base à un véritable diagnostic. Selon les estimations, on parle de 300 000 emplois, parfois de 500 000 ou plus. À chacun de choisir son chiffre. Impossible de savoir si ces refus sont dus à la pénibilité du labeur, à l'insuffisance de la paie ou à l'absence de certaines compétences sur le marché du travail. En cherchant dans l'enquête annuelle de Pôle emploi sur les « besoins en main-d'œuvre », on découvre que les dix métiers qui ont le plus de mal à recruter recherchent 325 000 salariés et se heurtent à des difficultés d'embauche dans 54 % des cas. Rien qu'un bout de fil sur lequel on se garde bien de tirer pour ne pas dévider la pelote.

Pendant des décennies, la gauche décréta que les emplois non pourvus n'étaient qu'un fantasme patronal, et la droite qu'il fallait trouver à l'étranger les travailleurs qui manquaient en France. Une fois de plus, c'est la réalité qui obligea François Hollande à briser le tabou. Sa boîte à outils étant fort démunie contre le chômage, il n'eut d'autre choix que d'aller puiser dans la pénurie de main-d'œuvre. Au grand étonnement des siens, il décida que 100 000 emplois non pourvus devraient trouver preneurs dans l'année. Il n'a donc fallu que quarante ans pour entendre ce que disent tous les employeurs ! Reste à trouver les travailleurs qui correspondent. Ce sera une autre paire de manches.

On ne connaît pas davantage les rapports qui peuvent exister entre les origines culturelles et les comportements. Il semblerait que, statistiquement, les enfants asiatiques réussissent mieux leurs études que les enfants d'origine africaine. Cette phrase est déjà transgressive et pourrait me valoir des attaques féroces de l'antiracisme institutionnel. Je ne devrais pas me référer à des origines asiatiques, africaines ou autres. Une fois pour toutes, les enfants sont tous les mêmes. Ils ne diffèrent que par les catégories socioprofessionnelles de leurs parents, peut-être aussi par le sexe, voire, à l'extrême limite, par la nationalité. Aucune autre différence n'est recevable.

Périodiquement resurgit la querelle des statistiques ethniques, qui débouche invariablement sur le refus de les employer au nom de hautes valeurs morales. Mais comment lutter contre les discriminations sans les connaître, et comment les connaître sans prendre les minorités pour référence ? Par crainte de voir des données utilisées à des fins répréhensibles, on ne collecte pas l'information. Encore un prétexte pour s'éloigner un peu plus de la réalité. Là encore, il est bon de se voir dans le regard de l'étranger. Le politologue américain Ezra Suleiman, francophile s'il en est, ne s'explique pas cette frilosité : « La France est le seul pays qui brandisse l'ignorance sur sa propre société avec fierté. Ces tabous ne sont pas dignes d'une démocratie. »

Signalons au passage le corporatisme qui ronge notre société et empoisonne le débat sur les retraites. Au nom de quelle justice les conducteurs de métro peuvent-ils se reposer dès 53 ans et 9 mois ? Qu'est-ce qui peut bien justifier les plantureuses retraites-chapeau de nos grands PDG ? Pourquoi la France reste-t-elle sourde aux injonctions de la Commission européenne sur les professions protégées : vétérinaires, chauffeurs de taxi, coiffeurs, pharmaciens, etc. ? Pourquoi les fonctionnaires qui s'engagent en politique ont-ils la possibilité de retrouver, en cas de réélection, leur poste dans l'administration ? Pourquoi les agents de la Banque de France sont-ils payés 40 % de plus que ceux de la Banque d'Angleterre et 30 % de plus que ceux de la Banque d'Allemagne ? Des milliers de questions sont ainsi censurées. Le « socialement correct » étouffe tout débat démocratique. D'autant que cette parole affadie par la complaisance est surchargée de références à nos valeurs : langage codé de la liturgie républicaine pour affubler les intérêts particuliers des plus nobles oripeaux.

Les discussions budgétaires ont clairement posé la question de nos choix stratégiques. Dans les années à venir, nos armées n'auront plus les moyens de leurs missions. D'ores et déjà, nous envoyons au Mali nos soldats risquer de se faire tuer en pilotant des hélicoptères, faute de pouvoir bombarder avec des drones. Et pourtant, il faudra encore réduire les crédits de la Défense. François Hollande, écrasé par son titre de « chef des Armées », a prévenu qu'une seule arme serait « sanctuarisée » : la force nucléaire, qui représente 20 % du budget total de la Défense. Cette déclaration n'a suscité aucune discussion, ni même, pour tout dire, aucun intérêt. En France, la bombe atomique est une sorte de monument national, aussi intouchable que *La Joconde* ou le château de Versailles. Le livre blanc remis en avril 2013 au président de la République prévoit que le budget de la Défense restera figé pendant les deux prochaines années à 31,4 milliards d'euros. Avec certains budgets d'armement en baisse de 40 %, des économies devront être faites dans tous les secteurs, à l'exception de la force nucléaire.

Les parlementaires, qui s'occupent peu des questions militaires, ne s'intéressent pas du tout à l'arme nucléaire et votent sans trop sourciller les budgets qui leur sont présentés. Au cours des vingt dernières années, ils ont englouti sans même les voir passer des dizaines de milliards d'euros pour renouveler nos sous-marins, nos missiles et nos bombes, et pour mettre en œuvre des projets de grande envergure comme le fameux laser mégajoule. Aucun débat sérieux ne s'est ouvert pour savoir si cet effort démesuré était justifié par l'impératif stratégique. La force nucléaire se situe dans un « ailleurs » qui échappe aux médiocres calculs comptables.

La bombe nucléaire a été l'arme du XXe siècle, celle qui a permis d'éviter une troisième guerre mondiale. Sera-t-elle, au même titre, celle du XXIe siècle, alors que la guerre froide est finie depuis plus de vingt ans et que la France a regagné le giron de l'OTAN ? Faut-il donner à une arme d'une utilité très incertaine la priorité sur d'autres dont nos armées ont le plus grand besoin ? On peut s'interroger. Un seul homme politique s'y est risqué, et pas n'importe lequel : Michel Rocard. Il en a été pour ses frais. Il n'a réussi qu'à soulever un hourvari bien vite retombé dans une réprobation générale. Nos soldats pourront manquer d'armements essentiels pour les interventions extérieures, mais la France aura toujours sa bombe. L'histoire nous a pourtant appris qu'à préparer la dernière guerre on est rarement vainqueur de la suivante.

Quand nous ne sanctuarisons pas la réalité, nous la diabolisons, ce qui revient au même. Voyez notre renonciation aux gaz de schiste. Cette décision n'est pas, en soi, condamnable. Peut-être l'est-elle, peut-être ne l'est-elle pas, comment savoir ? Il aurait fallu se donner les moyens de choisir en connaissance de cause. Une connaissance qui, en ce domaine, est tout sauf évidente. Les gisements ne sont jamais les mêmes, les conditions d'exploitation non plus, et les effets varient en fonction de l'environnement, des techniques et du cadre juridique. Avant de décider, il fallait prendre son temps – une année, peut-être davantage. Ne pas délivrer tout de suite des permis aux pétroliers, mais confier une mission à des experts qui auraient eu les moyens d'enquêter en Amérique, qui auraient procédé à des explorations et à des analyses de notre sous-sol. Au vu de leurs conclusions, la France aurait décidé de la conduite à tenir : interdiction totale, attente, exploitation sous contrôle, etc.

Voilà ce qu'aurait fait une nation pragmatique. La France, elle, a décidé sous le coup de l'émotion. Celle-ci avait été amplifiée par le fameux plan du documentaire américain *Gasland* où l'on voit du gaz sortir d'un robinet et s'enflammer. L'image, très impressionnante, demandait à être expertisée. Nous avions tout le temps, puisque à la différence des États-Unis, où chaque propriétaire, maître du sous-sol, peut forer à volonté, rien ne peut se faire chez nous sans l'autorisation des pouvoirs publics. Cette sage disposition nous permettait de voir venir. Au lieu de quoi, c'est dans la précipitation, parce que les lobbies verts ont pesé plus que les lobbies pétroliers, que le gouvernement Fillon et le Parlement ont interdit l'exploration et l'exploitation. Les Français n'ont même pas le droit de savoir ce qu'ils ont sous les pieds. En dépit de son déficit commercial de 71 milliards d'euros, la France refuse de chercher sur son territoire le gaz qu'elle achète à l'étranger.

Les bonnes nouvelles sont rares, raison de plus pour les célébrer. En ce début de juillet 2013, les médias ne s'en privent pas et rivalisent de superlatifs : « Résultats très bons », « Le cru 2013 s'annonce excellent », « Le taux de réussite a progressé », « Succès en hausse », « Historique ! », etc. De quoi peut-il donc être question ? Des résultats du bac, évidemment. Le pourcentage de reçus dépasse 90 % dans les sections générales. Comment ne pas s'extasier ? D'autant que l'on a progressé de 3 % par rapport à l'année précédente. Gageons qu'en 2014, les résultats du bac seront encore meilleurs et le concert d'alléluias encore plus enthousiaste.

Cette présentation en fanfare, qui revient chaque année peu avant la revue du 14 juillet, donne à croire que le pourcentage de reçus reflète le niveau des élèves, donc le niveau de notre enseignement. Or il n'a cessé de monter. En quarante ans, nous sommes passés de 67 à 86 % de réussite au baccalauréat. Continuons ainsi et dans quelques années nous atteindrons la perfection avec 100 % de reçus.

Telle est donc la vérité première célébrée chaque année sur notre système d'enseignement. Par comparaison, le pourcentage d'élèves qui arrivent au collège sans maîtriser la lecture et l'écriture, le nombre de jeunes qui abandonnent l'école sans le moindre diplôme, sont à peine mentionnés au détour d'une chronique ou d'un éditorial. Quant aux seules évaluations qui vaillent, celles réalisées sur le plan international par l'OCDE, les enquêtes PISA, elles sont largement ignorées. Il est vrai que les résultats sont bien moins flamboyants. À cet examen, les élèves français obtiennent 496 points, tout juste au-dessus de la moyenne de 493 points, ce qui situe notre pays à la 22e place. Voilà la véritable information sur l'état de notre école. Ces résultats, qui se dégradent au fil des ans, devraient susciter un véritable débat national. Mais à quoi bon nous inquiéter d'une vérité étrangère puisque nous en fabriquons une autre, purement nationale, totalement absurde, mais beaucoup plus rassurante ? Qui osera encore contester notre école lorsqu'elle donnera le baccalauréat à tous les élèves ?

Les Français aiment-ils la vérité ? On a parfois le sentiment qu'ils adorent l'ignorer. Voyez, par exemple, les interminables querelles sur le nombre des manifestants. Depuis cinquante ans, il est entendu qu'au soir d'une manifestation on a droit aux chiffres des organisateurs, aux chiffres de la police et qu'entre ceux-ci et ceux-là, il existe au minimum un écart de un à deux. La presse s'est toujours contentée de donner les deux comptages. Il a fallu attendre octobre 2010 pour qu'elle se décide à faire son travail, c'est-à-dire à établir la vérité. Le gouvernement préparait la réforme des retraites et les syndicats lançaient manif sur manif. L'importance des cortèges devenait un argument politique pour faire pression sur le pouvoir. Pour la journée du 12 octobre 2010, trois organes de presse décidèrent de procéder à leur propre comptage. Il y avait là Mediapart, réputé de gauche, *France-Soir*, réputé sarkozyste, et plusieurs journaux marseillais associés pour l'occasion. Les opérations étaient entièrement indépendantes les unes des autres et utilisaient des techniques de comptage différentes. À Paris, les syndicats annoncèrent 330 000 personnes, la police 89 000, *France-Soir* entre 73 000 et 80 000, et Mediapart 76 000. À Marseille, ce fut encore plus réjouissant. Les syndicats comptèrent 230 000 personnes, la police 24 500 et les journalistes locaux entre 16 000 et 21 500.

Il était donc prouvé que les chiffres de la police étaient fiables et ceux des organisateurs, gonflés. Il y avait tout lieu de penser que ce qui était vrai ce jour-là valait pour les autres, passés et à venir. Précisément, huit jours plus tard, les manifestants se rassemblèrent à nouveau. Que pensez-vous qu'il arriva ? Les médias qui, la semaine précédente, s'étaient fait l'écho de ce comptage critique redonnèrent scrupuleusement les deux chiffres, comme si de rien n'était. La même comédie s'est rejouée plus récemment à propos du rassemblement contre le mariage homosexuel, à Paris, le 13 janvier 2013. Entre le million de personnes que Frigide Barjot pensait avoir rassemblées et les 340 000 décomptées par la police, les médias laissèrent le public juge. La plaisanterie a été répétée le 5 mai 2013 lors de la manifestation du Front de gauche. Jean-Luc Mélenchon a annoncé la présence de 180 000 manifestants à la Bastille quand la police n'en comptait que 30 000. Jacques Duclos disait que « le bon chiffre est celui que les manifestants doivent avoir conscience d'avoir été ». La vérité n'a rien à voir là-dedans.

En France, la réalité a toujours le plus grand mal à franchir le mur du « politiquement correct ». Voyez la fraude. En matière fiscale, elle est reconnue et c'est un devoir civique de la combattre. En matière sociale, elle est dénoncée chez les employeurs qui ne paient pas leurs charges. Là encore, pas une voix ne s'élève pour la défendre. Mais qu'en est-il pour les prestataires qui auraient perçu plus que leur dû ? Cette seule éventualité soulève des protestations indignées. Évoquer cette fraude-là serait jeter la suspicion sur des catégories hautement estimables : les pauvres, les chômeurs, les malades, les familles nombreuses, etc. Les examinateurs de la Cour des comptes qui s'en tiennent aux faits et aux chiffres prouvent pourtant la nécessité de ces contrôles. Dans leur rapport de 2012 sur la Sécurité sociale, on peut lire : « La Cour estime [...] qu'elle n'est pas en mesure de certifier, au regard des principes et des règles comptables qui leur sont applicables, que les comptes annuels de la caisse nationale d'allocations familiales (CNAF) sont réguliers et sincères et donnent une image fidèle de sa situation financière et de son patrimoine. » Un refus de certification ! Non pas d'une caisse régionale, mais de la caisse nationale ! Et pour quelles raisons ? « Pour 2011, l'impact financier extrapolé des erreurs commises par la branche et non détectées dans le cadre des différentes actions de contrôle mises en œuvre a atteint 1,6 milliard d'euros en valeur absolue ; pour 2010, cette même valeur s'était élevée à 1,2 milliard d'euros. » Et les examinateurs de préciser que ces abus correspondent principalement au trop-perçu par les allocataires en l'absence de contrôles suffisants. La nouvelle n'a pas fait plus de bruit qu'un vœu du Conseil économique, social et environnemental. Précisons que ces versements indus ne sont pas tous le résultat de fraudes délibérées. Bien souvent, c'est tout simplement l'administration ou les intéressés qui se sont trompés. Avec le revenu de solidarité active, nous avons réussi à créer une prestation si compliquée dans son application que de nombreux ayants droit, perdus dans ces règlements, ne viennent simplement pas la réclamer. L'indu n'est donc pas entièrement frauduleux, mais il appelle un contrôle plus efficace pour détecter le trop-perçu comme le non-perçu.

La bien-pensance a posé en principe que la fraude est présumée négligeable et le contrôle, inconvenant. Les Français colportent des histoires de chômeurs qui travaillent au noir, de bien portants en arrêt maladie, de bénéficiaires du RSA roulant en Mercedes, d'étrangers qui envahissent nos hôpitaux et de polygames se gavant d'allocations familiales. Il n'y a pas mieux que la censure de la vérité pour faire prospérer la rumeur. Mais qu'en sera-t-il quand il faudra demander à tous des efforts supplémentaires pour redresser le pays ? Pourra-t-on préserver une protection sociale délégitimée par l'insuffisance des contrôles ?

La France aurait-elle renoncé à l'autoexamen ? Tout au contraire. Au cours des dernières années, les « observatoires » se sont multipliés. Sur tout et n'importe quoi : la taille des cravates, les nouvelles insultes, les pratiques sexuelles solitaires, l'usage des anciens patois ou le commerce des animaux exotiques, il faut créer une structure d'observation qui voudra très rapidement étendre ses pseudopodes sur tout le pays et se doter d'un service de communication. Et plus on observe, plus on ferme les yeux. Le savoir-vivre social interdit d'explorer toutes sortes de secteurs qui doivent rester des *terra incognita*. Car il faut une grande vigilance pour se préserver de la réalité et vivre dans ses chimères. Au moindre faux pas, on risque de se réveiller au milieu d'un cauchemar, bien réel celui-là. « Ce qu'il y a de terrible avec la vérité, disait Remy de Gourmont, c'est que, quand on la cherche, on la trouve. »

Le refus de la vérité constitue bien un art de vivre à la française. Sans doute en avons-nous besoin pour faire société. Mais l'expérience prouve que l'on ne se sort pas de telles situations sans avoir été capables, tous ensemble, de voir les choses comme elles sont. Et, pour commencer, nous ferions bien de nous regarder comme les étrangers nous voient.

Le regard britannique

En mars 2012, les médias et les lecteurs ont réservé un joli succès à l'ouvrage de la journaliste de *The Economist* Sophie Pedder, *Le Déni français*[1]. Cette journaliste, qui vit depuis plusieurs années à Paris, offrait une image de la France à

---

1. Sophie Pedder, *Le Déni français : les derniers enfants gâtés de l'Europe*, Paris, Lattès, 2012.

l'opposé de celle que nous entretenons. Faisant la comparaison entre les deux rives du Channel, elle concluait : « Les Français sont les derniers enfants gâtés d'Europe. » *Shocking!* Elle montrait, point par point, combien notre situation est préférable à celle des Britanniques. Malheureusement, elle montrait aussi que cela ne pourrait pas durer.

Le modèle ne se reconnaît jamais dans le miroir, c'est bien connu. Il nous était donc impossible d'admettre que, en dépit de tous ses défauts et de toutes ses insuffisances, la France pouvait être un pays de Cocagne, comparée à ses voisins européens. Notre savoir-vivre social repose sur la victimisation. Tout le monde, individuellement ou collectivement, s'approprie le statut de victime. Cette reconnaissance ouvre le droit à l'universelle compassion. C'est agresser une personne ou une catégorie sociale que d'affirmer qu'elle n'est peut-être pas aussi malheureuse qu'elle le prétend.

Morale de l'histoire : les Français ne se voient pas tels qu'ils sont et l'image qu'ils se fabriquent est un tissu de contradictions. Ils ne doutent pas que leur modèle social soit le meilleur au monde et n'en veulent changer sous aucun prétexte, mais ils se dépeignent en misérables. Ils savent que les droits et avantages dont ils bénéficient sont fondés sur une base économique de plus en plus fragile, mais ils s'obstinent à n'y voir qu'un minimum vital devant être assuré à tous. Ce n'est pas un privilège d'en jouir et ce serait une injustice d'en être privé. Substituant l'éthique à l'économique, ils n'imaginent d'ajustement que « par le haut », par l'accession de tous les peuples aux standards français, et en aucun cas « par le bas », par alignement de nos normes sociales sur nos performances économiques.

Libre à nous de refuser le portrait qui nous est offert sous signature britannique, cela ne change rien à la suite des événements. Jour après jour, l'actualité nous fait la leçon : c'est ici une usine qui ferme, là le chômage qui déborde, ailleurs une ONG submergée par la misère. C'est surtout un gouvernement incapable de mener la politique annoncée et qui doit se plier aux exigences de la réalité pour introduire une TVA sociale, couper massivement dans les dépenses publiques, accepter la règle d'or budgétaire, restreindre les prestations sociales, etc.

La réalité nous a rattrapés à l'issue de la crise financière. C'était l'occasion ou jamais d'en finir avec la fantasmagorie française. Nicolas Sarkozy puis François Hollande n'ont pas osé la bousculer. Ainsi les temps nouveaux sont-ils advenus dans un climat de totale incompréhension. Mais, en dépit de tous les mensonges, c'est bien à l'heure de vérité que vont devoir vivre les Français, d'une vérité qui ne peut être dite dans le fonctionnement actuel de notre République.

Chapitre 3

« HEAVY END » POUR SARKOZY

« Il peut le faire ! » lançait Francis Blanche. Sur la scène, son complice Pierre Dac, dans le rôle d'un Grand Mamamouchi, avait été mis au défi de lire à distance un document. Il se déclarait capable de relever le défi. Francis Blanche invitait la salle à saluer cet exploit. Le numéro, ponctué de fous rires, est resté dans les mémoires. Il est devenu un grand classique de la vie politique française... Malheureusement, il a cessé de faire rire.

Souvenez-vous, pendant la campagne présidentielle, les ovations qui saluèrent Nicolas Sarkozy et François Hollande lorsqu'ils se faisaient fort de renégocier l'un les accords de Schengen, l'autre le pacte budgétaire. Les spectateurs des meetings étaient aux anges : « Il peut le faire ! » En France, l'effet d'annonce vaut résultat : plus il paraît aventuré, plus il soulève d'enthousiasme. Ce volontarisme trouve son apothéose dans l'invraisemblable. Qui pouvait imaginer la conservatrice rigoriste Angela Merkel renonçant à son traité fétiche pour plaire à ce socialiste, présumé laxiste, de François Hollande ? L'exploit était effectivement irréalisable, il n'y avait plus qu'à applaudir. Pendant trente ans, la France a pratiqué la politique du « il peut le faire », elle doit maintenant passer à celle du « il faut le faire ». Sans y être vraiment préparée.

Le temps d'une campagne, le peuple a l'illusion d'être aux commandes du pays. Il fait des tests comparatifs avec les programmes des candidats. Il taxe à 75 % les plus hauts revenus, crée une TVA sociale, accorde le droit de vote aux étrangers ou refuse aux homosexuels celui de se marier. Chacun joue les ministres, ou même le président. Quelques semaines de souveraineté tous les cinq ans : c'est le cadeau de la République à chacun de ses enfants.

Ce pourrait être l'occasion de se confronter au réel, excellent exercice civique. Il n'en est rien, car ce pouvoir virtuel simule l'action mais gomme les contraintes. Il suffit de commander et tout obéit. Les riches paient les surtaxes sans consulter les horaires du Thalys, les fonctionnaires se trouvent plus beaux quand on leur serre la ceinture, la France abandonne l'euro aussi facilement que l'heure d'été, les jeunes reprennent espoir avec des emplois en papier mâché, les objectifs proclamés et les promesses suffisent à calmer les marchés financiers, et la population dans son ensemble applaudit les étrangers qui sortent des bureaux de vote et les couples homosexuels qui viennent de passer devant monsieur le maire.

Les observateurs politiques n'ont pas manqué de saluer le sérieux, voire la sévérité de la dernière campagne présidentielle. Les candidats n'ont-ils pas remisé la hotte du Père Noël et tout juste entrouvert le guichet des promesses ? Ce recul de la démagogie eût été bienvenu en 2007 ; en 2012, il n'est pas à la mesure des nouveaux périls. Car la France a devant elle cinq années d'austérité, risques de dérapage inclus. François Hollande et Nicolas Sarkozy se contentèrent de fixer des objectifs en gardant un flou artistique sur les moyens. Ils pourront le faire, ils pourront le faire... L'économiste Jean-Paul Betbèze, rejouant la partie, constate que « les deux programmes étaient quantitativement les mêmes[1] ». Mêmes anti-cipations de croissance – supérieures aux prévisions, cela va de soi –, mêmes engagements européens sur la réduction des déficits. Seule différence entre les deux candidats au second tour : l'un promet de ne mettre à contribution que les riches, l'autre oublie de dire qu'il fera payer la classe moyenne. D'un côté comme de l'autre, on cache les impôts qu'il faudra aug-menter et les dépenses qu'il faudra couper. En dehors de cela, tous deux offrent une assurance tous droits acquis et se livrent à des acrobaties linguistiques pour ne jamais prononcer le mot honni d'austérité, voire de rigueur.

Ils savent qu'ils devront mener une telle politique et, plutôt que l'afficher clairement pour mobiliser l'opinion, ils en font une action coupable qu'il serait inconvenant d'annoncer. Si encore il s'agissait d'une heureuse surprise propre à galvaniser les foules. Tout au contraire, des épreuves s'annoncent à l'horizon, et nos gouvernants les cachent comme des maladies honteuses. Comment pourront-ils obtenir, le moment venu, l'adhésion des Français ? Une fois de plus, en France, le pou-voir s'obtient sur des engagements qui interdiront de l'exercer à plein.

Au terme de cette séquence électorale, le pays se donne une majorité cohérente, toute de rose vêtue, et un chef de l'État, le plus légitime qui soit. Pour l'élection, il a gagné trois scru-tins successifs et, pour la compétence, il aligne Sciences Po, HEC, l'ENA et la Cour des comptes. Qui dit mieux ? La Ve République est en parfait ordre de bataille. Si elle ne gagne pas, il faudra passer à autre chose.

---

1. Jean-Paul Betbèze, *Si ça nous arrivait demain...*, Paris, Plon, 2013.

Les limites du volontarisme

L'histoire politique marquera d'une pierre blanche ce mois de mai 2012, lorsque François Hollande l'a emporté sur Nicolas Sarkozy. Cela s'appelle l'alternance, événement assez rare. L'histoire, elle, se focalisera sur une rupture intervenue quelques mois plus tôt, lorsque l'Allemagne, préoccupée par la crise des dettes souveraines, entendit rappeler ses partenaires au respect des équilibres budgétaires. En soi, cette obligation était incluse dans le pacte de stabilité du traité de Maastricht. Mais la règle n'était plus qu'un souvenir. Pour Angela Merkel, il fallait imposer une discipline collective qui ramènerait tous les pays membres de l'eurozone à la rigueur budgétaire. Le « Traité pour la stabilité, la coordination et la gouvernance dans l'Union économique et monétaire », disons le pacte budgétaire, est adopté le 30 janvier 2012. Il prévoit l'inscription dans la Constitution de l'interdiction des déficits, la règle d'or, et des sanctions contre ceux qui ne la respecteront pas. Pour un pays qui serait resté dans les clous du pacte de Maastricht, cela ne changerait rien. Mais, pour la France, c'est un très dur rappel à la réalité. D'autant qu'en 2011, les nouveaux principes paraissent inviolables. C'est la fin d'une époque.

S'il est un homme qui entendait bien imposer sa volonté à la réalité, c'est assurément Nicolas Sarkozy. Le réalisme, il se trouvait dans le rapport Pébereau de 2006 qui soulignait l'état dramatique de nos finances et indiquait les mesures à prendre pour en assurer le redressement. Tout ce que le nouveau président ne veut pas faire. Il entend « aller chercher la croissance avec les dents », et, pour cela, augmenter les dépenses et diminuer les impôts. Économiquement, c'était aventuré ; diplomatiquement, c'est incompatible avec les engagements de la France vis-à-vis de la Commission européenne. Qu'à cela ne tienne, le nouveau président se rend à Bruxelles pour annoncer à nos partenaires qu'il a « fait le choix de la croissance ». Les autorités européennes comprennent immédiatement : tous les ans, le ministre des Finances français vient expliquer qu'il ne respectera pas ses engagements en matière de déficit. Relance oblige. Au début du mandat de Nicolas Sarkozy, entre le bouclier fiscal, les réductions de taxes sur les heures supplémentaires, les crédits immobiliers, les droits de succession, etc., son absurde loi TEPA (loi en faveur du travail, de l'emploi et du pouvoir d'achat) sacrifie une bonne dizaine de milliards qui viennent grossir le déficit.

La France avait aussi des problèmes de compétitivité ; le candidat Sarkozy ne l'ignorait pas. C'est pourquoi il avait vaguement imaginé de créer une « TVA sociale » pour réduire les charges des entreprises. Mais, lors de la campagne législative, à la télévision, Laurent Fabius interrogea tout à trac Jean-Louis Borloo, ministre des Finances, sur l'augmentation de la TVA. Borloo dut démentir, sans démentir, tout en confirmant. Fabius triompha : « C'est cela : votez pour nous, vous paierez après ! » Les candidats UMP se virent interpellés, ne surent que répondre et l'affaire, dit-on, fit perdre à la droite un certain nombre de sièges. Maudite TVA sociale ! Le président en oublia le projet et, dans la foulée, la balance commerciale, et ne se soucia que des gros contribuables, identifiés par lui aux entrepreneurs.

Président suractif succédant à un roi fainéant, Nicolas Sarkozy était conscient que son programme électoral ne répondait pas aux besoins de notre époque. Pour revivifier sa politique, il s'inspira de la démarche suivie par le général de Gaulle, qui, dès 1958, instaura une commission présidée par

MM. Jacques Rueff et Louis Armand, destinée à proposer des recommandations pour « lever les obstacles à l'expansion économique ». Sarkozy avait besoin d'un nouveau rapport Armand-Rueff, il confia la mission à Jacques Attali. L'idée était juste et le choix judicieux. S'il suffisait d'un rapport pour changer un pays, la France aurait été modernisée par les trois cent seize propositions, vingt décisions fondamentales et huit grandes ambitions que l'ancien sherpa de François Mitterrand remit au chef de l'État. Mais si Attali peut le dire, Sarkozy ne peut pas le faire. Car le pouvoir aurait dû prendre sur lui d'imposer des mesures, impopulaires pour certaines, explosives pour d'autres. Or il y a plus d'affirmations que de volonté dans le volontarisme sarkozyste.

En 2010, le président demande à Jaques Attali un rapport sur le précédent rapport pour mettre à jour les recommandations de 2007. Entre-temps, la crise financière a déferlé et les finances publiques se sont terriblement détériorées. La nouvelle version comporte donc une ordonnance très sévère pour redresser les comptes de l'État. Les économies à réaliser sur trois ans sont estimées à 75 milliards d'euros. Le rapporteur en donne le détail : 25 milliards à récupérer sur les niches fiscales, 10 par des mesures exceptionnelles – comme le gel du point d'indice –, 20 milliards d'économies sur le budget de l'État, 10 sur celui des collectivités territoriales, 11 sur la Sécurité sociale. Notons que, pour l'essentiel, le retour à l'équilibre doit s'obtenir par la maîtrise de la dépense et non par l'augmentation de la fiscalité. Le rapport est remis à l'automne 2010 dans une discrétion qui tranche sur la solennité de 2008. Le pouvoir ne souhaite pas faire une trop grande publicité à l'annonce d'une austérité qu'il sait pourtant inévitable.

La tempête américaine

Pendant les deux premières années de son mandat, Nicolas Sarkozy a dépensé beaucoup d'énergie mais n'a pu infléchir la réalité. Soir et matin, dans les médias, il affirmait sa capacité de changer le pays. Sans doute aurait-il pu tenir ainsi jusqu'en 2012 si l'ouragan financier n'avait pas déferlé des États-Unis.

Pourtant, quand la bulle immobilière commença à se dégonfler outre-Atlantique, les Français n'y virent qu'une histoire américaine, voire une affaire de banquiers. Le cataclysme prend sa dimension apocalyptique à l'automne 2008. L'Europe et la France sont touchées de plein fouet. Tout le système bancaire se fige et menace de s'écrouler ; l'économie, frappée de stupeur, se met à l'arrêt. Nicolas Sarkozy, alors président de l'Union européenne, analyse remarquablement bien le tournant que l'histoire est en train de prendre dans son discours de Toulon, le 25 septembre 2008 : « La crise financière n'est pas la crise du capitalisme. C'est la crise d'un système qui s'est éloigné des valeurs les plus fondamentales du capitalisme, qui a trahi l'esprit du capitalisme. [...] Le monde change. Nous devons changer avec lui. [...] Je veux dire aux Français qu'il n'existe aucune solution miracle qui permettrait à notre pays de se dispenser des efforts nécessaires pour surmonter la crise. [...] Nous passons d'un monde d'abondance à un monde de rareté. [...] C'est une véritable transformation de notre modèle économique et social et de notre cadre de vie qui va s'accomplir dans les années qui viennent. »

Bien vu, bien dit. Pourtant, dans le temps même où il décrit les changements du monde, réunit le G20 et prend les initiatives nécessaires pour éviter une catastrophe systémique, le président s'efforce de rassurer les Français. Leur épargne sera protégée, leurs impôts ne seront pas augmentés, ils ne subiront pas l'austérité. Il appréhende la nouvelle réalité à l'échelle internationale. Il ne veut pas en mesurer les conséquences à l'échelle nationale.

Ouvrant les vannes du crédit pour éviter un étouffement de l'économie, Nicolas Sarkozy passe tant bien que mal le plus gros de la crise. En l'espace de trois ans, les finances de la France ont viré de l'orange au rouge vif, et la zone euro tout entière est entrée dans la crise à répétition des dettes publiques. L'échéance s'est rapprochée sans que nous y soyons préparés.

Dans la logique du discours de Toulon, le volontarisme rejoignait le réalisme. Ce grand choc, cette immense trouille créait les conditions d'une véritable rupture. Sans doute aurait-il fallu provoquer de nouvelles élections législatives pour renforcer la légitimité du pouvoir afin d'entreprendre à marche forcée la transformation du pays dans le sens du rapport Attali.

Le réveil des marchés

Nicolas Sarkozy n'entend pas céder à la pression des faits et répète la même antienne : « Je n'ai pas été élu pour augmenter les impôts. » Il compte atteindre la fin de son mandat sans se dédire ; pour les hausses, on verra après l'élection. Il fait même voter une TVA sociale… pour octobre 2012 ! C'est compter sur la bienveillance assoupie de la finance. Mais, à partir de 2010, les agences de notation commencent à froncer les sourcils. En dépit de leur comportement scandaleux dans la crise financière, elles ont conservé leur pouvoir de nuisance. Et voilà qu'elles s'interrogent sur la note de la France. Mérite-t-elle son triple A ? Poser la question, c'est y répondre. L'état de nos finances ne correspond évidemment pas à cette marque d'excellence. Nous voilà donc menacés d'une dégradation qui pourrait ébranler les investisseurs et renchérir fortement le coût de nos emprunts. Pour parer à cette menace, le déficit doit baisser plus rapidement et plus fortement que prévu.

Désormais, les défaillances comptables ne se règlent plus en petit comité à Bruxelles, mais sur les marchés. Le général de Gaulle ne voulait pas que la politique de la France se fasse « à la corbeille », c'est pourquoi il avait désendetté le pays. Un demi-siècle plus tard, voilà celui-ci surendetté, ceinturé, corseté par le pacte budgétaire européen. Le déficit, qui a atteint en 2010 le record historique de 7,5 % du PIB, doit être au plus vite, c'est-à-dire dès 2013, ramené à 3 %. Dans son bras de fer avec la réalité, Sarkozy doit plier.

Les contraintes financières enserrent la France dans un pacte européen avec droit de contrôle communautaire sur les budgets, sanctions financières à la clé, etc. Le prochain chef de l'État, quel qu'il soit, devra en passer par là. Durant la campagne des primaires socialistes, les candidats, à l'exception d'Arnaud Montebourg, sont contraints, pour être crédibles, de reprendre à leur compte cet implacable calendrier. Mais leur perception de la réalité est encore un peu confuse, car ils se réfèrent toujours à un programme socialiste qui prévoit des dépenses nouvelles et recule de 2013 à 2015 le retour aux fameux 3 % du PIB. Le tout porté par une croissance miraculeuse de 2,5 %. François Hollande et Martine Aubry mélangent allègrement les engagements du parti et les obligations européennes. Ils n'ont mesuré ni l'ampleur de l'effort exigé ni l'irréversibilité d'un traité signé par la France. Ils vivent encore dans le monde d'avant, celui où il suffisait de dire les choses sans avoir à les faire.

L'opposition n'a pas compris, mais la majorité, elle, ne peut l'ignorer. Les prévisions de croissance s'annoncent catastrophiques, l'Europe s'inquiète pour les finances de la France. La mort dans l'âme, Nicolas Sarkozy doit capituler devant la nécessité. Il lui reste à choisir entre dépenses et recettes. Il préfère se renier et accroître les recettes plutôt que reconnaître la nécessité de l'austérité en réduisant les dépenses. Il commence par s'attaquer aux niches fiscales. Pour l'effet d'annonce et le symbole, c'est moins parlant qu'une augmentation des taxes ; pour le contribuable, c'est la même chose. Plus de 20 milliards seront ainsi « rabotés » entre 2011 et 2012. Au total, le gouvernement Fillon décrète 30 milliards d'impôts supplémentaires entre août et novembre 2011. Cela n'empêche pas Standard and Poor's d'annoncer le 13 janvier 2012 une dégradation de la note de la France. Sarkozy procédant à des hausses massives d'impôt pendant une année électorale ! Un coup de force vient de s'opérer en France. La réalité commande et le politique n'a plus que l'apparence du pouvoir.

En dépit de leur bienheureux amortisseur social, les Français s'appauvrissent. Le pouvoir d'achat des ménages décline tout doucement à partir de 2008, jusqu'à piquer de − 1 % en 2012. Une baisse relativement marginale, mais durement ressentie, car notre société de consommation est faite pour une augmentation continue des revenus et réagit au moindre coup de frein. Les Français, champions du pessimisme, ressentent cette détérioration comme l'amorce d'un décrochage personnel. Selon un sondage CSA pour *Les Échos*, ils sont 37 % à avoir le sentiment de s'appauvrir. Ils le pressentent : une rupture majeure et sans retour s'est amorcée.

Les exemples étrangers sont là pour ouvrir les yeux. Grecs, Portugais, Espagnols, Italiens crient leur misère et leur colère dans les rues. L'angoisse des Français s'accentue. Comment passerons-nous de notre croisière tranquille à ces combats navals ? Comment le pays pourra-t-il se gouverner si la classe politique rate cette dernière échéance ? Les Français avaient beaucoup de sujets à débattre et d'interrogations à formuler au cours du grand forum électoral. Ce n'était malheureusement ni le lieu ni l'heure d'en parler.

Chapitre 4

ACROBATIES BUDGÉTAIRES

Le 6 mai 2012, les Français ont donné mandat à François Hollande de continuer à gérer le déclin. Pas plus. Lui sait qu'il devra mener une tout autre politique et qu'il ne peut l'annoncer de but en blanc. Dans l'immédiat, il gratifie ses clientèles de menus cadeaux – un peu de retraite à 60 ans, un rien d'augmentation du Smic, un bonus pour l'allocation de rentrée.

Son état de grâce est bien court, car les créanciers sonnent à la porte, les concurrents nous taillent des croupières, les partenaires nous rappellent à l'ordre, les agences effeuillent notre triple A et les prêteurs soupèsent notre solvabilité ; autant de réalités qu'aucun cache-misère ne peut longtemps dissimuler. François Hollande sait qu'il doit passer des images édulcorées de la campagne à la réalité pure et dure. Il n'est pas homme à venir sur le forum télévisuel prêcher la croisade des temps nouveaux. Au reste, les discours du candidat pèsent encore sur la parole du président. Il lui faudra six mois d'approche pour trouver l'axe de sa piste. À l'opposé de Nicolas Sarkozy, il ne se lance pas dans des charges claironnées et bien vite embourbées. Il surfe sur les difficultés sans que l'on sache jamais qui, de l'homme ou de la vague, commande la manœuvre. Sans doute est-il autant le jouet des événements que le maître du jeu, mais comment faire le départ entre les deux rôles ? Pour l'assister dans ce premier temps de son quinquennat, il utilise l'héritage et l'expertise.

Parole d'expert

À chaque alternance, le vainqueur dresse un tableau apocalyptique du pays. Il fait mine de découvrir un bilan qu'il connaît parfaitement. Ainsi impute-t-il aux dissimulations des prédécesseurs la révision de ses engagements électoraux. Un joker qui, malheureusement, a tôt fait d'épuiser ses effets.

François Hollande a joué cette partition sur du velours, car il a trouvé une situation aussi désastreuse sur le plan financier que sur le plan économique. Au cours de la décennie écoulée, les déficits budgétaires et commerciaux ont explosé, s'élevant à des niveaux jamais atteints. Le chômage est reparti à la hausse, la croissance à la baisse. Les positions de la France n'ont cessé de reculer tant sur le marché mondial que sur le marché européen. Qui dit pire ? Pourtant, le nouvel élu ne fait qu'un usage modéré des horreurs qu'il feint d'exhumer, pour la seule raison qu'à trop les exhiber, il porterait atteinte au moral de la nation et compromettrait sa propre réussite. Il couple donc le poids de l'héritage et la parole de l'expert afin de légitimer une politique qu'il n'a pas annoncée, qui n'est pas la sienne mais qu'il doit mettre en œuvre.

Passer de Noël en carême, c'est l'exercice postélectoral obligé. Pour l'élu de 2012, il s'annonce particulièrement difficile. À l'automne 1995, Jacques Chirac avait annoncé la froidure six mois après avoir promis le printemps. Mal lui en prit. Il se retrouva planté avec une France bloquée au cœur de l'hiver. François Hollande a retenu la leçon. Il va faire appel à des cautions présumées libres d'attaches partisanes, riches d'une expertise technique, pour amener l'opinion à la réalité nue du moment : messieurs Migaud et Gallois, au secours ! Didier Migaud, Premier président de la Cour des comptes, sera chargé de dresser l'inventaire financier de la France ; Louis Gallois, commissaire général à l'investissement, sera missionné pour faire le point sur la compétitivité, plus précisément sur la perte de compétitivité de l'industrie française. L'un comme l'autre s'imposent autant par leur compétence que par leur intégrité, et n'ont pas subi l'usure de la vie politique. C'est l'essentiel.

L'exercice peut surprendre. La France a passé son check-up électoral, elle a choisi son traitement, son médecin, et voilà que, sitôt les urnes et les panneaux remisés à la mairie, elle doit tout reprendre « pour de vrai ». À croire que le rituel démocratique joue de l'accessoire pour cacher l'essentiel, que les leaders politiques se livrent à des exercices oratoires gratuits et laissent aux experts le soin de dire les choses. Les rapports Migaud ou Gallois ne contiennent aucune information originale. Ils sont plus factuels, moins innovants que ceux de la commission Attali. Les données chiffrées se dénichent toutes sur le Net, et les préconisations étaient apparues dans de précédentes études. Ce n'était donc pas le savoir qui était recherché, mais l'autorité. Disons-le à l'envers : nous n'avions pas besoin d'une science, mais d'une crédibilité qui faisait défaut au personnel politique.

La Cour des comptes n'avait à produire qu'un bilan de plus sur les finances publiques. Dès le mois de juillet 2012, elle constate une nouvelle fois que la situation ne cesse de se détériorer et qu'elle devient d'une extrême gravité. Didier Migaud rappelle donc l'obligation des 3 % qui, de Sarkozy à Hollande, devient le sparadrap du capitaine Haddock que l'on se refile sans jamais pouvoir s'en débarrasser. Il l'assortit d'une mise en garde : « Le non-respect de la trajectoire [des

3 %] présenterait des risques financiers, économiques et sociaux bien plus importants et durables que ceux que fait peser à court terme sur l'activité économique la réduction rapide du déficit. » En termes non technocratiques, cela signifie que si la France, à son accoutumée, ne tenait pas ses engagements, elle risquerait des sanctions européennes, une dégradation de sa note et, pire que tout, une augmentation de ses taux d'intérêt. La menace suprême pour un pays qui emprunte 200 milliards d'euros par an. En 2012, la France trouve encore cet argent à très bon marché, moins de 2 %, ce qui réduit d'autant nos frais financiers. Mais ce régime de faveur est tout sauf acquis. Que les investisseurs perdent confiance, et ils peuvent très rapidement nous imposer des taux plus élevés, ce qui déséquilibrerait notre budget, accroîtrait nos besoins de financement, bref, déclencherait un catastrophique effet boule de neige autoaccéléré. Tels sont les « risques » évoqués de façon elliptique dans le rapport. Ils ne laissent aucune marge de manœuvre et relèguent au niveau des concours de poésie les dissertations de nos économistes atterrants sur les méfaits de l'austérité. Pour la France, c'est l'austérité ou la banqueroute.

La comptabilité au placard

Avec la règle d'or, l'interdiction du déficit, François Hollande impose très vite sa première leçon de pragmatisme. Ne pas dépenser plus qu'on ne gagne, équilibrer recettes et dépenses, c'est la base de toute comptabilité. Il nous faut refonder notre économie sur un socle comptable stable avant qu'elle ne s'écroule.

S'il est un cas où les partis pourraient faire passer l'intérêt du pays avant le leur, c'est bien celui-là. Pensez donc ! Ils vont entretenir pendant des années un psychodrame à rebondissements, nourri de mensonges, de reniements, de palinodies, illustrant parfaitement la vacuité d'une classe dirigeante fermée au monde extérieur et repliée sur ses luttes intestines.

L'idée d'inscrire cette règle dans la Constitution traîne en Allemagne depuis cinquante ans, mais n'est apparue en France que depuis quelques années. François Bayrou en fait son cheval de bataille en 2007. L'UMP se prononce pour. Mais Nicolas Sarkozy, une fois installé à l'Élysée, se fait discret sur le sujet. Il ne veut pas reprendre à son compte le produit phare d'un concurrent et, surtout, n'entend pas s'appliquer cette discipline à lui-même. Il se dépêche donc de l'oublier et ne va la retrouver qu'en fin de mandature. Car s'il a pu dédaigner la proposition de François Bayrou, il ne peut ignorer l'exigence d'Angela Merkel qui entend la faire figurer dans le traité budgétaire européen. Toutefois la règle, telle que prévue dans le traité, a gagné en souplesse pour tenir compte des objections keynésiennes. Elle distingue le déficit structurel, qui tient à l'organisation même du budget, du déficit conjoncturel, dû aux perturbations créées par le contexte économique.

En 2011, Nicolas Sarkozy tente de l'inscrire dans la Constitution pour se mettre en conformité avec les engagements européens. Le soutien des socialistes est nécessaire, car la majorité ne dispose pas, au Congrès, des trois cinquièmes des voix nécessaires à l'adoption d'une réforme constitutionnelle. La gauche est mal à l'aise, car elle professe que l'argent public fait reculer le chômage, que l'équilibre budgétaire est récessif. Toutefois, quelques voix socialistes, notamment celles de Michel Rocard ou Dominique Strauss-Kahn, remettent en cause cette religion du déficit. La question de la règle d'or est donc en balance chez les socialistes lorsque Nicolas Sarkozy essaie de faire ratifier le pacte budgétaire européen. Un certain nombre serait disposé à lui apporter ses votes, d'autant que les Français y sont massivement favorables. Selon un sondage d'avril 2011, l'inscription dans la Constitution d'une règle interdisant de voter un budget en déficit recueille 79 % d'opinions favorables[1]. Mais les considérations électoralistes prennent le dessus. En année préélectorale, il ne peut être question de « faire ce cadeau à Sarkozy ». Plutôt que d'essuyer un échec, le chef de l'État renonce à réunir le Congrès. Ce sera au prochain président de s'en dépatouiller, puisque, en tout état de cause, des engagements ont été pris sur le plan européen.

Le pour du contre et le contre du pour

Lors de la campagne électorale, François Hollande doit dire, sans le dire, tout en le disant, qu'il s'est rallié à la règle d'or. Il lui faut donc préparer et rassurer le peuple de gauche. Le préparer à l'abandon des vieilles lunes socialistes : la relance, les augmentations, les cadeaux, etc., qu'interdit la règle d'or. Les militants ne s'y retrouvent plus. Voilà qu'ils doivent approuver une mesure emblématique de Sarkozy, à laquelle ils se sont opposés en 2011. Électeurs perdus, rassurez-vous : le grand mage Hollande va transformer le traité. Il lui suffira de se rendre à Berlin pour en revenir avec un texte tout différent de celui qu'Angela Merkel a imposé à Nicolas Sarkozy.

---

1. Sondage IFOP réalisé en avril 2011 pour l'Observatoire de la fiscalité et des finances publiques, cité dans *Le Cri du contribuable*, mai 2011.

François Hollande a annoncé qu'il pouvait renégocier. Une fois élu, il se retrouve au pied du mur. Mais, entre dirigeants, on se comprend. En contrepartie de son ralliement au traité budgétaire, il peut compter sur la bonne volonté des Allemands et des autres partenaires européens. Dès lors qu'on reste dans l'apparence, chacun peut aider son voisin. À charge de revanche. Les socialistes français ont besoin de coupler austérité et croissance ? Qu'à cela ne tienne, les eurocrates vont ficeler ça. Ainsi François Hollande peut-il revenir triomphant de Berlin en brandissant son pacte qui recycle des crédits en cours et n'ajoute guère que 10 milliards d'argent frais. L'épaisseur du trait à l'échelle européenne. Peu importe, le président socialiste tient son alibi pour convertir ses fidèles à l'évangile des temps nouveaux.

Verts, communistes, Front de gauche, Mouvement citoyen, les alliés et les ralliés ont beau jeu de dénoncer la manœuvre. Comment peut-on parler de « renégociation » quand le texte présenté est, à la virgule près, celui que Sarkozy voulait imposer l'année précédente ? Chez les socialistes même, les plus à gauche refusent de céder et campent sur les positions traditionnelles du parti. Le gouvernement pourrait compter sur l'UMP qui se fait un malin plaisir de rappeler qu'elle a déjà approuvé ce traité et la règle d'or ; mais il serait politiquement désastreux pour Jean-Marc Ayrault d'aller chercher à droite les voix qui lui manquent sur sa gauche.

Pour avoir arbitré les rivalités internes au Parti socialiste pendant dix ans, François Hollande sait mieux que personne gérer ce genre de situation. Le Conseil constitutionnel l'ayant dispensé de faire appel au Congrès, il joue sur un artifice procédural : la dualité entre le traité lui-même, avec la règle d'or, et la loi organique destinée à le mettre en œuvre. Les deux textes sont pratiquement les mêmes, mais cela va permettre aux opposants de voter un jour contre le traité, et le lendemain pour la loi. Dieu que notre classe politique éprouve des difficultés pour effectuer son retour sur terre !

La trajectoire des 3 %

La caution de la Cour des comptes, dont le premier président, Didier Migaud, bien que nommé par Nicolas Sarkozy, se trouve être un élu socialiste des plus respectés, n'est pas de trop pour imposer la réalité des comptes au peuple de gauche. Elle fixe l'objectif en matière d'économies à 33 milliards d'euros pour le budget de 2013, et, pour ce qui est des moyens, souligne, en désignant la TVA ou la contribution sociale généralisée, qu'il faudra chercher la moitié de cette somme dans les impôts, et l'autre moitié dans les économies. Telle est la feuille de route.

François Hollande réitère donc l'engagement : « La France sera à 3 % du PIB en 2013. » Les militants se renfrognent, les autorités financières applaudissent. Pour le gouvernement de Jean-Marc Ayrault, c'est l'épreuve de vérité.

En 2011, le ministre des Finances, François Baroin, allant au plus facile, s'est contenté de rogner un milliard sur les dépenses, face à 31 milliards d'impôts supplémentaires. Et ce n'est pas suffisant ; il laisse à son successeur un budget 2012 qui n'atteint toujours pas son objectif : un déficit limité à 4,5 % du PIB. Sitôt arrivé à Matignon, Jean-Marc Ayrault doit décider 10 milliards d'impôts supplémentaires pour colmater ce trou.

Un budget en trompe-l'œil

Pour boucler le budget de 2013, faudra-t-il jouer sur les dépenses ou sur les recettes ? La Cour avait proposé 50/50, mais, après le tour de vis fiscal sarkozyste, il vaudrait mieux viser 2/3 d'économies et 1/3 d'impôts. Soit sabrer 20 milliards dans les budgets. Impensable ! Dans un jugement de Salomon, Hollande coupe la poire en trois : une augmentation de 10 milliards d'impôts à la charge des entreprises, autant à la charge des ménages et 10 milliards d'économies pour l'État.

Le ministre des Finances, Pierre Moscovici, présente un budget 2013 en conformité comptable avec les engagements du pays. L'exercice budgétaire repose sur des hypothèses de recettes et de dépenses à partir desquelles on claironne un résultat. Pur effet d'annonce. Le budget 2013 n'est ni de gauche ni de droite, il répond aux attentes des créanciers internationaux. Il n'eût pas été très différent si Nicolas Sarkozy avait été réélu.

Tel qu'il se présente, il impressionne par les économies annoncées mais non encore réalisées. Première surprise : la dépense globale ne diminue pas en volume. Elle est même légèrement supérieure. Comment fait-on 10 % de moins avec un milliard de plus ? L'État imite ces commerçants peu scrupuleux qui augmentent les prix à la veille des soldes afin d'afficher les plus forts rabais ou ces obèses qui veulent croire qu'ils maigrissent quand ils grossissent moins. Les experts gouvernementaux ont donc ajouté l'inflation et la dérive attendue des finances publiques à leurs bases de calcul. C'est à partir de ce niveau théorique qu'ils atteignent les 10 % de réduction. À ce compte, ils peuvent faire des économies dès lors qu'ils dépensent moins que s'ils avaient dépensé davantage.

Bref, il s'agit d'économies virtuelles et non pas de baisses réelles des dépenses.

Le budget est en trompe-l'œil, car les socialistes ne se résignent toujours pas à couper dans les dépenses, c'est-à-dire à pénaliser leurs clientèles. Il suffit de regarder dans le détail pour être effaré par cette pesanteur des lobbies. Juste un exemple en passant : connaissez-vous le CNFPT ? Sans doute pas et vous êtes excusable. Donc le Centre national de la fonction publique territoriale a été créé en 1987 pour aider les régions, les départements et les communes dans la gestion de leur personnel. Pour remplir cette tâche, il perçoit 1 % de la masse salariale versée par les collectivités territoriales, ce qui lui assure environ 325 millions d'euros par an. De quoi vivre et même très bien vivre, car ce machin est devenu l'un des innombrables fromages de la République. La Cour des comptes a été littéralement horrifiée de ce qu'elle a découvert en l'examinant[1]. Malgré des rémunérations plantureuses, un laisser-aller général sur les frais de mission, de représentation, de fonctionnement, une multiplicité d'anomalies qui fleurent bon le copinage, une centaine d'agents en surnombre, des arrangements avec les syndicats, la constitution d'un imposant parc immobilier et la construction d'un siège social de 67 millions d'euros à Paris, le CNFPT n'arrive pas à dépenser tout son argent et garde en réserve plus de 100 millions d'euros. La Cour est à ce point scandalisée que, fait rarissime, elle recommande de réduire de 1 % à 0,9 % la dotation du CNFPT. Le ministre des Finances suit cette sage recommandation dans la loi de finances de 2011.

Et voici le gouvernement Ayrault qui s'avance, ciseaux en main, pour couper dans les dépenses, même utiles. Cela

---

1. Rapport public annuel de la Cour des comptes, février 2011.

fera mal, mais qu'y pouvons-nous ? Que va-t-il advenir du CNFPT ? Le gouvernement pourrait encore réduire les crédits de quelques pour cent. Il y gagnerait une centaine de millions. Ce ne serait pas négligeable et, surtout, ce serait autant qu'il ne faudrait pas couper demain dans les prestations sociales. Sans doute, mais la fonction publique territoriale, dans toutes ses composantes, est la chasse gardée de la gauche. Au nom de cette sanctuarisation corporatiste, la dotation du CNFPT repasse de 0,9 % à 1 % dans une loi de finances qui se veut rigoriste !

Ce budget est donc plus riche de questions que de réponses, et chacun le dit à demi-mot : à l'arrivée, l'ardoise dépassera les 60 milliards de déficit budgétaire prévus. Ce scepticisme se fonde autant sur les recettes que sur les dépenses. Dès la fin de l'année, tout le monde sait et dit que l'objectif de 3 % est hors d'atteinte. La question posée n'est plus : « Comment atteindre les 3 % ? », mais : « Comment ne pas les atteindre ? » Comment faire en sorte que cette nouvelle défaillance de la France nous vaille un sursis et non une sanction ?

Premier point : soigner son image de bon élève. François Hollande et Jean-Marc Ayrault font de l'engagement budgétaire l'axe de leur politique. Ils le réitèrent en toute occasion pour imposer l'image du Français sérieux, rigoriste, même, quoique socialiste. Ils ne rendent les armes qu'en février 2013, quand la Commission met les pendules à l'heure et corrige à 3,7 %, puis 3,9 % le 3 % de la France, puis, dans la foulée, découvre que pour 2012 la France n'a pas non plus tenu ses engagements et finit à 4,8 % de déficit, alors qu'elle s'était annoncée à 4,5 %...

Exemple parfait du retour à la réalité en version hollandaise. Pas question de proclamer la vérité devant le peuple assemblé. Les Français, entretenus dans les illusions contraires, ne le supporteraient pas. Les socialistes, toujours convaincus que le cadeau est de gauche et l'effort de droite, se rebelleraient, et le chef de l'État, n'ayant jamais rien dit de tel, se décrédibiliserait. Pas ça ou pas lui. Rien de tel qu'un budget qui annonce la rigueur sans la pratiquer, que l'échec et les réactions qu'il provoque, pour amener, pas à pas, les électeurs d'hier aux vérités d'aujourd'hui.

La tactique, habile, se révélera payante lorsque, au printemps 2013, la Commission sanctionnera les dépassements budgétaires français par un sursis de deux ans. La prime à la procrastination ! En réalité, François Hollande a eu beaucoup de chance, ce qui n'est pas interdit. Au printemps 2013, le consensus européen est passé du « tout-austérité » au « pédale douce sur l'austérité » par crainte de susciter une dépression en Europe, et les banques centrales ont inondé le marché de liquidités. Les deux ensemble ont permis à une France toujours aussi dispendieuse de troquer la sanction redoutée contre le sursis inespéré.

Chapitre 5

DIVORCE PAR INCOMPRÉHENSION MUTUELLE

Que l'arrivée au pouvoir des socialistes inquiète le monde capitaliste, c'est assez naturel ; qu'elle mette à l'arrêt l'appareil de production l'est beaucoup moins. Surtout en 2012. En mai 1981, la victoire de François Mitterrand avait suscité une véritable panique chez les possédants. Les millions avaient pris la route de la Suisse à pleines valises, la finance internationale s'était déchaînée contre le franc, la France avait dû instaurer un très strict contrôle des changes, le jeune Bernard Arnault avait choisi de s'exiler aux États-Unis, etc. Fallait-il s'étonner de cette grande peur de l'argent alors que la gauche revenait au pouvoir après vingt-trois ans d'opposition, que quatre ministres communistes s'apprêtaient à entrer au gouvernement et qu'un programme massif de nationalisations était annoncé ? Les diatribes mitterrandiennes de 1973, au congrès d'Épinay, ont été oubliées, c'est bien dommage : « La révolution, c'est d'abord une rupture. Celui qui n'accepte pas la rupture – la méthode, cela passe ensuite –, celui qui ne consent pas à la rupture […] avec la société capitaliste, celui-là, je le dis, il ne peut pas être adhérent du Parti socialiste […]. L'argent qui corrompt, l'argent qui achète, l'argent qui écrase, l'argent qui tue, l'argent qui ruine, et l'argent qui pourrit jusqu'à la conscience des hommes ! » Avec le recul, ces élans lyriques prêtent à sourire ; à l'époque, ils sonnaient comme une menace aux oreilles d'une certaine bourgeoisie.

En l'espace de quelques années, les socialistes passent de ces positions cryptocommunistes à la grande ouverture au capitalisme libéral... Mitterrand, qui n'en est pas à une conversion près, abandonne le culte de la nationalisation pour celui du marché. Par la suite, la gauche a instauré la coexistence pacifique avec le patronat. Elle a diminué les impôts après les avoir augmentés, et a privatisé plus qu'elle n'a nationalisé. Ajoutons que la Bourse ne s'est jamais mieux portée que lorsque les socialistes étaient au pouvoir, et que les entreprises du CAC 40, totalement mondialisées, sont indifférentes à la conjoncture intérieure française. Il n'y a donc aucune raison, en 2012, pour qu'une alternance crée un climat d'hostilité et d'effroi. La gauche ne s'est pas heurtée au « mur de l'argent », selon la formule consacrée, puisque la Bourse n'a pas bronché et que les marchés ont fait payer l'argent moins cher à la France hollandaise qu'à la France sarkozyste. Quant aux forces productives, elles ont vu sans affolement la gauche gagner les élections. Seuls les rentiers ont manifesté une compréhensible inquiétude.

Pourtant, l'incompréhension se manifeste bientôt entre la nouvelle majorité et les acteurs économiques. La première raison, la plus évidente, c'est l'urgence. En 1981, la politique socialiste a créé des problèmes qui ne se posaient pas. En 2012, toutes les casseroles sont sur le feu, prêtes à déborder. Il faut tout de suite trouver de nouvelles ressources, donc augmenter les impôts, pour corriger les déficits, mais aussi soutenir une économie chancelante. Ce qui exige de faire payer les riches sans décourager les entrepreneurs. Mieux vaut, pour cela, se fonder sur une très bonne connaissance du monde économique. La gauche version 2012 n'en a aucune. L'écart n'a jamais été si grand entre la classe politique et le monde de l'entreprise, pour des raisons idéologiques et, plus encore, sociologiques.

Près de la moitié des députés PS élus lors des législatives de 2012 font leur entrée au Palais-Bourbon. Trentenaires ou jeunes quadras, certains sont fonctionnaires, enseignants ou technocrates ; beaucoup ont fait carrière dans la politique comme attachés parlementaires, contractuels d'organismes publics, etc. Pour l'essentiel, ils n'ont aucune expérience du secteur privé. Ils n'en ont même pas la connaissance que peut donner l'exercice prolongé d'un mandat local. Les uns et les autres se sont formés sur des bases idéologiques et doctrinales dures, en dehors du secteur privé. Ils ne sont pas sociaux-libéraux, pas même sociaux-démocrates. En leur for intérieur, ils sont sans doute plus proches de Jean-Luc Mélenchon que de François Hollande. Et plus ce dernier dévoile ses intentions, plus l'écart s'accroît. Ce durcissement de la gauche répond au durcissement du système économique.

La gauche des années 1980, qui faisait face au capitalisme industriel, avait fini par composer avec lui. Mais, dans les décennies suivantes, le capitalisme financier a triomphé et fait exploser les inégalités, retiré sa justification à l'enrichissement, fermé les usines, écrasé les PME et multiplié par dix les salaires des grands PDG. Ce retour au capitalisme du XIXe siècle fait de l'augmentation constante et instantanée du profit la seule raison d'être du système. Il lui ôte ainsi toute légitimité. Pour cette relève de la gauche, la détestation du capitalisme libéral s'est cristallisée dans un antisarkozysme hystérisé. La finance, les banques, les multinationales du CAC 40, les milliardaires et Nicolas Sarkozy masquent à ses yeux le monde des PME et le capitalisme industriel, autant dire l'essentiel de l'économie française. Confinée depuis une décennie dans l'opposition, coupée du monde de l'entreprise, enfermée dans ses schémas idéologiques, elle ignore cette première règle du pouvoir : on ne gouverne pas « contre », mais « avec ».

Faire payer les riches

Dans les six derniers mois de son règne, la droite a déjà bien ratissé la prairie fiscale. Une récolte de 30 milliards d'euros. Venant en troisième et quatrième coupes, la gauche doit prendre les milliards là où elle les trouve, avec les outils qui lui tombent sous la main, sans avoir le temps de mettre en place la grande réforme fiscale annoncée. D'où le sentiment d'une giboulée faite de mesures improvisées et non pas d'une politique cohérente, hormis une volonté de justice répétée toutes les deux phrases, volonté bienvenue après une longue période pendant laquelle les plus riches ont été aussi les plus favorisés. La France n'était pas devenue un paradis fiscal – la concurrence est féroce en ce domaine –, mais elle n'était certainement pas un enfer ni même un purgatoire.

Faire payer les riches ? Certainement. Mais à condition de ne pas oublier que l'enrichissement individuel est le principal moteur de la croissance dans une économie de marché, et qu'un capitalisme égalitaire est planté comme une régate sans vent. Des vérités parfaitement assimilées par la social-démocratie germanique ou scandinave, mais toujours étrangères au socialisme français majoritaire. De 2007 à 2012, l'opposition a, non sans raison, concentré ses attaques sur « Sarkozy, le président des riches ». Mais, ce faisant, elle a autant jeté l'opprobre sur le président que sur les riches en général, tous également taxables à merci, hormis les gagnants du Loto, les seuls millionnaires populaires en France. On n'oubliera pas de sitôt le « je n'aime pas les riches » de François Hollande. Formule qu'il rendait complètement stupide en fixant à 4 000 euros par mois le seuil de la richesse. Que ne dirait-on pas pour flatter ses électeurs ! Ainsi, un diplômé de HEC peut fourrer dans le même sac rentiers, héritiers, spéculateurs ou entrepreneurs ; il est vrai que Sarkozy les englobait tous, lui, dans une même bienveillance. Or la politique économique consiste précisément à traiter différemment les diverses formes d'enrichissement.

La gauche se devait de mettre les riches à contribution et de le faire en priorité, ne fût-ce qu'à titre symbolique. C'était bien le moins. L'affaire Bettencourt avait jeté une lumière crue sur l'aberration de notre fiscalité. Entre des taux marginaux constamment abaissés et des niches fiscales toujours plus généreuses, l'optimisation fiscale permettait aux plus gros possédants d'être de très petits contribuables. Il fallait donc rendre à l'impôt sa progressivité, jusqu'aux sommets, et pas seulement jusqu'au niveau des cadres supérieurs. Au devoir de justice s'ajoutait la nécessité d'augmenter la somme des prélèvements pour réduire le déficit. Tout cela pouvait se faire en distinguant les différentes formes d'enrichissement : taxer l'héritage et favoriser la prise de risque, exonérer les plus-values sur les start-up et imposer la spéculation sur l'art, etc. Pour les détenteurs des plus gros patrimoines, ces perspectives n'avaient rien de réjouissant ; rien non plus qui puisse créer un mouvement de révolte ou de panique. Depuis trente années, ils en avaient vu d'autres.

L'incompréhension mutuelle

En six mois d'incertitudes et de cafouillage, la société française, qui devait se regrouper et se mobiliser, s'est au contraire clivée et dissociée. Clivage entre la France du public et la France du privé, entre les possédants et le reste de la population, entre le monde de l'entreprise et le pouvoir politique. Cette dernière fracture est particulièrement inquiétante dans cette période de décrochage économique : « La rapidité avec laquelle le nouveau gouvernement a creusé un fossé avec une partie de l'élite économique du pays, à commencer par les patrons, laisse les commentateurs pantois[1] », constate le rédacteur en chef des *Échos*, Daniel Fortin.

Sitôt le gouvernement en place éclate le conflit avec PSA. Un véritable piège. Le groupe automobile annonce la fermeture de son usine d'Aulnay avec 8 000 suppressions d'emplois à la clé. Un drame national et social. Le gouvernement se doit d'intervenir. La méfiance traditionnelle entre socialistes et capitalistes se trouve aggravée par la suspicion d'avoir dissimulé le désastre pour ne le révéler qu'après l'arrivée de la gauche au pouvoir. Arnaud Montebourg, le fougueux ministre du Redressement productif, ne doute pas qu'il peut maîtriser la situation de l'industrie automobile et met en cause publiquement la direction de l'entreprise, et même la famille propriétaire. Il se défoule sans imaginer qu'en fustigeant les Peugeot, en jouant les matamores qui « n'acceptent pas » l'inévitable, il maltraite et humilie tout le monde patronal. Un ministre de l'Agriculture qui vilipenderait les éleveurs de porcs ruinés par l'effondrement des cours, un ministre de l'Éducation nationale qui stigmatiserait (puisque c'est le mot à la mode) les chercheurs quand la recherche française est en difficulté perdrait son poste dans les semaines suivantes. Mais un jeune socialiste n'a pas de ces pudeurs avec les patrons. Or l'algarade ministérielle est d'autant

---

1. Daniel Fortin, « Quand la gauche aimait les patrons… », *Les Échos*, 26 octobre 2012.

plus malvenue que Peugeot se trouve en difficulté pour avoir maintenu trop d'activités en France. Était-ce au chantre de la démondialisation de lui faire un si vif reproche ? Peu importe, il devait « se payer » une grande figure du patronat.

Ce faux départ est accentué par les désastres industriels qui se succèdent et conduisent toujours à pointer du doigt les dirigeants et les actionnaires. Arnaud Montebourg est sans doute un avocat pugnace qui connaît fort bien son métier, mais il n'a jamais dirigé la moindre entreprise. Lorsqu'il dit benoîtement aux patrons qu'ils « devraient agir en capitaines d'industrie plutôt qu'en rentiers », sa réprimande est aussi malvenue que sa leçon. Croyant galvaniser les chefs d'entreprise, il ne fait que les braquer et conforter leurs préjugés. Le ministre qui court d'un plan social à l'autre fait davantage figure de brancardier que de chef d'état-major. Lorsque le budget de 2013 prévoit 10 milliards d'impôts supplémentaires à la charge d'entreprises qui, pour la plupart, se portent fort mal, c'est un sentiment de totale incompréhension qui prévaut.

Des chefs d'entreprise proches de la gauche, tant par leurs idées que dans leurs pratiques, sont tout autant désorientés lorsqu'ils voient remettre en cause la fiscalité favorable à la participation, l'intéressement et l'actionnariat salarié. Des années de politique sociale au sein de l'entreprise saccagées par des ignorants. Ces dispositifs seraient-ils devenus antisociaux et réactionnaires du seul fait qu'ils furent initiés sous l'égide du général de Gaulle ? À croire que, pour la gauche, le modèle de référence est l'entreprise libérale dans laquelle le travail s'achète et se vend comme une simple marchandise !

Les socialistes répètent que les revenus du capital doivent être imposés comme ceux du travail. Le slogan est très séduisant mais, dans la réalité, il risque d'étouffer le moteur du capitalisme : la prise de risque. Parmi les possédants, certains sont des rentiers qui se limitent aux placements sécurisés, sans intérêt pour l'économie ; d'autres se lancent dans des spéculations financières très profitables, mais aussi très aléatoires et totalement nuisibles ; d'autres, enfin, placent leur argent dans des entreprises sans savoir s'ils vont le perdre ou le faire fructifier. Si la fiscalité reprend les gains de ces derniers au même titre que ceux des rentiers ou des spéculateurs, si elle confond la perception d'un salaire et la rémunération d'un risque, qui donc financera l'économie ?

Les réponses furent apportées avec les premières mesures : relèvement du plafond pour les livrets A d'un côté, matraquage sur les plus-values d'entreprises de l'autre. Si encore les gens de gauche avaient agi consciemment pour assécher le financement privé ! Même pas. N'ayant jamais placé leurs économies dans de jeunes entreprises, ils ignorent ce point de rupture où l'investisseur perd confiance et retire son argent. L'épargne sécurisée est jugée plus honorable que la recherche du profit.

Toutefois, les socialistes, réservant l'anticapitalisme aux « gros », créent la Banque publique d'investissement destinée aux PME. Louable intention, mais toujours en porte-à-faux. D'un côté, on compromet le financement des PME en aggravant la fiscalité sur les dividendes et les plus-values, de l'autre on crée une banque (publique évidemment) qui ne fait que regrouper les organismes existants au sein d'une institution unique et exposée à tous les risques de l'économie politisée. Cherchez la cohérence ! Un beau matin, le gouvernement décide donc que les plus-values réalisées par un créateur à la revente de son entreprise ne seront plus taxées à 34,5 %, mais à plus de 60 %. L'information, placardée sur le Net, donne aussitôt naissance à une pétition de jeunes chefs d'entreprise. Ils sont 200 dans l'heure, 73 000 la semaine suivante. Ils se sont trouvé un nom : « Les Pigeons ». Leur indignation n'est pas de confort moral : elle entend bien faire reculer le gouvernement. Pierre Moscovici et Jérôme Cahuzac reconnaissent l'erreur et corrigent leur copie, au grand dam de la gauche radicale qui dénonce une victoire de la spéculation. Les Français, eux, soutiennent le mouvement à 56 %. Une marche arrière heureuse, mais qui entretient le sentiment d'improvisation.

Faut-il s'en étonner alors que le gouvernement ne comporte en son sein aucun véritable entrepreneur ? Et ce n'est pas le Parlement qui compensera ce déséquilibre. Traditionnellement, le secteur public est surreprésenté dans les assemblées parlementaires en raison du privilège qui permet aux fonctionnaires de retrouver leur poste en cas d'échec électoral. L'engagement politique représente un risque énorme pour les salariés du privé quand il n'est qu'un détour de carrière pour ceux du public. Le Parti socialiste, composé d'abord de fonctionnaires, accentue ce déséquilibre lorsqu'il gagne les législatives. Dans la Chambre de 2012, les députés issus du secteur public sont majoritaires : 55 %. Les entrepreneurs et hommes d'affaires ne sont que 5 %. Par comparaison, ces derniers représentent 43 % du Congrès des États-Unis, mais, sans aller jusqu'à ce modèle extrême, on en trouve encore 25 % parmi les parlementaires en Grande-Bretagne, 20 % au Canada, 12 % en Suède.

L'ignorance fait ici plus de mal que l'hostilité. N'ayant jamais eu à surveiller un bilan mois après mois, à vérifier sans cesse l'état des commandes, des provisions, de la trésorerie, la dérive des coûts et les mauvais coups des donneurs d'ordres, nos gouvernants ne savent pas que l'économie de marché vit dans l'incertitude, et qu'elle a besoin, en contrepartie, d'un cadre juridique et fiscal stable. Ils ont donc multiplié les annonces inopinées, intempestives et contradictoires, lancé des ballons d'essai bien vite crevés, des rumeurs aussitôt démenties, jonglé avec les taxes, les surtaxes, les décotes, fait glisser les barèmes et modifié les clauses sans aucune cohérence, et, parfois même, rétroactivement. Les entrepreneurs ont eu le sentiment que Bercy – les politiques autant que les services –, pressé par l'urgence financière et les arrière-pensées politiciennes, décidait au coup par coup, sans la moindre attention aux répercussions économiques.

Dans le doute

Les chefs d'entreprise, ne pouvant gérer tout à la fois les incertitudes du marché et celles de la politique, se mettent en stand-by. Leurs investissements, qui avaient progressé en 2010 et 2011, sont étales en 2012 pour diminuer en 2013. Les consommateurs et les financiers ont fait de même. Le bon sens populaire avait remarqué depuis bien longtemps que l'incertitude freine l'action : « Dans le doute, abstiens-toi. » Pour un entrepreneur, il est vital de savoir si les charges patronales seront alourdies, maintenues ou allégées. Or, avant que le président ne tranche le 13 novembre, ils ont tout entendu et son contraire et, à peine rassurés par la parole présidentielle, se sont trouvés à nouveau mis à contribution pour les retraites.

Le dynamisme de l'économie française est atteint et, pire que tout, son attractivité est touchée. Traditionnellement, la France est une des premières destinations pour les investissements étrangers. Elle dispose de tant d'atouts qu'en dépit de ses lourdeurs sociales et fiscales, elle avait jusqu'ici conservé sa séduction. Mais cette belle image n'a pas résisté aux mauvaises manières de la gauche. Selon le baromètre d'Ernst et Young, le juge de paix en la matière, les projets d'implantation dans l'Hexagone ont diminué de 13 % en 2012, et les créations d'emplois de 20 %. Ce recul n'est pas lié à la crise, puisque nous avons reculé par rapport à la Grande-Bretagne et à l'Allemagne. C'est bien la politique française qui est en cause.

Les Gracques, ce groupe d'économistes et de technocrates sociaux-démocrates qui s'était fait très discret depuis l'accession de François Hollande à l'Elysée, ont dénoncé publiquement ce climat détestable : « L'accumulation de mesures complexes, la surtaxation des entrepreneurs et détenteurs d'actions et des déclarations inutilement agressives, ont conduit les investisseurs à l'attentisme et détérioré notre image à l'étranger. La défiance s'est emparée des entrepreneurs, ceux-là mêmes qui auraient dû être choyés quand la récession menace [...]. La gauche avait été élue pour apaiser le corps social [...]. Après six mois, elle a laissé se creuser un fossé sans précédent entre les secteurs public et privé[1]. »

La trop grande proximité entretenue par Nicolas Sarkozy avec son club de milliardaires a fait naître à gauche un véritable désir d'apartheid entre les politiques et le patronat. Tout contact non officiel ou non conflictuel est suspect. Certains montrent du doigt Matthieu Pigasse, seul banquier dit de gauche, qui se retrouve à tous les croisements de couloirs, s'inquiètent qu'Emmanuel Macron, secrétaire général adjoint à la présidence de la République, ait pu passer de la banque Rothschild à l'Élysée, etc.

L'incompréhension entre ce gouvernement et les acteurs économiques n'est pas circonstancielle. Elle est fondamentale. Elle oppose une approche extérieure et symptomatique de l'économie à une approche intérieure et systémique. La

---

1. « Les Gracques : les réformes, c'est maintenant ! », *Le Point*, 29 novembre 2012.

première ressent les suppressions d'emplois et les fermetures d'usines comme autant de scandales auxquels il convient de s'opposer. La seconde, au contraire, n'y voit que des manifestations inhérentes à toute activité productive, qu'il convient de traiter sur le plan social, mais sans prétendre s'opposer à l'inévitable. En revanche, il faut créer les conditions les plus favorables pour compenser sur le plan économique ces reculs par des créations, des embauches, des innovations. Les économistes disent que les socialistes ont trop lu Keynes et les patrons trop lu Schumpeter. Les uns refusent la destruction au risque d'étouffer la création, les autres privilégient la destruction au nom d'une hypothétique création. Dialogue de sourds. Mais une économie tombe à l'arrêt lorsque le profit devient suspect, le licenciement coupable, la restructuration illégitime et la fermeture criminelle.

En outre, sa bonne marche est, pour une large part, affaire de psychologie et de sociologie. Les Allemands engrangent tous les jours les dividendes de leur cohésion sociale. Chez eux, hommes politiques, dirigeants d'entreprise et leaders syndicaux travaillent au coude à coude, en dépit des conflits qui peuvent les opposer, et tiennent à afficher leur nécessaire entente. Chez nous, au contraire, les partenaires sociaux se situent naturellement en position d'affrontement et sont toujours gênés d'avoir à coopérer. C'est ainsi que la confiance permet d'amasser 150 milliards d'excédents commerciaux quand la défiance porte notre déficit à 70 milliards. Seule l'idéologie française pouvait imaginer que la hargne antipatronale ferait reculer le chômage.

À chaque rencontre avec des dirigeants de PME, j'entends le même découragement se manifester. Et qu'on ne vienne pas dire que c'est l'éternel lamento patronal. Non, les chefs d'entreprise ont naturellement tendance à s'entretenir dans l'optimisme. C'est presque une déformation professionnelle. Quand ils cèdent ainsi au pessimisme, il y a lieu de s'inquiéter. Mais n'est-ce pas inévitable lorsqu'on ajoute à la surcharge fiscale et bureaucratique l'incertitude, l'incompréhension et l'instabilité ? C'est alors que l'on atteint le seuil de dissuasion. Alors les agents économiques, depuis les sociétés multinationales jusqu'aux artisans, préfèrent attendre des jours meilleurs ou bien aller voir ailleurs.

Chapitre 6

FRANCE, TERRE D'EXODE

Aux États-Unis, l'enrichissement est légitime, la pauvreté, suspecte et le prélèvement collectif, contestable. En France, c'est l'inverse : le riche est suspect, le pauvre, victime, et la société se doit de prélever sur le premier pour distribuer au second. Bref, les Français voient une injustice dans l'inégalité, un privilège dans la fortune, et trouveront toujours que les millionnaires ou, à plus forte raison, les milliardaires ne sont pas assez imposés. C'est ainsi que le candidat Hollande a lancé sa tranche d'imposition à 75 % sur les revenus supérieurs à un million. Une démarche totalement populiste dans laquelle l'homme politique dit à ses électeurs ce qu'ils veulent entendre. Or le soutien populaire n'est pas toujours le meilleur conseiller. Les Suédois, qui peuvent nous en remontrer sur l'exigence d'égalité, ne vont pas au-delà de 56,6 %. Ils savent que la fiscalité ne vise pas à sanctionner les plus fortunés, mais à mettre la participation de chacun au niveau de ses moyens. Même si, à l'arrivée, les sommes prélevées sont du même ordre, le ressenti du contribuable est fort différent dans l'un et l'autre cas. Suivant une telle démarche, nous aurions créé des tranches intermédiaires de 40 à 65 %. Ainsi serait-on resté dans la contribution au lieu d'entrer dans la confiscation.

Fruit de l'improvisation, cette mesure s'est révélée impossible à mettre en œuvre. Entre les rebuffades du Conseil constitutionnel puis celles du Conseil d'État, le président s'est rabattu sur un dispositif alambiqué frappant les entreprises qui versent des salaires supérieurs à un million d'euros par an. N'importe quoi, pourvu que l'on garde le symbole. Cet acharnement du chef de l'État tranche curieusement sur le détachement de l'opinion. Au lendemain de l'élection présidentielle, la tranche à 75 % séduit… 75 % de l'électorat. Au mois de septembre, l'approbation n'est plus que de 60 %. Puis, en février 2013, après que le Conseil constitutionnel a retoqué la mesure, l'IFOP pose la question suivante : « Souhaitez-vous que le gouvernement propose un projet de taxe assez similaire tout en tenant compte des remarques du Conseil constitutionnel, car, en période de crise, il est juste que les personnes les plus riches contribuent fortement par leurs impôts au redressement des comptes publics ? » Le sondeur ne trouve plus que 53 % de réponses favorables. En revanche, 47 % des sondés attendent que le gouvernement « abandonne ce projet, car un niveau d'imposition trop élevé pousse les personnes les plus fortunées et des entrepreneurs à quitter notre pays ».

Pour les Français, cette éventualité est condamnée sur le plan moral avant d'être évaluée sur le plan économique : l'argent gagné en France doit être imposé et dépensé en France. Tous ceux qui n'ont pas les moyens de partir, c'est-à-dire la quasi-totalité de la population, pensent que l'exode fiscal devrait être purement et simplement interdit. Selon un sondage de l'IFOP pour Prêt d'Union, 84 % des Français considèrent que les riches ont l'obligation de payer leurs impôts en France.

Les pères fondateurs de l'Europe auraient dû subordonner la libre circulation des capitaux à l'harmonisation fiscale. Ce fut une sottise de ne pas l'avoir fait et d'être passé dans ces conditions à l'euro. La monnaie unique devait mettre fin aux manipulations monétaires qui faussaient la concurrence. Elle les a simplement remplacées par les manipulations fiscales. On n'abaissait plus la valeur de sa monnaie pour vendre ses produits, on baissait ses impôts pour attirer les entreprises et les capitaux. À ce jeu, l'Irlande devint un « dragon » grâce à un impôt sur les sociétés ramené à 12,5 %. L'Europe, sans en avoir jamais délibéré, s'est lancée dans la course aux paradis fiscaux.

Situation détestable que la France se doit de combattre. Mais l'harmonisation fiscale n'est pas pour demain. L'Union européenne restera longtemps encore un marché sur lequel les États viennent proposer leurs barèmes d'impôts. Il est inutile de s'en indigner, absurde de l'ignorer.

Tout au long de l'histoire, le pouvoir régalien a tenu en main ses sujets, et la voracité des collecteurs n'avait de limite que la révolte des assujettis. Et voilà qu'apparaît une deuxième barrière : le départ. Avec des milliers d'euros en poche ou, pire, en crédit, l'homme reste sédentaire ; avec des dizaines de millions, il devient nomade et cherche les verts pâturages de la sous-imposition. Les plus fortunés en sont venus à choisir leur système fiscal, français ou étranger, tout comme le consommateur qui choisit au supermarché un article, français ou étranger. Depuis une vingtaine d'années, ce phénomène suscite la réprobation générale, mais aussi le refus de voir et de savoir. La France ne veut pas reconnaître que le déplacement fiscal est désormais intégré dans le comportement de l'*Homo economicus* et qu'il appartient à chaque gouvernement de veiller à ne pas perdre sur la matière imposable plus qu'il ne gagne sur l'augmentation des taxes.

L'exil clés en main

Pour être discrète, l'agitation de ces contribuables réfractaires n'a rien de clandestin. Elle s'observe très facilement à travers les gentils accompagnateurs : avocats, conseillers fiscaux, experts-comptables et même experts en « relocations » qui assistent les candidats à l'exil. Des cabinets, sortes d'agences de tourisme fiscal, prennent en charge votre expatriation depuis les premiers renseignements jusqu'à l'emménagement en terre étrangère, le recrutement du personnel de maison, voire l'admission des enfants dans un bon établissement scolaire. Toutes ces officines ont vu leur activité exploser dans le second semestre 2012. Le marché de l'immobilier n'est pas moins révélateur. À Paris, les agences n'ont jamais eu à leur catalogue autant de logements splendides à plusieurs millions. À Bruxelles et Genève, c'est l'inverse : leurs collègues sont assaillis par les riches acheteurs venus de France qui recherchent une demeure cossue. Bref, les millionnaires français prennent leurs cliques et leurs claques au vu et au su de tous. Détail à ne pas oublier : la France est le pays d'Europe qui compte le plus de millionnaires en dollars, soit 2,2 millions de personnes.

Mais les individus ne sont pas seuls à pouvoir s'en aller, les entreprises sont tout autant concernées, comme l'a révélé une enquête approfondie de Dominique Gallois dans *Le Monde*[1]. « Pratiquement toutes les entreprises sont amenées à s'interroger », note le journaliste. Les plus grandes

---

1. Dominique Gallois, « "Le monde entier est persuadé que la France est devenue un coupe-gorge pour les riches" », *Le Monde*, 5 novembre 2012.

songent à installer une holding de tête hors de France, à développer des activités ou à créer des filiales à l'étranger. Les patrons de PME qui ne sont pas liés à une implantation locale, commerce ou unité de fabrication, envisagent de s'expatrier avec leurs équipes. La tentation n'est jamais si grande que dans les techniques de pointe. Les uns s'en vont, les autres ne viennent pas.

Encore ne s'agit-il que d'argent, mais le pire appauvrissement est provoqué par la fuite des cerveaux. Une fiscalité dissuasive, un climat dépressif, hostile à la réussite, incitent les plus brillants, les plus dynamiques à rejoindre des laboratoires étrangers ou à créer des start-up en Amérique ou en Grande-Bretagne. Hier, les étudiants qui allaient se former dans les universités étrangères revenaient tout naturellement en France, diplôme en poche. Aujourd'hui, ils s'interrogent et un grand nombre ressent moins le goût de l'aventure que le dégoût du retour. Selon une étude de Viva Voice, la moitié des Français de 18 à 34 ans aimeraient, s'ils le pouvaient, vivre ailleurs. Et ceux qui partent effectivement sont les plus entreprenants, ils créent plus souvent leur entreprise et embauchent davantage que ceux qui restent. Le pays perd son argent avec les vieux, son intelligence avec les jeunes, et se vide de son avenir.

On ne saurait cacher l'entreprise qui dépose son bilan, l'usine qui ferme, les salariés licenciés. En revanche, il suffit de ne pas regarder pour ne pas voir les investisseurs qui renoncent, les entrepreneurs qui s'en vont, les étrangers qui ne viennent pas, les étudiants qui ne s'en reviennent pas. Combien de temps encore la France pourra-t-elle être une terre qui attire les pauvres et fait fuir les riches ?

La fuite des capitaux n'est pas une nouveauté, la gauche l'a toujours rencontrée, mais elle n'a jamais été à ce point organisée, pour ne pas dire institutionnalisée. Pour toute politique de prélèvements et de redistribution, elle fixe des limites à ne pas dépasser. L'art de vivre à la française retient autant qu'il attire. Un pays cinq étoiles comme le nôtre se mérite, et les contribuables fortunés acceptent de payer plus cher pour y vivre. Des capitaux étrangers ont été investis dans l'Hexagone en dépit d'une fiscalité lourde et d'un Code du travail dissuasif, et, s'ils renâclent aujourd'hui, c'est en raison du climat général si défavorable aux entreprises. Il n'est pas non plus interdit d'adopter une législation qui rende l'exil plus difficile et moins avantageux. Bref, en procédant sans agressivité, il doit être possible de « faire payer les riches » sans provoquer leur départ.

Incapable de choisir entre idéologie et pragmatisme, la nouvelle majorité s'est réfugiée dans la dénégation. À l'automne 2012, les responsables socialistes n'observaient « aucun signe d'un exode fiscal ». La formule me fut servie une première fois dans une conversation privée, une seconde fois, le lendemain, dans un débat télévisé, et je la retrouvai telle quelle, les jours suivants, dans deux interviews ministérielles. Quelque conseiller en com' avait forgé ce mot de la fin avec lequel toute source autorisée devait clouer le bec des vilains curieux. De fait, le contrôle aux frontières n'est pas aussi efficace pour les patrimoines que pour les marchandises et l'on peut vivre dans le déni une année ou deux avant de faire le compte des contribuables envolés. En 2013, le ministre du Budget Jérôme Cahuzac, orfèvre en la matière, pouvait toujours déclarer qu'il n'avait rien constaté en matière d'augmentation des expatriations. Le pouvoir s'était installé dans le refus de voir : les exilés fiscaux sont de mauvais Français, et l'exil fiscal est un phénomène marginal.

L'exil d'Obélix

Sans doute aurions-nous persévéré dans ce déni de réalité qui fascine tant nos partenaires européens si Obélix n'était allé planter son menhir en Belgique. Depuis vingt ans, nos champions, nos artistes, nos vedettes vont porter leurs pénates dans des pays de moindre imposition. Périodiquement, la presse laisse filer quelques noms : Charles Aznavour, Alain Delon, Johnny Hallyday, Sébastien Loeb, etc., mais sans plus. Comble d'exotisme, elle s'est parfois hasardée jusqu'en Belgique ou en Suisse pour faire découvrir, avec un zeste de réprobation morale, cette nouvelle immigration française. Mais la question n'était pas, ne devait pas être au cœur de l'actualité. Par ces temps de fiscalité galopante, mieux vaut ne pas alimenter la psychose. Bernard Arnault s'était efforcé d'amortir le choc d'un éventuel départ, Gérard Depardieu, lui, n'a pu filer à l'anglaise.

Le personnage outrancier ne passe jamais inaperçu, ne laisse jamais indifférent, et les Français, attachés à son talent, sont aussi habitués à ses foucades. Les médias ont donc commenté en long, en large, à l'endroit et à l'envers son expatriation. La gauche a condamné, la droite a compris et Depardieu s'est foutu en pétard. Dans sa lettre ouverte au Premier ministre, il a lancé un chiffre : 85 % ! Le pourcentage de son impôt sur le revenu en 2012. Le ministre Alain Vidalies a sèchement corrigé le comédien. Un tel pourcentage n'est évidemment pas possible dans le droit fiscal français. Pourtant, les fiscalistes lui donnent raison. Le pourcentage avancé par Depardieu est pire que vrai, il est vraisemblable. Le comédien a seulement confondu « impôt sur le revenu » et « impôt direct ». En revanche, il n'est pas exclu que le total de ses virements au Trésor ait atteint ce niveau-là. Cela tient, pour l'essentiel, à la « contribution exceptionnelle sur la fortune ». La majorité de gauche l'a votée dans la hâte pour contrer la baisse de l'ISF décidée par Nicolas Sarkozy. Ne pouvant, en cours d'année fiscale, refaire ce qui avait été défait, elle a ajouté un « plus » pour annihiler le « moins ». Cette disposition sans aucun plafonnement et quelques autres bâclées dans un esprit de revanche contre la droite, mais aussi, il faut bien le dire, contre les plus fortunés, peuvent effectivement conduire à des aberrations. Le président de la commission des Finances, Gilles Carrez, avait signalé que, dans les cas extrêmes, l'imposition totale dépasserait les 100 % ! Les services fiscaux reconnurent par la suite que 8 000 contribuables s'étaient vu ainsi infliger une imposition supérieure à leurs revenus. Comment imaginer qu'un ministre de la République ait pu être à ce point péremptoire et ignorant ?

Gérard Depardieu aura, bien malgré lui, contribué à poser la question sur la place publique. Et le résultat est tout différent de ce que l'on pouvait anticiper. Depuis vingt ans, dans les médias, on doit condamner sans nuance ni explications l'exil fiscal. Il était entendu que les Français étaient très remontés contre les déserteurs de l'impôt, et que ce serait jouer un mauvais personnage que de nuancer son propos. Surtout du temps de Sarkozy, lorsque Liliane Bettencourt se voyait remettre par le fisc un chèque de 30 millions d'euros pour une imposition totale de 10 % sur l'ensemble de ses revenus. En 2010, les Français n'étaient-ils pas 82 % à vouloir que l'on augmentât l'imposition des plus fortunés ? Ils avaient tout à fait raison. Mais, en décembre 2012, ils n'en sont plus là. Ils ont été impressionnés par le taux de 75 %, ils découvrent maintenant celui de 85 %. Ils nuancent donc leur opinion dans un sondage IFOP pour *Le Figaro*, consécutif à l'affaire Depardieu. Ils sont 40 % à « comprendre » la décision du comédien, contre 35 % à en être « choqués ». Et s'ils sont toujours 81 % à juger normal que « les riches paient davantage d'impôts », ils sont aussi 54 % à comprendre que, étant donné la fiscalité que ceux-ci doivent désormais supporter, ils aillent s'installer à l'étranger.

L'évolution de l'opinion est d'un grand bon sens. Sous la droite, et sous la présidence de Nicolas Sarkozy en particulier, les plus riches ont bénéficié d'une sous-imposition aberrante. Elle devait être corrigée, c'est évident. Mais en tenant compte de la concurrence fiscale. Celle-ci interdit de faire vivre les contribuables fortunés dans la hargne, l'insécurité et l'arbitraire. La plupart, et c'est heureux, s'accommodent d'impôts élevés, mais nul ne peut supporter la menace permanente d'une politique confiscatoire. Face à un pouvoir qui, sans même s'en rendre compte, peut prendre 85 ou 100 % d'un revenu, il faudrait faire tomber un rideau de fer pour arrêter l'exode fiscal. François Hollande a tenté de clore la polémique : « Plutôt que de blâmer, je veux saluer ceux qui acceptent de payer leurs impôts en France. » C'est fort bien dit, reste à traduire cela dans une charte des contribuables. Celle-ci exclurait définitivement les mesures rétroactives, les taux globaux confiscatoires, etc., et devrait être annexée à une véritable réforme/simplification fiscale.

Un pays qui s'appauvrit

Avec beaucoup de retard, la classe dirigeante a fini par découvrir l'exil fiscal. Bercy ne voit pas plus de 700 départs par an ; de source officieuse, on serait au-dessus de 5 000. À chacun ses chiffres. À l'Assemblée nationale, Gilles Carrez multiplie les auditions et harcèle Bercy pour obtenir davantage de renseignements. Mais les statistiques de l'ISF, toujours délicates à interpréter, ne sont disponibles qu'avec deux ans de retard. Certains parlementaires s'agitent. Les uns réclament une mission parlementaire ; les autres voudraient pourchasser les exilés fiscaux, alourdir l'« *exit tax* » – imposition des plus-values latentes des contribuables sur le départ –, lancer la justice à leurs basques, les déchoir de la nationalité française, etc. Plus constructive est la démarche du *think tank* des cabinets d'avocats, le TTCA, qui a lancé une grande enquête auprès des professionnels organisant l'exil fiscal. Peut-être finira-t-on par connaître l'ampleur du phénomène.

Si les départs sont, comme on le laisse entendre, de l'ordre de 5 000 pour 2012, il faut en faire la traduction en termes financiers. Chaque nomade fiscal part avec plusieurs millions, souvent plusieurs dizaines de millions de patrimoine. Ce sont donc des milliards, voire des dizaines de milliards de matière imposable qui échappent au fisc. Quelques petits milliards, disent les gens de gauche qui refusent de prendre en considération la concurrence fiscale ; 300 milliards, répondent les fiscalistes soucieux de faire baisser la pression fiscale. Autant d'impôts en moins qu'il faudra compenser en alourdissant ceux qui pèsent déjà sur les contribuables sédentaires. Et, quant à l'exil des riches, il faut ajouter les entreprises nationales qui partent et les entreprises étrangères qui ne viennent pas, les entreprenants et les jeunes qui désertent l'Hexagone, alors le choc fiscal mal conduit pourrait à terme se révéler aussi désastreux pour le pays que le départ des huguenots après la révocation de l'édit de Nantes, à la fin du XVIIe siècle.

Les Français, découvrant cette nouvelle réalité fiscale, sont passés de l'indignation à l'interrogation : pourquoi avons-nous un taux de prélèvement tellement supérieur à celui de nos voisins ? La hausse des impôts, panacée des socialistes, est désormais épuisée. Qu'elle chasse les nomades ou qu'elle étouffe les sédentaires, elle devient contre-productive, et, bientôt, ce seuil où l'augmentation des taux réduit le montant de la collecte sera atteint. Plutôt que d'accabler les entreprises et les contribuables, il faut au contraire détaxer le travail et alléger l'État. En attendant que ce soit fait, la France continuera à perdre inexorablement son capital et ses entreprises, ses jeunes créateurs et ses riches rentiers.

Chapitre 7

UNE FRANCE COMPÉTITIVE

La majorité a joué au chat et à la souris avec la réalité pendant six mois. Elle a dû avaler la règle d'or, le budget d'austérité, la fermeture de Florange et d'Aulnay, mais elle rêve encore des bonnes vieilles recettes socialistes : relance de la dépense, augmentation des salaires, accroissement des budgets...

À partir de l'automne 2012 arrivent de toutes parts des mises en garde contre l'imminence d'un décrochage. L'Allemagne est particulièrement inquiète. Le *Bild-Zeitung* titre sans prendre de gants : « La France est-elle la nouvelle Grèce ? » L'ex-chancelier Gerhard Schröder, qui n'a pas oublié les critiques acerbes des socialistes français contre sa politique, nous prévient charitablement : « Deux ou trois mauvais signes et nos amis français seront rattrapés par la réalité. » L'ancien chef économiste du FMI, Raghuram Rajan, n'est pas moins sévère : « La France risque de devenir un pays périphérique si elle ne prend pas des mesures drastiques. » L'agence Moody's qui, au début de l'année, n'avait pas dégradé la France en même temps que Standard and Poor's, laisse entendre qu'elle s'interroge sur notre triple A. Les organismes internationaux ne sont pas en reste. L'OCDE, la Communauté européenne demandent une baisse des dépenses, le FMI préconise même une diminution du Smic ! Les marchés nous placent sous surveillance. Il suffirait d'un mauvais signe pour qu'ils s'énervent.

Ces informations de l'étranger recoupent celles, encore plus alarmantes, de la Banque de France. En octobre, elle note un effondrement des marges des PME, dont 30 % sont proches du dépôt de bilan. Le chef de l'État doit réagir immédiatement. Il entendait prendre son temps ? À l'automne, le temps est venu. *Facts are facts.*

Le rapport mort-né

Les finances du pays vont à vau-l'eau, mais son économie ne se porte pas mieux. Le « *made in France* » ne cesse de reculer sur les marchés étrangers comme sur le marché domestique, le déficit extérieur continue de se creuser, les entreprises de disparaître. Nicolas Sarkozy n'a découvert le drame qu'en toute fin de parcours, faisant voter une TVA antidélocalisations à l'intention du prochain quinquennat. Une mesure que François Hollande, pour se conformer à la stupidité de l'alternance, se devait de supprimer. Il lui faut prendre à bras-le-corps cette question de la compétitivité. Selon sa prudente habitude, il charge un expert au-dessus de tout soupçon de lui remettre un rapport. En choisissant Louis Gallois, il pouvait déjà deviner les propositions qui lui seraient faites. L'ancien président d'EADS et commissaire général à l'investissement s'en était expliqué en juillet lors des journées annuelles du Cercle des économistes, à Aix-en-Provence. Devant cet aréopage prestigieux, il s'était prononcé pour une baisse des charges de 30 à 50 milliards d'euros.

Pour la vulgate de gauche, la compétitivité n'a rien à voir avec le coût du travail. Question de principes ! Entrer dans cette logique, c'est accepter le dumping salarial et la régression sociale. Pourtant, c'est d'abord en abaissant le coût du travail que l'Allemagne a regagné sa compétitivité au cours des années 2000 et, aujourd'hui même, les diminutions de salaire en Espagne permettent aux entreprises ibériques de tailler des croupières à leurs concurrentes françaises. Peu importe : les rémunérations ne sont jamais trop élevées et le gouvernement ne doit pas faire « des cadeaux aux patrons » en réduisant les charges.

À la rentrée, chacun attend la copie de Louis Gallois avec une impatience mêlée d'appréhension. En octobre, le rapport est prêt, mais le Parlement est en pleine discussion budgétaire. Le rapporteur garde donc son travail sous le coude pendant trois semaines. L'attention se focalise sur la seule question des charges, oubliant le reste, c'est-à-dire l'essentiel. On parle d'un choc de 40 milliards. La gauche s'indigne, le président tient à préciser que ce travail « n'engage que son auteur ». La cause paraît entendue : le rapport ne sera pas enterré, il sera mort-né.

Louis Gallois présente son travail le 5 novembre. Il part d'un constat très alarmiste. Comme on pouvait le craindre, ce n'est pas le déclin, c'est le décrochage. Au cours des dix dernières années, la France est passée de 3,5 milliards d'euros d'excédents commerciaux à 71,2 milliards de déficit. Et le pétrole n'explique pas tout. Hors énergie, elle a basculé d'un excédent de 25,5 milliards à un déficit du même montant... Déficit qui se fait en priorité avec l'Allemagne, pas seulement avec la Chine. L'industrie est la plus touchée. Elle a perdu 700 000 emplois en dix ans, sa part dans l'économie est passée de 18 à 12,5 %, et, dans les exportations, de 12,7 à 9,3 %. Elle est sous-équipée, avec 35 000 robots contre 62 000 en Italie et 150 000 en Allemagne. Aucun pays européen n'a subi une telle régression industrielle.

Les prescriptions suivent le diagnostic. Trente milliards pour les baisses de charges, mais surtout vingt-deux mesures pour soutenir l'exportation, l'innovation, la recherche et la qualité des produits. Celles-ci concernent aussi bien le financement que les simplifications administratives, les relations entre grandes et petites entreprises, la création de filières industrielles, la formation, etc. Le rapport prescrit au gouvernement des règles de bonne gestion : ne créer aucune institution, ne prendre aucun règlement sans effectuer au préalable des suppressions équivalentes, stabiliser sur cinq ans la fiscalité des entreprises, etc. Pour imprimer une marque de gauche à ces préconisations, Louis Gallois suggère que dans les conseils d'administration des grandes entreprises, des représentants du personnel aient voix délibérative. Il prend également parti pour l'exploration des gaz de schiste, tout en sachant qu'il ne sera pas entendu, accord avec les Verts oblige.

Pour n'être pas très original, l'ensemble est de très belle facture et rencontre un large consensus. L'opposition ne peut guère contester des préconisations qu'elle-même aurait dû appliquer lorsqu'elle gouvernait.

Seuls les 30 milliards font problème. L'extrême gauche, les milieux syndicaux et la gauche du PS renâclent. Pour eux, ce chèque au patronat ne passe pas. C'est à François Hollande de trancher.

La vulgate de gauche

Le président a choisi la pièce : une conférence de presse ouverte ; son public : quatre cents journalistes ; le lieu : la grande salle des fêtes de l'Élysée. Le 15 mai, il y prenait officiellement ses fonctions ; le 13 novembre, il va prendre les commandes et définir la stratégie.

Homme de la synthèse plus que de l'affrontement, éternel premier secrétaire et grand maître dans l'art subtil des congrès, il met en cohérence la pensée des autres pour la faire sienne. Il se voulait normal et, pour tout dire, normalisé par rapport à sa famille politique, et il doit « dénormaliser » son pays pour le mettre aux normes du monde. Pour cela, il lui faut changer sa politique et, pour commencer, changer son discours, dire le contraire même de ce que voudraient entendre ses électeurs. Un aggiornamento limité au domaine économique, social et financier, car, pour le reste – le mariage gay, le droit de vote des étrangers, le respect de la laïcité, etc. –, le spectacle continue.

La parole présidentielle s'annonce iconoclaste, car elle va bousculer le conformisme économique de gauche. Le monde socialiste est tout sauf homogène, et l'on y trouve un vaste éventail d'opinions, depuis un marxisme non stalinien jusqu'au libéralisme social. Mais, surmontant cette diversité, le peuple de gauche se reconnaît dans un discours convenu que les responsables doivent tenir en respectant les tabous et en reprenant les antiennes. Dans ce credo, la dépense publique est un marqueur de gauche, car elle favorise le progrès économique et social. Elle ne saurait donc qu'augmenter. Quant à l'économie, on la fait avancer en favorisant les salaires et la protection sociale, jamais en réduisant le pouvoir d'achat et en accroissant les profits. Le socialisme utilise la demande pour tirer la production ; le libéralisme mise sur l'offre pour la pousser. Dans la réalité, c'est tantôt l'un, tantôt l'autre, selon la conjoncture. Dans la doctrine de la gauche, c'est toujours l'un et jamais l'autre. Pourtant, les dépenses publiques trop élevées obèrent notre économie, et les charges excessives plombent la compétitivité de nos entreprises : voilà ce que François Hollande, contraint par la réalité, doit faire entendre aux marchés financiers mais aussi à ses électeurs.

Le social-réalisme

Si l'on élimine de la partition tous les thèmes périphériques – le droit de vote des étrangers, le mariage pour tous, le cumul des mandats, la reconnaissance de l'opposition syrienne, l'extradition d'Aurore Martin, les gaz de schiste, les questions européennes, etc. –, alors le discours présidentiel du 13 novembre 2012 est très proche de celui qu'aurait pu tenir un Nicolas Sarkozy réélu, mais aussi un Mario Monti en Italie ou un Mariano Rajoy en Espagne. La différence, qui est loin d'être négligeable, c'est le mot « justice » qui revient sans cesse dans l'exposé présidentiel comme une anaphore destinée à marquer sa différence.

Soulignant d'emblée l'extrême gravité de la situation, François Hollande se rallie au choc – il préfère dire le pacte – de compétitivité, qu'il limite à 20 milliards. Pour faire admettre le « cadeau au patronat », il brise le schéma économique de gauche : « Notre faible compétitivité est un véritable "mal français" » ; or, « derrière le mot "compétitivité", il y a l'emploi ». C'est donc la production qu'il faut améliorer, et pas la consommation. Là encore, le professeur Hollande prêche le social-réalisme : « Il y a toujours eu deux conceptions dans le socialisme, une conception productive – on a même pu parler de socialisme de l'offre – et une conception plus traditionnelle où l'on parlait de socialisme de la demande. Aujourd'hui, nous avons à faire un effort pour que notre offre soit consolidée, plus compétitive, et je l'assume ! [...] Nous devons faire cette révolution. » Les socialistes en viendraient-ils à incriminer le coût du travail ? Effectivement : « Ce pacte est un exercice de vérité sur le coût du travail qui n'est pas tout, mais qui est tout sauf rien. » Révolution copernicienne : c'est l'offre qui va pousser l'économie, ce n'est plus la demande qui va la tirer.

Voilà donc 20 milliards qui s'additionnent aux 30 milliards supplémentaires du budget. Où les trouver ? Là où personne n'imaginait que le pouvoir irait les chercher : dans la TVA. La gauche en général, et François Hollande en particulier, ont fait de cette taxe leur tête de Turc. La voilà qui passe du noir au rose pour fournir 7 milliards supplémentaires. Mettons encore une taxe écologique, on n'arrive guère qu'à 10 milliards, la moitié de la somme. Pour le reste, ce sera la grande rupture : la remise en cause de la dépense publique.

L'objectif est de réduire la dépense publique de « 60 milliards d'euros sur cinq ans », soit « 12 milliards par an ». Cela nécessitera, a expliqué le chef de l'État, « une réforme de l'État, de la protection sociale, de notre organisation territoriale ». Tant qu'à braver le tabou, il ne recule pas devant des arguments qu'il n'aurait pas manqué de dénoncer s'ils avaient été avancés par Sarkozy : « La dépense publique atteint 57 % de la richesse nationale. C'était 52 % il y a cinq ans. Est-ce que l'on vit mieux pour autant ? Est-ce que l'État est devenu plus juste, plus efficace ? Est-ce que les prestations ont permis de réduire les inégalités ? Non ! Non. […] Il faut une réforme de l'État, plus efficace, plus juste. Faire mieux en dépensant moins. » Et il reprend des admonestations que l'on n'avait pas entendues dans le camp socialiste depuis Jacques Delors : « Réduire, en valeur, les dépenses publiques – Sécurité sociale et collectivités territoriales incluses – sans pour autant – et j'y insiste – mettre à mal nos services publics essentiels en nous appuyant sur nos potentiels d'innovation, qui sont un atout majeur pour la France. »

Le gouvernement ne cesse de répéter que les augmentations d'impôts représentent un effort de solidarité demandé aux plus riches. Solidaire ? Sans doute, mais avec quoi ? À écouter le président, ce n'est pas le progrès social qui a déséquilibré les budgets et doit être financé. La hausse des dépenses publiques n'a pas de contrepartie ; si les mots ont un sens, elle correspond à du gaspillage. La conclusion tombe sous le sens, c'est pourquoi ce genre de remarque était à ce jour réservé à la droite.

François Hollande a beau dire et répéter qu'il ne prend aucun tournant, il y a bel et bien un avant et un après-novembre 2012. À cette réserve près que la rupture n'existe pour le moment que dans le discours. La politique retrouve enfin ses bases dans les mots et les chiffres. Dans les faits, c'est une autre affaire.

À rôles renversés

Dans le concerto républicain, la réponse de l'orchestre au solo présidentiel est assez prévisible et, en un premier temps, la classe politique joue la partition attendue. Les extrêmes se déchaînent, la majorité approuve, l'opposition condamne. Déclarations stéréotypées ; seules les réactions inattendues sont dignes d'intérêt. Celles des milieux patronaux, par exemple. Ils se sentaient mal aimés, pour ne pas dire détestés ; les voilà entendus, sinon compris. À l'inverse, la CGT déplore que le président « ait oublié pourquoi il a été élu ». Voilà donc Laurence Parisot qui approuve, et Bernard Thibault qui réprouve. Six mois plus tôt, la présidente du MEDEF appelait à voter Nicolas Sarkozy, le secrétaire général de la CGT à voter Hollande.

Pendant deux heures, le chef de l'État s'est appliqué à dire une chose et son contraire. À l'intention du peuple de gauche : « Plus ça change, et plus c'est pareil » ; à l'intention du monde de la finance : « Tout change, et rien n'est plus pareil. » Dans cet exercice délicat, il était aidé par ses meilleurs ennemis de la droite. À reconnaître un rapprochement ou une convergence, on risque de démobiliser ses partisans. C'est une règle politicienne tout à fait stupide, mais d'application générale. Dans ses déclarations, l'opposition minimise la novation du discours. En tête à tête, beaucoup de députés UMP reconnaissent qu'à la place des socialistes ils appliqueraient la même politique et que, pour tout dire, ils auraient dû faire leur rapport Gallois il y a des années déjà. Il faut toute l'autorité d'un Gilles Carrez, président de la commission des Finances, pour dire publiquement que ces mesures vont dans le bon sens.

Les politologues mesurent parfaitement la portée de l'événement. Pour Gérard Grunberg, du CEVIPOF, et Rémi Lefebvre, chercheur au CERAPS[1], le one-man-show élyséen fera date dans l'histoire du socialisme français : « C'est la première fois qu'un leader socialiste dit aussi clairement qu'il faut mener une politique de l'offre. À gauche, même du temps de Lionel Jospin ou de François Mitterrand, personne n'a jamais été partisan d'une telle politique », dit le premier, et, pour le second : « Le tournant initié par François Hollande relève du social-libéralisme. [...] Le pacte de compétitivité s'apparente au tournant de la rigueur en 1983, dans le sens où c'est un retour au réel et une forme de capitulation devant les injonctions des milieux économiques[2]. »

---

1. Le CEVIPOF est le Centre d'études de la vie politique française de Sciences Po, et le CERAPS, le Centre d'études et de recherches administratives, politiques et sociales.
2. Alexandre Lemarié, « La politique de l'offre de Hollande, "une vraie rupture" dans l'histoire de la gauche », *Le Monde*, 15 novembre 2012.

Jean-Luc Mélenchon n'a même pas besoin de se lancer dans ses imprécations coutumières, il lui suffit de s'en tenir aux faits – « Hier, pour la première fois, un homme de gauche a dit à la télévision que l'État dépense trop » – et de relever « nombre de points qui finissent par se ressembler de plus en plus entre François Hollande et son prédécesseur de droite, Nicolas Sarkozy ». Marine Le Pen dit exactement la même chose... L'accueil n'est pas meilleur chez les Verts. « Est-il acceptable que Mittal perçoive un chèque de 40 millions par an ? » tonne le sénateur vert Joël Labbé. Mais, chez eux, les délices du pouvoir l'emportent toujours sur l'excitation de la rupture.

La révolte des quadras

Si la droite peut cacher son approbation, les socialistes, eux, ne peuvent cacher leurs dissensions. François Hollande a pris tout le monde de court. La bande remuante des quadras, attachée à ses repères idéologiques, est très remontée contre le pacte de compétitivité, mais se trouve condamnée au silence. Hollande ne perd rien pour attendre. Car c'est maintenant le Parlement qui va s'emparer des 20 milliards devenus le « crédit d'impôt pour la compétitivité et l'emploi », le CICE. Certes, il n'est pas question de voter contre, mieux vaut entretenir une guérilla au niveau des amendements. Les opposants de l'intérieur en préparent une rafale pour dénaturer le projet. Ils vont en faire une usine à gaz qui asphyxiera les patrons. Lors d'une réunion houleuse chez le Premier ministre, une vingtaine de contestataires négocient pied à pied quelques sous-amendements « autorisés ». Un simple baroud d'honneur, car le pouvoir présidentiel s'est bel et bien imposé à la majorité parlementaire, et le vote intervient sous forme d'un amendement dans le collectif budgétaire. Au PS, beaucoup de dents grincent ; au MEDEF, beaucoup se frottent les mains et, dans les confédérations syndicales, y compris à la CFDT, les mines sont renfrognées. Quel retournement en l'espace de deux mois ! Mais aussi quelle volte-face du pouvoir ! En septembre, à travers le collectif budgétaire et le budget 2013, celui-ci mettait 16 milliards de plus à la charge des entreprises ; en décembre, il leur en retire 20. Au total, selon *Les Échos*, l'opération devrait être à peu près blanche. Tout ça pour ça !

Soyons justes : reste une polémique stupide comme nous les aimons et qui servira encore un an ou deux. Les patrons pourront dire qu'on ne leur a rien donné du tout, et les gens de gauche qu'ils ont été dispensés de l'effort fiscal supplémentaire laissé intégralement à la charge des ménages. François Hollande a réussi son passage en force à l'Assemblée, mais pas au Sénat. À la Haute Assemblée, les Verts, sachant qu'ici on tire à blanc, n'ont pas résisté au plaisir de voter contre le CICE et d'infliger ce camouflet de plus au président. Si les socialistes ont été décontenancés par ce virage brutal, les Français, eux, l'ont mieux suivi que les parlementaires. Un sondage BFM-*Challenges* indique que 72 % d'entre eux sont plutôt favorables ou très favorables au CICE. Dans la population, le sentiment de nécessité semble l'emporter sur les références idéologiques. Mais pour ne pas accorder une simple réduction des charges comme le ferait la droite et comme l'a suggéré le très consensuel Cercle des économistes, François Hollande a si bien tarabiscoté son crédit d'impôt que la moitié des entreprises préféreront y renoncer. Entre la complexité des procédures et la crainte du fisc, mieux vaut, pensent-elles, ignorer ces largesses socialistes !

Cet épisode, s'ajoutant à ceux de la règle d'or ou des hauts-fourneaux de Florange, laisse des traces. Six mois après le début de l'aventure, les troupes ne suivent plus leur chef qu'en maugréant, contraintes et forcées. Désormais, la véritable opposition, celle qui peut déstabiliser le pouvoir, se trouve dans la majorité même. Or les socialistes ne sont qu'aux toutes premières étapes de cette longue route qui les ramène à la réalité. Les cols les plus abrupts sont encore devant eux. Jusqu'où suivront-ils leur leader sans entrer en rébellion ?

Chapitre 8

S.O.S. ENTREPRISES

La gauche s'est trompée de priorité : elle prétend lutter contre le chômage, il faut lutter pour l'emploi. Plutôt que de recruter artificiellement des jeunes, elle devrait favoriser l'embauche par les employeurs. Mais elle connaît encore très mal le monde de l'entreprise. Celui-ci est double : d'un côté, les multinationales géantes ont si bien réussi qu'elles ont cessé d'être françaises ; de l'autre, les PME connaissent de grandes difficultés et disparaissent dans l'indifférence générale. Or les premières, sous le contrôle de capitaux étrangers, exercent l'essentiel de leurs activités, réalisent leurs investissements et créent des emplois hors de l'Hexagone, tandis que les secondes constituent la trame même de l'économie française. Les premières peuvent jouer avec la réalité au mieux de leurs intérêts, les secondes la subissent de plein fouet. C'est d'elles, pourtant, que dépend l'inversion de la courbe du chômage.

Concentrant sa hargne sur les grosses entreprises ou la finance, l'anticapitalisme national manifeste la plus grande bienveillance à l'égard des PME. Là du moins, à portée de regard, le capitalisme illustre sa raison sociale : créer des emplois. La France serait-elle le paradis des PME ? Ce serait plutôt le contraire.

Les PME ont été délaissées par le pouvoir politique au cours des dernières décennies. Elles survivent, à la limite du décrochage, dans un environnement hostile, asphyxiées par la bureaucratie, fragilisées par la finance, écrasées par les grandes entreprises. Enfer ou purgatoire, comme on voudra. Par ces temps de dèche budgétaire, le gouvernement aurait beaucoup à faire pour redonner confiance aux 2,2 millions de chefs d'entreprise et les transformer à nouveau en employeurs.

Maltraitance à PME

Les PME françaises sont d'abord étranglées par les grands groupes dont elles dépendent. Le cabinet de conseil Agile-Buyer[1] a interrogé 466 acheteurs professionnels travaillant chez les donneurs d'ordres, pour savoir s'ils prennent en considération la nationalité de leurs sous-traitants. Seuls 19 % d'entre eux s'efforcent de privilégier les entreprises françaises. Les autres – y compris les administrations – passent commande au moins-disant, en faisant jouer sans vergogne le dumping social contre les producteurs nationaux. Les grandes sociétés allemandes, elles, nouent des relations de partenariat avec leurs sous-traitants pour créer des filières industrielles. Rien de tel en France où le fournisseur peut à tout moment être abandonné pour un concurrent à bas coûts de main-d'œuvre. Ce management du « marche ou crève » a fini par devenir contre-productif, et l'on voit s'amorcer un reflux de commandes sur l'Hexagone. Mais, dans l'intervalle, combien de fournisseurs français ont disparu ?

---

1. Denis Fainsilber, « Le *"made in France"* n'a pas de valeur pour les professionnels des achats », *Les Échos*, 3 janvier 2013.

À cette exploitation industrielle s'ajoute la surexploitation financière. Traditionnellement, le crédit interentreprises, dispositif typiquement français, contraint les PME à faire la trésorerie de leurs donneurs d'ordres : « Nos PME ont essentiellement besoin, comme cela est le cas en Allemagne, d'être payées quand elles livrent leurs produits, et non pas trois mois plus tard. [...] Les sommes en jeu sont considérables : le crédit interentreprises représente globalement pas moins de 500 milliards d'euros par an[1] », constatent les experts en organisation Robert Branche et Stéphane Cossé.

La loi de modernisation de l'économie de 2009 a bien tenté de limiter à soixante et quarante jours les délais de règlement, mais la conjoncture est difficile pour tout le monde, et les délais s'allongent de nouveau. L'Observatoire des délais de paiement a calculé que, si la loi était strictement respectée, cela procurerait un supplément de trésorerie de 13 milliards aux PME.

Les politiques sont fascinés par l'aide à la création d'entreprises. Ils ont mis en place des centaines de dispositifs à tous les étages, de l'Europe à la commune, et à toutes les adresses, de Pôle emploi aux Chambres de commerce et d'industrie. Au total, 3 milliards d'euros sont ainsi distribués chaque année. Mais le système est d'une telle complexité que la moitié des candidats préfèrent ne rien toucher du tout plutôt que se transformer en chasseurs de primes. Qu'importe, la gauche et la droite se font un devoir d'imaginer toujours quelque carotte supplémentaire pour attirer les futurs entrepreneurs, et se réjouissent dès qu'une création d'entreprise de plus est comptabilisée.

---

1. Robert Branche et Stéphane Cossé, « PME : encore un effort, monsieur Ayrault », *Les Échos*, 31 décembre 2012.

La suite de l'histoire, en revanche, n'intéresse personne. Or elle n'a rien de réjouissant. La moitié de ces entreprises meurent avant la cinquième année. Il s'agit d'une aventure des plus risquées. Ce qu'ignore superbement la nouvelle gauche. Ainsi Najat Vallaud-Belkacem, ministre en charge de la parole gouvernementale, s'offusque-t-elle que l'on puisse évoquer les risques pris par le créateur d'entreprise. Pour elle, les salariés « en prennent tout autant ». On peut donc accéder à des fonctions ministérielles sans avoir remarqué que, lors d'une faillite, le salarié et l'employeur perdent également leur travail, mais que le second perd en outre son argent et n'a droit à aucune sorte d'indemnités – assurance chômage ou autre –, à aucune aide : il se retrouve le plus souvent couvert de dettes et, à supposer même qu'il ne soit pas interdit de gestion, sera considéré comme un perdant auquel on n'accordera jamais une seconde chance. Qu'importe ! pour la gauche, il n'est de suicide professionnel que chez les salariés stressés, jamais chez les petits patrons, artisans ou commerçants acculés au dépôt de bilan. Comment donc imaginer qu'un minimum de sécurité pour les perdants serait plus efficace qu'un encouragement de plus donné aux candidats ?

Abordant ce sujet avec une étoile montante du Parti socialiste, j'évoquais la position si précaire du « mandataire social », traduction juridique de « patron ». Encore une détestable particularité française. N'est-il pas scandaleux de voir les grands managers du CAC 40 s'octroyer des parachutes dorés, et les chefs de petites entreprises n'avoir droit à aucune protection, alors que les premiers ne prennent aucun risque et que les seconds ne disposent d'aucun recours ? La gauche ne devrait-elle pas corriger cette anomalie et se réconcilier ainsi avec les entrepreneurs sans avoir à financer les exonérations de charges et autres niches fiscales ? J'ai vu, au regard de mon interlocuteur, que mon propos semblait parfaitement incongru.

Effectivement, il m'a très courtoisement expliqué que, face à une défaillance d'entreprise, un élu socialiste se soucie d'abord des salariés. Les patrons ont la droite pour les défendre, et les militants n'y comprendraient plus rien si, en pleine progression du chômage, la gauche allait consoler des employeurs qui déposent le bilan. On ne va quand même pas plaindre des capitalistes ! Au reste, bien des gens de droite ont de semblables préjugés vis-à-vis des syndicalistes.

Fort heureusement, certains ministres apprennent vite, plus vite même que leurs prédécesseurs. Ainsi Fleur Pellerin, ministre déléguée aux Petites et Moyennes Entreprises, s'est émue du sort réservé aux chefs d'entreprise en cas d'échec. Concrètement, elle mettait en cause le fichier Fiben qui recense tous les entrepreneurs pour leur donner une cote de confiance bancaire. Celui qui n'a jamais connu le moindre ennui de trésorerie y est « 000 » et trouve aisément du crédit ; à l'opposé, celui qui a déjà trois dépôts de bilan à son passif ou une interdiction de gérer se voit coller « 060 » et perdrait son temps à se présenter dans une banque. Entre les deux, 150 000 dirigeants qui ont connu un dépôt de bilan sont cotés « 040 » pendant trois ans alors même qu'aucune manœuvre frauduleuse ne leur est reprochée. Cet indicateur est vécu « par les intéressés comme une sorte de stigmate qui les empêche d'avoir accès au crédit », a constaté Fleur Pellerin. Elle a donc fait disparaître de notre droit cette détestable particularité. Fort bien, mais son collègue Benoît Hamon s'est empressé de compliquer la vie des petits patrons désireux de vendre leur affaire. Désormais, ils pourront être accusés de ne pas avoir informé leur personnel s'ils évoquent une cession à l'extérieur sans l'avoir préalablement annoncée au sein de leur entreprise.

Le piège du licenciement

À cette crainte de la faillite s'ajoute celle du licenciement. Pour n'avoir pas à affronter cette épreuve, le créateur d'entreprise français évite le contrat de travail. Le plus souvent, il se met à son compte, et c'est tout. En Allemagne, la nouvelle entreprise crée très rapidement des emplois ; en France, elle préfère jouer avec des autoentrepreneurs, entre autres formules qui évitent toute embauche.

Une précarité personnelle absolue, un environnement politique hostile, des grandes entreprises agressives : la condition de l'entrepreneur français n'est guère enviable. Elle devient franchement détestable s'il se retrouve devant la justice. Les économistes Pierre Cahuc et Stéphane Carcillo se sont appuyés sur un sondage IPSOS pour étudier les relations entre les juges et l'économie. Le constat tient dans le titre même de leur étude : « Une défiance française ». Il apparaît que les magistrats sont, de tous les Français, fonctionnaires compris, ceux qui ont la plus grande méfiance envers des entreprises, ceux qui entendent leur laisser le moins de liberté et leur imposer le plus de contrôles. Traditionnellement, les magistrats de l'ordre judiciaire étaient pour une large part recrutés dans la société civile en cours de carrière. Ils étaient riches d'une expérience autre que judiciaire. Aujourd'hui, ils proviennent de l'École nationale de la magistrature et commencent dans le métier très jeunes. Du monde économique, ils ne connaissent donc que les dysfonctionnements qui sont évoqués devant eux. Rien de bien valorisant. Le face-à-face entre l'entrepreneur et le magistrat est aussi riche de préventions que pauvre d'expérience. Bref, le chef d'entreprise se découvre surveillé par un censeur méfiant, sinon malveillant.

En outre, l'inimaginable complexification de notre droit se retourne systématiquement contre les petits patrons. Dans les grandes entreprises, un service juridique s'assure en permanence que la société reste dans les clous. Mais dans une entreprise d'une dizaine de salariés, le patron ne peut compter que sur lui-même et risque de tomber dans tous les pièges d'une législation instable, tatillonne et indéchiffrable. Quel député s'en soucie au moment de déposer un amendement de plus ?

Comme la plupart des annonces faites par François Hollande, celle d'un « choc de simplification » répond à une évidente nécessité. La France est asphyxiée par une prolifération administrative et réglementaire cancéreuse. Dans tous les domaines, à tous les niveaux, il faut pratiquer des coupes claires. Un président socialiste, tenu par sa clientèle bureaucratique, pourra-t-il faire ce dont ses prédécesseurs de droite furent incapables ? On peut en douter, on doit l'espérer. La tâche est immense : réduire le Code du travail, le droit des entreprises, le nombre des échelons administratifs, des normes, des procédures, des formalités, des contrôles, des organismes, etc., tandis que chacun des innombrables ministres se croit obligé de présenter une ou plusieurs lois supplémentaires pour justifier sa raison d'être.

En attendant que cette tronçonneuse libère la société française, le pouvoir judiciaire ne cesse d'étendre le champ de ses investigations. Notamment pour les licenciements. Ainsi de la rupture conventionnelle. Elle a rencontré un grand succès et dépasse aujourd'hui le million de cas par an. En principe, elle était conçue pour éviter les recours judiciaires. Mais la chambre sociale de la Cour de cassation ne l'entend pas de cette oreille. Elle a cassé successivement deux ruptures, l'une au prétexte que la salariée se trouvait en situation de harcèlement moral et l'autre en estimant qu'une rupture devait être établie en double exemplaire sous peine de nullité. Une telle jurisprudence fera se multiplier les recours jusqu'à donner à la justice un droit de regard sur la plupart des ruptures « dites » conventionnelles.

Pour les licenciements proprement dits, les contestations se règlent en justice et *a posteriori*, depuis la suppression de l'autorisation administrative préalable instaurée par Jacques Chirac en 1975. Et ce contentieux peut être interminable. Après des années de procédure, certains plaignants se sont vus réintégrés dans une entreprise... qui n'existait plus. Or ces recours ont toutes les raisons de se multiplier et, surtout, de s'approfondir. Avec le capitalisme financier, on a vu des réductions d'effectifs ne visant qu'à accroître les profits : des licenciements dits boursiers, socialement inacceptables. Encore faut-il distinguer les réductions d'effectifs exigées par la rentabilité de celles visant à faire grimper le cours en Bourse ; or le seul critère de la profitabilité ne suffit pas. N'autoriser les licenciements qu'aux entreprises déficitaires serait une aberration économique. C'est donc ce contrôle que le pouvoir judiciaire prétend exercer. Ici ou là, des magistrats, outrepassant la régularité juridique des procédures, lancent leurs investigations au cœur même de l'entreprise : trésorerie, bilan, carnet de commandes, gestion, marketing, etc., pour voir si la situation économique justifie la rupture du contrat de travail. Face à ce contrôle judiciaire rétroactif, les entrepreneurs risquent de regretter l'autorisation administrative préalable.

Ajoutez à ce charmant tableau le tour de vis fiscal, l'absence de toute visibilité médiatique, de toute reconnaissance sociale, et, plutôt que s'indigner lorsque de jeunes créateurs partent chercher fortune à l'étranger, vous vous étonnerez que certains veuillent encore rester en France. Depuis des décennies, les PME ont droit au mieux à l'indifférence, au pire à la maltraitance.

Ni subventions ni exemptions ne sont indispensables pour créer un environnement plus favorable au monde de l'entreprise. Il faut simplement, mais ce n'est pas le moins difficile, mettre davantage de pragmatisme et moins de préventions dans les comportements. Il n'est même pas besoin, pour cela, d'« aimer » les patrons, il suffit de ne pas oublier que leur décrochage précipite celui de la France.

On peut, on doit opposer à ce lamento de l'entrepreneur celui du travailleur, qu'il soit salarié ou chômeur. Dans de nombreux secteurs, les conditions de travail n'ont cessé de se durcir, les relations humaines de se détériorer. Aux marges des entreprises ou des administrations, la situation des précaires, des intérimaires, que l'on prend puis que l'on renvoie, pour quelques heures, quelques centaines d'euros, est abominable. Et que dire des jeunes qui mettront des années, de stage en stage, puis de petit boulot en petit boulot, à trouver, peut-être, un emploi sous-payé ? Et des plus de 50 ans rejetés comme un outil usagé qui a perdu sa nécessité ? Oui, la souffrance sociale est tout aussi réelle et beaucoup plus prégnante que la contrainte économique, et la gauche est toujours tentée de privilégier la première au détriment de la seconde. Mais, ce faisant, elle se reporte sur le symptôme et néglige la cause.

Un marché du chômage

Notre marché du travail fonctionne à sens unique : pour ceux qui ont un emploi contre ceux qui en cherchent un. Les employeurs en dénoncent la rigidité, demandent plus de flexibilité, mais les organisations représentatives, des salariés bien plus que des chômeurs, ont toujours fait passer la sécurité des *insiders* avant les attentes des *outsiders*. Normal, car les doctrinaires de l'anticapitalisme voient dans le licenciement une faute que la faillite seule pourrait excuser. Ils regrettent l'autorisation administrative préalable, en veulent à Lionel Jospin de ne pas l'avoir rétablie en 1997 ; ils ont fait capoter en 1984 les discussions sur la flexibilité et rêvent toujours d'interdire le droit de licencier aux entreprises bénéficiaires. De l'autre côté, il est vrai, des patrons de droit divin n'admettent toujours pas la moindre concertation, le moindre encadrement sur les réductions d'effectifs : « Le contrôle, c'est le marché. Si on licencie, c'est qu'on y est obligé. »

Sans doute aurions-nous conservé ces structures d'un autre temps si le chômage avait poursuivi sa décrue. En période de croissance, lorsque les employeurs ont des problèmes de recrutement et pas de licenciement, cette crispation des rapports sociaux n'est guère gênante ; en revanche, elle devient dramatique dans les années de vaches maigres. Car la crise exige souplesse et adaptabilité. Ainsi, à mesure que la France approchait puis dépassait les 10 % de chômeurs, la nécessité a repris la main. En 2008, les partenaires sociaux, FO comprise, adoptèrent la rupture conventionnelle. Le dispositif connut un tel succès qu'il suscita la méfiance de la gauche radicale. Si la séparation à l'amiable plaisait tant au patronat, c'était forcément qu'elle constituait un piège pour les salariés. En 2011, Nicolas Sarkozy lança les négociations sociales pour instaurer des accords compétitivité-emploi sur le modèle allemand. Ce faisant, il présentait la muleta et la gauche a chargé, tête baissée. Admettre des accords d'entreprise qui dérogent au droit commun, c'était, prétendait-elle, détruire notre droit du travail. Aussi Jean-Marc Ayrault s'empressa-t-il de mettre un terme à cette négociation. François Hollande était donc bien bordé sur sa gauche pour serrer notre société industrielle jusqu'à la paralysie totale.

Mais ce même réalisme qui a rendu indispensable le pacte de compétitivité impose désormais de moderniser notre marché du travail. Toutes les comparaisons internationales montrent qu'en ce domaine la France est encore un modèle de rigidité. Tant de décennies pour fusionner l'ANPE et les ASSEDIC dans Pôle emploi ! Et cet art consommé de marier l'inefficacité et l'injustice ! Inefficacité d'un organisme qui distribue des allocations mais ne sait pas donner de bonnes formations, injustice d'un système qui abandonne à la précarité ceux qui cherchent un emploi afin de mieux protéger ceux qui en ont un !

L'étranger – et notamment les marchés financiers – s'inquiète de cette spécificité nationale, car elle conditionne notre solvabilité à terme. Si notre appareil productif reste handicapé par un système social aussi archaïque et aussi coûteux, il ne pourra jamais retrouver sa compétitivité. Sur ce point comme sur beaucoup d'autres, le monde attend que vienne en France le temps des réformes, non pas des réformes ultralibérales génératrices de tensions sociales, mais des réformes sociales-démocrates qui cherchent l'efficacité dans la concertation.

Les pays du Nord, scandinaves ou germaniques, nous ont ouvert la voie en conciliant, sous une forme ou sous une autre, la souplesse indispensable à la gestion des entreprises et la sécurité nécessaire à la vie des salariés, une conciliation qui repose sur un intense dialogue social à tous les niveaux et dans tous les domaines. Depuis vingt ans, les réformistes fantasment sur la flexisécurité danoise et concluent à son impossible transposition dans la société française. Comment imaginer un tel copier-coller entre un monde où le taux de syndicalisation dépasse les 80 % et un autre dans lequel il atteint tout juste 5 % dans le secteur privé ?

De fait, le modèle étranger ne peut être purement et simplement naturalisé français. Il faut en inventer un autre, adapté à la réalité française, et, depuis dix ans, nous piétinons devant cette « sécurité sociale professionnelle », ces « contrats compétitivité-emploi ». Un pas en avant, deux pas en arrière...

Un accord « historique »

François Hollande sait que la compétitivité française est encore plus obérée par nos relations sociales que par le coût du travail. Il sait aussi que les relations de travail ne peuvent se moderniser par décret, il appartient aux partenaires sociaux d'impulser ce renouveau. D'où cette négociation, qu'il proclame « historique », sur la sécurisation de l'emploi, traduction « syndicalement correcte » de flexibilité de l'emploi. Le qualificatif n'est pas usurpé, dans l'intention du moins. Car il ne s'agit pas seulement de demander aux représentants du patronat et des salariés un avis consultatif, mais de leur transférer une part du pouvoir législatif puisque le compromis auquel ils parviendront servira de base à la nouvelle législation. Qu'ils fassent les propositions, le pouvoir fera la loi et la France pourra changer.

Les partenaires sociaux se sont donc lancés dans une négociation au long cours pour jeter les bases d'une flexisécurité à la française. La gauche syndicale, que révulse le mot « flexibilité », ne s'y est engagée qu'à contrecœur. Après quatre mois d'âpres négociations et vingt-six heures de discussions ininterrompues, l'impossible compromis est signé le 11 janvier. Un gros document de vingt-huit articles comportant vingt-cinq mesures.

Le gouvernement, la majorité, les organisations signataires et le patronat affichent leur satisfaction ; la CGT et FO, qui ont refusé de signer, sont furibardes. L'accord arraché à trois organisations contre deux reste très fragile. Les opposants voient dans la satisfaction affichée par le patronat la preuve qu'il s'agit d'un mauvais compromis.

Le passage devant le Parlement risque d'être mouvementé. Songez que les quadras de choc doivent bénir des accords de maintien dans l'emploi, véritables clones des contrats compétitivité-emploi sarkozystes contre lesquels ils vitupéraient quelques mois plus tôt. Il est effectivement prévu que dans les entreprises en difficulté, les partenaires sociaux pourront déroger au droit commun et aux conventions collectives en matière de temps de travail et de rémunération en échange d'engagements sur le maintien des emplois et la répartition des profits. Bref, on s'arrange entre soi pour passer à travers le mauvais temps sans licencier. Ce dispositif a été massivement utilisé en Allemagne pendant la crise de 2008-2010 ; il a permis de contenir un chômage qui explosait chez nous. Une preuve par l'expérience, sans aucune valeur pour nos syndicalistes doctrinaires. Entre partenaires sociaux on ne s'arrange pas, on s'oppose ! Quant à la gauche socialiste, elle n'hésite pas à défiler avec la CGT et FO contre l'accord qui a pourtant reçu l'aval du président. Elle déploiera ses efforts à l'Assemblée pour supprimer, ici et ailleurs, toute trace de flexibilité, et conserver la rigidité nécessaire pour barrer la route aux demandeurs d'emploi. Une fois de plus, l'Élysée devra imposer à son opposition interne la loi de la nécessité.

Cet accord est un premier pas, modeste au présent, ambitieux pour l'avenir. À condition qu'il tienne ses promesses. Les mesures ont été savamment dosées : un coup pour les patrons, un coup pour les salariés. Rien, au total, qui rappelle la flexisécurité danoise avec ses ruptures rapides, quasi instantanées, du contrat de travail et la prise en charge totale du chômeur combinant droits et devoirs, formation et sanctions. Il nous faudra encore quelques années pour comprendre qu'en économie de marché le licenciement n'est pas un « sale coup », qu'il fait partie du jeu, que le chômeur n'est pas un assisté, mais un chercheur-créateur d'emploi, qu'il doit être rémunéré pour cela, et seulement pour cela.

Qu'elles visent à diminuer la dépense publique, à réduire le coût du travail, à mettre plus de flexibilité dans nos relations sociales ou à provoquer un « choc de simplification », les initiatives présidentielles vont dans le bon sens. Ces réformes sont indispensables, mais leur nécessité n'a d'égale que la difficulté de leur mise en application, comme le prouvent la dérobade d'une droite qui n'a rien fait et l'inertie d'une gauche qui ne veut rien faire. Or ces mesures sont trop timides, trop lentes, trop timorées. Un diagnostic juste associé à un traitement insuffisant n'a jamais guéri personne.

Chapitre 9

L'ART DU SURENDETTEMENT

Il y a un an, les experts nous certifiaient qu'en 2013 les tensions seraient dramatiques sur les marchés financiers, qu'à la moindre incartade nous serions étranglés. Nous y sommes, et les investisseurs se montrent bienveillants, nous prêtant à bas taux tout l'argent que nous voulons. Et ce qui vaut pour la France vaut pour le monde entier. Cette embellie succédant à l'orage ne prouve-t-elle pas que ces alarmes étaient vaines et que rien ne presse pour le redressement de nos finances ? La réalité est bien différente et cette euphorie artificielle n'est qu'un répit, une opportunité pour redresser nos finances. Encore faut-il savoir la saisir.

La conjoncture mondiale est trompeuse, l'idéologie française plus encore. Face au surendettement, des économistes nombreux et distingués répètent depuis un demi-siècle que le déficit n'est pas une drogue, mais un fortifiant, et que les dettes souveraines ne sont que des artifices comptables sans conséquence : « Le temps venu, il suffira de fabriquer l'argent correspondant, et les dettes seront monétisées », proclamaient-ils. Il n'y aurait donc aucune urgence à nous infliger ce traitement douloureux et dangereux : l'austérité.

Le piège des taux bas

Pour nous y retrouver, il faut partir de la comptabilité, autant dire de la réalité. En 2012, la France a dû emprunter 178 milliards d'euros, il lui en faudra 200 milliards en 2013. Elle a bénéficié d'un taux moyen de 1,86 %. Jamais nous n'avons trouvé d'argent à si bon marché. Au cours de la décennie 1998-2007, notre taux moyen était de 4,15 %, alors que notre situation était beaucoup moins dégradée. Et la perte de notre AAA ne nous a pas plus décoiffés que le battement d'ailes d'un papillon. Pourquoi nous inquiéter alors qu'on nous offre l'argent à si bon compte ? Après tout, le débiteur n'a pas à se montrer plus suspicieux que le créancier. Une situation à ce point favorable répand donc la quiétude alors qu'elle devrait inspirer l'inquiétude. Car elle ne traduit nullement l'état de l'économie française, mais celui d'un marché international qui détient les deux tiers de notre dette et souscrit l'essentiel de nos émissions. Il y a quelques années, les prêteurs faisaient la loi et examinaient d'un air sévère la solvabilité des emprunteurs. À cette aune, la France était manifestement surcotée. Son économie étant aussi mal en point que celle de l'Espagne ou de l'Italie, ses taux d'intérêt auraient dû être méditerranéens plutôt que germaniques. Mais, pour diverses raisons techniques – nécessité d'une diversification par rapport au dollar, cherté des obligations allemandes, poids économique de la France, liquidité de sa dette, etc. –, les investisseurs asiatiques et moyen-orientaux sont toujours attirés par les émissions de France-Trésor. Cette situation très favorable tient davantage à une perception qu'à une réalité. C'est dire à quel point elle est fragile. Car les marchés sont moutonniers, et la spéculation amplifie encore les mouvements. La correction pourrait donc être très brutale. Un sondage organisé par *Les Échos* au début de 2013 a montré que, pour les gérants internationaux, ceux qui placent des milliards sur le marché, la France est le pays de la zone euro qui présente le plus de risques pour 2013, devant l'Espagne et l'Italie. Si le risque s'est éloigné, la mauvaise image demeure.

Depuis, le marché s'est donc retourné. Les banques centrales ont déversé tant de liquidités que tous les emprunts trouvent preneur à bon prix. Il faut vraiment avoir une réputation grecque pour ne plus pouvoir placer ses emprunts. L'air du temps est à l'argent facile que l'on émet à volonté et que l'on injecte jusqu'à plus soif, et, par définition, la soif d'argent n'est jamais étanchée. Quand les banques centrales ne font plus la différence entre la vraie et la fausse monnaie, quand les États se mettent les uns après les autres à l'école de Madoff, quand l'énormité des dettes menace les créanciers plus encore que les débiteurs, quand les marchés gorgés de liquidités achètent tout et n'importe quoi, on oublie que les bulles ne gonflent que pour mieux exploser. L'économiste américain Nouriel Roubini, devenu gourou de l'économie pour avoir annoncé la crise de 2007-2009, dénonce le danger de cette euphorie monétaire américaine et mondiale dans laquelle on entre si facilement et de laquelle on sort si dangereusement : « La sortie, annonce-t-il, sera redoutable : une sortie trop rapide provoquerait un krach de l'économie réelle, tandis qu'une sortie trop lente commencera par créer une énorme bulle et provoquera ensuite un krach du système financier[1]. » Cette abondance monétaire n'annonce donc rien de bon. Au mieux elle se résorbera et laissera de nouveau les

---

1. Nouriel Roubini, « Bonne chance à Ben Bernanke pour éviter le prochain krach », *Les Échos*, 2 mai 2013.

surendettés subir la loi des créanciers, au pire elle finira par un krach qui bouleversera la donne. Pas dans le bon sens, hélas ! Retenons que les investisseurs nous prêtent d'une main et nous tiennent en respect de l'autre. La balle est déjà dans le canon, il leur suffirait d'un changement d'humeur pour tirer. C'est alors qu'ils feront monter les taux et nous étrangleront.

L'austérité ou la banqueroute, voilà le dilemme qu'il ne faut jamais perdre de vue en écoutant les savantes démonstrations de nos économistes. Ils nous paient de mots, mais nous, nous devrons payer nos créanciers en euros. Or une nation en déficit d'autorité politique doit payer la paix sociale à crédit. Pour vivre ensemble, les Français ont besoin de rajouter chaque année 20 % aux recettes de l'État. Sans cette ressource miraculeuse, il faudrait resserrer tous les budgets, couper dans les dépenses sociales, etc. Explosif !

Indépendamment de toute construction idéologique, le déficit apporte d'abord une commodité de gouvernement. Disons le mot : c'est de la démagogie financière. Pas surprenant que Jacques Chirac l'ait toujours pratiquée. En 2003, le ministre de l'Économie et des Finances, Francis Mer, tira la sonnette d'alarme. N'étant pas un homme politique, mais un haut serviteur de l'État doublé d'un grand industriel, il fut effaré par une dérive budgétaire qu'il découvrait et qui, à échéance de dix ans, conduisait le pays à la ruine. Il présenta donc au président de la République un tableau très sombre de la situation, des perspectives d'avenir, et proposa des mesures de redressement impopulaires mais indispensables. Réponse présidentielle : « Écoutez, Mer, ça fait trente ans qu'on se débrouille comme ça. Alors on peut bien continuer un peu, non[1] ? »

---

1. Cité dans Sophie Coignard, Romain Gubert, *L'Oligarchie des incapables*, Paris, Albin Michel, 2012.

Un chef d'État peut parler aussi crûment en privé, mais la politique se fait en public. On imagine mal des vœux présidentiels qui, quarante années de suite, auraient annoncé : « Cette année, nos budgets sont en déficit. C'est un grave échec. Nous essaierons de faire mieux l'année prochaine. » Pour être à ce point récurrent, le déficit doit être présentable. Qu'à cela ne tienne : toute la famille keynésienne est là pour baptiser relance l'« impasse budgétaire » comme l'on disait au temps où le déséquilibre des comptes faisait honte. Il a donc été postulé que le déficit stimulait la croissance et permettait de créer des emplois. Il cessa d'être une faute pour devenir une obligation.

La gauche comme la droite se devaient de conduire « une politique budgétaire dynamique ». La première en augmentant les dépenses, la seconde en baissant les impôts, et l'une et l'autre en faisant les deux à la fois. Ainsi, le déficit devient outil de croissance. La dépense publique dopée par le crédit tire l'économie, et l'équilibre des finances atteint en coupant ce moteur nous condamnerait à la stagnation. L'orthodoxie comptable devient une norme réactionnaire, antisociale.

Les faits n'étant jamais cités à la barre des témoins, il est inutile de rappeler que la décennie 1960, glorieuse entre toutes sur les plans économique et social, fut initiée par un impitoyable plan d'austérité, se plia à la plus stricte des règles d'or et, en prime, remboursa les dettes antérieures. Plus récemment, la croissance à 4 %, divine surprise qui a marqué la fin du millénaire, fut précédée en 1997 par un plan d'austérité, tandis que les deux plans de relance que nous avons connus, celui de Jacques Chirac en 1975 et celui de Pierre Mauroy en 1981, ont conduit à deux échecs mémorables. Quant à la réussite économique allemande, elle s'est fondée sur l'austérité, pas sur la relance.

Nous avons donc eu le déficit serein, voire glorieux, et sommes arrivés au surendettement au son du clairon. Mais nous voilà à l'échéance, contraints de revenir à l'équilibre. Notons tout d'abord que ce déséquilibre des finances n'est pas un choix politique. On le retrouve dans des sociétés libérales et dans des sociétés socialisées, tout comme l'équilibre qui peut se réaliser à des niveaux de prélèvements obligatoires très variables. On équilibre d'abord ses comptes, on voit après ce que l'on fait : c'est affaire de bonne gestion, pas de choix politiques. Notons encore que cette obligation, loin de compromettre notre indépendance, l'assure. La mise sous tutelle est le prix du surendettement, et la souveraineté se fonde sur des finances solides... à l'exception des États-Unis, mais jusqu'à quand ?

Le remuant collectif des « économistes atterrés » réfute, dans son manifeste à succès[1], l'idée que la politique dispendieuse de nos gouvernements pourrait être responsable du mauvais état de nos finances : « L'explosion récente de la dette publique en Europe et dans le monde est pourtant due à tout autre chose : aux plans de sauvetage de la finance et surtout à la récession provoquée par la crise bancaire et financière qui a commencé en 2008 : le déficit public moyen dans la zone euro n'était que de 0,6 % du PIB en 2007, mais la crise l'a fait passer à 7 % en 2010. La dette publique est passée en même temps de 66 % à 84 % du PIB. »

La crise a bon dos ! Le texte fait référence à l'« explosion récente » qui, effectivement, a été provoquée par la crise financière, mais il omet de rappeler que le déficit de la France en 2007 était à 3 % du PIB et non pas à 0,6 %, et que notre endettement atteignait déjà 65 % du PIB. En 2006, le rapport

---

1. Philippe Askenazy, Thomas Coutrot, André Orléan, Henri Sterdyniak, *Manifeste d'économistes atterrés*, Paris, Les Liens qui libèrent, 2010.

Pébereau indiquait que nous arriverions à 100 % en 2016. La crise venue d'Amérique a provoqué partout dans le monde une forte augmentation de la dette. Pendant le dernier quinquennat, celle de la France s'est accrue de 500 milliards d'euros, mais, dans ce total, la Cour des comptes chiffre à 300 milliards la part imputable à la catastrophe bancaire américaine et à ses suites. C'est dire que, sur les 90 % du PIB qu'atteint aujourd'hui notre endettement, seuls 15 % sont d'origine étrangère, les 75 % restants sont « *made in France* » et nous conduisent tout droit dans le mur. La finance américaine n'a fait qu'avancer l'échéance de deux ou trois ans.

La relance à l'échéance

Pendant la campagne présidentielle de 2012, l'économiste Jérôme Creel conclut une tribune dans *Le Monde* sur une interrogation provocante : « Faut-il donc se priver d'un instrument somme toute efficace[1] ? » La réponse est dans la question. Comment pourrait-on se priver d'un « instrument » économique qui permettrait aux candidats de distribuer les milliards comme au bon vieux temps au lieu de faire assaut de sérieux et de rigueur ? Sa tribune s'intitule glorieusement : « La relance budgétaire à l'honneur ». Eh oui ! Notre « directeur adjoint au département des études de l'OFCE » n'a pas trouvé la corne d'abondance. Il ressort et ressert la relance. C'est d'autant plus curieux qu'avec un déficit de 4,8 % du PIB en 2012, la France relance l'escarpolette à tout-va. Qu'à cela ne tienne, Jérôme Creel annonce triomphalement que

---

1. Jérôme Creel, « La relance budgétaire à l'honneur », *Le Monde*, 23 février 2012.

« la politique budgétaire expansionniste a des effets… expansionnistes sur le produit intérieur brut ». Pourquoi donc s'en priver ? Faudrait-il creuser encore le déficit de 6 à 8 % du PIB pour voir enfin les fruits pousser sur l'arbre de la relance ?

Jérôme Creel n'avance pas seul, il est accompagné par une impressionnante cohorte d'économistes. Voyez plutôt : « Dix-sept économistes issus de la Banque centrale européenne, de la Réserve fédérale américaine, de la Banque du Canada, de la Commission européenne, du Fonds monétaire international et de l'Organisation pour la coopération et le développement économique » qui fondent leurs travaux sur la base de « huit modèles macroéconométriques différents pour les États-Unis, et de quatre modèles macroéconométriques différents pour la zone euro », publient leur étude dans la très sérieuse revue *American Economic Journal : Macroeconomics*. Ils préconisent une « relance budgétaire effective pendant deux ans, accompagnée d'une politique monétaire accommodante ».

Comment passe-t-on de modèles économétriques à cette préconisation ? Par l'intermédiaire du « multiplicateur keynésien ». John Maynard Keynes, l'inventeur du pilotage budgétaire contracyclique, a développé l'idée que la dépense publique peut avoir un effet d'entraînement sur l'économie. Si l'État ajoute à son budget 10 milliards d'euros – 10 milliards empruntés, cela va de soi –, cet argent provoque des augmentations de pouvoir d'achat, donc de consommation. Les entreprises, stimulées par cette demande supplémentaire, accroissent leur activité, embauchent du personnel : donc nouveaux salaires, surplus de consommation, etc. Ainsi la mise initiale se trouve-t-elle amplifiée au fur et à mesure qu'elle chemine dans le système économique. À l'arrivée, cette injection de 10 milliards pourra avoir augmenté le PIB de 20 ou 30 milliards. Tel est le « multiplicateur keynésien », ressort secret de la relance, dont la valeur n'est pas fixée une fois pour toutes, mais varie selon la conjoncture. Il pourrait atteindre 2 ou 3, comme dans notre exemple, si les conditions sont exceptionnellement favorables. Alors le déficit serait véritablement un stimulant de la croissance. Mais il pourrait aussi, dans des circonstances contraires, devenir inférieur à l'unité, et l'État retrouverait dans l'économie moins d'argent qu'il n'en aurait mis. Mieux vaudrait alors, même dans une optique keynésienne, s'abstenir.

En 2012, les chercheurs ont donc introduit dans leurs ordinateurs les plus récents indicateurs économiques et ont découvert « des effets multiplicateurs largement supérieurs à l'unité aux États-Unis comme dans la zone euro (entre 1,12 et 1,59) si le plan de relance porte sur la consommation publique, l'investissement public ou les transferts ciblés ». Des candidats en campagne auraient dû sauter sur cette perfusion budgétaire comme des coureurs du Tour de France sur un dopage licite. Le bonheur d'avoir quelques milliards de plus à distribuer ! Sans doute l'auraient-ils fait lors des élections précédentes. En 2012, il n'en fut rien, car ces promesses mirifiques, même assorties des plus prestigieuses cautions, ne fonctionnent plus. Le produit n'est plus de saison. Si Nicolas Sarkozy et/ou François Hollande avaient annoncé qu'en conformité avec ces travaux ils remplaçaient dans leurs programmes la rigueur par la relance, ils auraient provoqué, en Europe et sur les marchés, de prévisibles et incontrôlables réactions. L'argent emprunté par la France aurait d'abord servi à payer la hausse des taux d'intérêt qu'elle aurait provoquée.

Que les crédits supplémentaires entraînent une certaine euphorie, c'est assuré et c'est bien le moins. Mais ce sursaut n'a rien à voir avec la croissance. Cette dernière n'existe que si le surcroît d'activité se maintient après que l'argent public a été dépensé. Inutile de chercher la réponse dans les équations, elle est cachée dans les têtes. Si les acteurs économiques ont confiance, les consommateurs s'endetteront, les entrepreneurs investiront et les brindilles de la relance feront repartir la flambée. Si, au contraire, leur humeur reste morose, ils laisseront le feu s'éteindre et l'économie se retrouvera au même point. Avec des dettes en plus.

Tout semble indiquer que nous sommes entrés dans une période non keynésienne et qu'il ne sert à rien de remplir un réservoir qui déborde quand le moteur est grippé. Les socio-réalistes comme Michel Rocard en tirent les conséquences. En association avec Pierre Larrouturou, il n'hésite pas à fracasser le mythe : « Ouvrez les yeux, les amis : ce raisonnement [celui de la relance] était vrai quand Keynes publiait ses thèses. Il était vrai encore il y a quarante ans, mais ce n'est visiblement plus le cas. Même en mettant 140 % du PIB sur la table, le Japon n'a eu que 0,7 % de croissance pendant vingt ans… Aux États-Unis, même avec un déficit de 9 % du PIB, la croissance n'est que de 1,3 % en rythme annuel[1]. » Les auteurs pourraient ajouter l'exemple de la France et de quelques autres, qui vont tous dans le même sens : la relance d'aujourd'hui crée la stagnation de demain et le chômage d'après-demain.

Remettre le déficit à sa place, parmi les mauvaises pratiques, et ses zélateurs à la leur, parmi les faux prophètes, est le préalable pour écarter le péril financier. Mais nous en sommes encore bien loin. En 2013, le mythe de la relance reste le panache blanc de Mélenchon, mais aussi un centre de ralliement dans la majorité. La tendance « Maintenant la gauche », qui regroupe des députés de la gauche socialiste, a

---

1. Michel Rocard, Pierre Larrouturou, *La gauche n'a plus droit à l'erreur*, Paris, Flammarion, 2013.

lancé en février 2013 « le tournant de la relance » avec ses deux volets : d'une part, « la résorption des déficits et de la dette doit être étalée dans le temps » ; d'autre part, le gouvernement doit assurer « un soutien au pouvoir d'achat et une hausse de salaires » ainsi que de grands programmes d'investissement. À trente ans de distance, c'est toujours la même politique que doit mener la gauche. Qu'elle n'ait aucune chance de ramener la croissance et aucune possibilité d'être appliquée aujourd'hui ne gêne en rien. C'est l'indéracinable choix de l'idéologie contre la réalité.

Contre l'austérité

Il est vrai qu'à court terme, les effets économiques et sociaux de l'austérité sont détestables. C'est même pour cela qu'il ne fallait surtout pas en arriver au surendettement. Les docteurs « tant mieux » du crédit qui nous y ont conduits se sont donc reconvertis en docteurs « tant pis » de l'austérité. Ce sont pourtant les mêmes qui ont rempli des milliers de pages pendant des décennies pour chanter la gloire d'une politique budgétaire expansionniste. On imagine mal des incendiaires reprochant aux pompiers des dégâts des eaux, mais, en économie, tout est possible.

Si l'on charge la machine économique d'impôts supplémentaires tout en supprimant l'adjuvant du crédit, nul doute qu'elle tournera plus lentement. Ce ralentissement devrait être temporaire et permettre à la confiance de revenir, à l'activité de repartir. Mais il peut aussi se transformer en dépression durable. Effet de la relance, effet de l'austérité : les questions sont symétriques, lourdes des mêmes incertitudes. Le rétablissement des comptes est une épreuve désagréable pour tout le monde. Pour ceux qui paieront plus, pour ceux qui recevront moins, sans compter ceux qui risquent de perdre leur emploi.

Plus que tout, ce processus est dangereux sur le plan économique, surtout si nos partenaires et clients pratiquent également une politique récessionniste. Il faut donc accompagner la rigueur financière de stimulants économiques. Jouer du frein et de l'accélérateur en même temps, en redéployant les efforts de l'État vers les secteurs prioritaires, en allégeant toutes les contraintes qui pèsent sur l'appareil productif. Point d'illusions : rien n'est plus difficile que de piloter une économie en décélération sans provoquer un décrochage irrémédiable. Les prophètes de malheur peuvent s'en donner à cœur joie, car il n'est nullement assuré que la séquence récession/confiance/reprise puisse fonctionner. On sait seulement que la fuite en avant dans le déficit et l'endettement serait mortelle.

Difficulté supplémentaire, ce sont des organisations internationales qui, tels les pilotes de drones survolant des zones tribales pakistanaises depuis le Nevada, prétendent dicter les réajustements à opérer. À ce jeu-là, le FMI est devenu la tête de Turc des économistes de gauche qui, n'ayant jamais travaillé que dans le virtuel, croient avoir la recette du redressement sans douleur. Dans la réalité, ces politiques ont un coût social élevé, et, tout naturellement, les experts du FMI en sont rendus responsables. C'est une sorte de jeu de rôles convenu. Les démagogues qui ont ruiné le pays se refont une santé sur le dos de ceux qui viennent réparer leurs erreurs.

Le FMI est tout sauf infaillible, et les calculs qui fondent ses prescriptions ne sont pas plus crédibles que les prévisions mirobolantes des zélateurs de la relance. En fait, il s'agit, dans l'un et l'autre cas, d'études assez comparables. Les économistes doivent calculer la valeur d'un multiplicateur pour pondérer une politique. Pour la relance, c'est le multiplicateur keynésien qui relie l'argent dépensé à son effet expansionniste ; pour l'austérité, c'est le multiplicateur fiscal qui relie l'argent économisé à son effet récessionniste. Que la diminution des budgets et l'alourdissement des impôts ralentissent l'activité est un fait avéré. Dans quelle proportion ? C'est toute la question, dont la réponse détermine la politique à suivre. Si les efforts sont mal dosés, tous les ressorts de l'économie peuvent se bloquer et entraîner le pays dans une récession sans issue.

Malheureux qui, comme les Grecs...

Avec la Grèce, la finance internationale s'est trouvée face à une situation cauchemardesque. Les comptes, qui avaient été truqués pour la campagne électorale de 2009, faisaient apparaître un déficit de 13,9 % du PIB, et non pas de 6 %, comme annoncé, une dette qui n'était pas de 100 % mais de 125 %, une économie en récession de − 2 % et non pas à 0 %. Le reste est à l'avenant. Les experts découvraient une nouvelle horreur tous les jours. Encore ne prirent-ils pas toute la mesure de cette république Potemkine qu'était la Grèce. Comme ces façades sans maison édifiées sur le parcours de l'impératrice Catherine II, les institutions du pays n'étaient que des faux-semblants. Particulièrement sur le plan financier. L'administration fiscale, rongée par la corruption généralisée, était incapable de collecter l'impôt. Les plus gros patrimoines – armateurs, Église – étaient exemptés. Aucun cadastre ne permettait de prélever une taxe foncière. Le pays vivait au noir, dans l'illégalité et en plein délire avec la facture des jeux Olympiques, un gigantesque budget d'armement, etc. En fait, les Grecs étaient de secrète connivence contre l'État[1]. Existe-t-il une résilience démocratique face à un tel désastre ? La question n'avait pas à être posée et les experts internationaux lancèrent leurs modèles pour faire leurs prescriptions.

Elles étaient à la mesure du mal : très sévères. La Grèce devait réduire son déficit à 3 % du PIB dès 2014, et, pour cela, s'infliger la plus brutale cure d'austérité. Année après année, l'Europe et le FMI ont conditionné leur aide au renforcement de ces mesures. Loin d'atteindre ses objectifs financiers, le pays n'a cessé de s'en éloigner. La récession s'est aggravée, faisant reculer le PIB de plus de 10 %. Quant à l'endettement, loin de se stabiliser, il a bondi de 125 % à 170 % du PIB. Il fut donc décidé de reculer à 2016 le retour du déficit aux 3 % du PIB initialement prévu pour 2014. Le traitement initial était sans doute trop brutal et ses effets, plus violents que prévu, ont par trop affaibli le malade.

C'est alors qu'Olivier Blanchard et Daniel Leigh, respectivement économiste en chef et économiste au FMI, publièrent un article au titre parfaitement explicite : « Erreurs de prévisions de croissance et multiplicateurs budgétaires[2] ». L'erreur en question concernait la Grèce : les experts reconnaissaient que le plan d'austérité qu'ils avaient préconisé était excessif et, de ce fait, avait entraîné le pays dans une récession dont il ne se sortait pas. À quoi tenait cette erreur ? À une

---

1. Alexia Kefalas, *Survivre à la crise : la méthode grecque*, Paris, Éditions de La Martinière, 2013.
2. Olivier Blanchard, Daniel Leigh, « Erreurs de prévisions de croissance et multiplicateurs budgétaires », FMI, *Working Paper*, n° 2013/1, janvier 2013.

mauvaise appréciation du multiplicateur fiscal. Les experts avaient estimé qu'une réduction d'un point du déficit freinerait l'activité d'un demi-point. Or les réactions de l'économie grecque montraient qu'en réalité, le ralentissement n'était pas inférieur, mais supérieur à l'unité. Le malade s'était vu administrer une dose trop élevée, provoquant des effets secondaires dévastateurs.

Les économistes ont voulu savoir pourquoi ils s'étaient ainsi trompés. Les services d'études avaient reconstitué le comportement de vingt et une économies soumises à un tel traitement au cours des années 1970-2007. Ils en avaient déduit un multiplicateur moyen de 0,5 et l'avaient appliqué à la Grèce. Rétrospectivement, ils constataient qu'en raison des circonstances particulières de ce pays, sa valeur se situait entre 1 et 1,7. En réalité, tous ces calculs se révélaient inopérants face à l'irréductible singularité grecque, mais il est toujours difficile à des experts de reconnaître les limites de leur discipline.

Ce travail, connu en octobre 2012, fut d'abord commenté dans le monde des économistes. Sans passion excessive. Puis, au mois de janvier, il fut repris dans la grande presse et déclencha une véritable tempête. Les polémistes de gauche se déchaînèrent contre les économistes libéraux du FMI et voulurent voir dans cet aveu une condamnation de l'austérité même. Pourtant, Olivier Blanchard et Daniel Leigh précisaient, en conclusion de leur étude, que « ces résultats n'impliquent pas qu'une consolidation budgétaire n'est pas souhaitable ». Autrement dit, l'erreur avait porté sur le dosage et non pas sur le principe de l'austérité.

Prétendre que la Grèce pouvait s'en sortir avec un traitement qui n'aurait atteint que les privilégiés et aurait été indolore pour le peuple est une imposture. Les dettes ne s'envolent pas et les impayés écrasent le débiteur défaillant. Entre une élite irresponsable et un environnement international excédé, les Grecs se préparaient une échéance redoutable dont nul, le moment venu, ne pouvait les dispenser.

Les keynésiens ont donc accablé leurs confrères du FMI de leurs sarcasmes. Comment peut-on fonder de telles certitudes sur une macroéconomie virtuelle mise au service d'une idéologie libérale ? C'est oublier que la reconnaissance de cette erreur est aussi méritoire que rassurante. Comme l'économie se porterait mieux si les différentes écoles acceptaient ainsi les leçons de l'expérience !

Cette erreur sur le multiplicateur fiscal n'est que le reflet inversé des innombrables erreurs sur le multiplicateur keynésien. Car la France a derrière elle quarante années de relance inefficace. Les études économétriques disaient-elles qu'il ne servirait à rien de gonfler artificiellement la demande par le déficit ? On ne les a guère entendues. Au vu des résultats, ces calculs étaient aussi faux que ceux du FMI. Cela prouve tout simplement que la technique ne peut pas se substituer à la politique. Elle fournit une aide à la décision, rien de plus.

Mais cela ne peut convaincre les doctrinaires du redressement sans peine. Selon leur postulat idéologique, c'est toujours l'insuffisance de la relance qui en explique l'échec. Il suffit d'ajouter les milliards aux milliards pour recueillir les fruits de la croissance. Par chance, la réalité pèse de tout son poids, elle ne se laisse impressionner ni par les modèles ni par les multiplicateurs, et s'impose à nous comme la base d'une nouvelle sagesse.

Chapitre 10

À MONDE OUVERT

Nous vivons une histoire à frontières ouvertes. Pour le meilleur lorsque la coopération avec des partenaires étrangers nous enrichit ; pour le pire lorsque nous en faisons la cause et la solution de tous nos ennuis. « C'est pas moi, c'est les autres », dit un peu trop souvent l'élève France. Cette fâcheuse tendance à jouer alternativement les victimes et les procureurs pour esquiver nos responsabilités finit par nous retirer la maîtrise de notre destin. Là encore, un retour au réel s'impose. Que devons-nous craindre, que pouvons-nous attendre de ce monde ? Et, pour commencer, de l'Europe, autant dire, pour aller au plus simple, de l'Allemagne ?

Ce tête-à-tête franco-allemand conditionne pour une large part notre avenir. Or les Allemands sont devenus les impitoyables révélateurs des faiblesses françaises. Songez donc : notre premier partenaire commercial, notre alter ego européen, avec qui nous faisions jeu égal il y a dix ans, accumule 170 milliards d'excédents commerciaux, tandis que nous sommes en déficit de 70 milliards, et nous inflige une perte annuelle de 17 milliards d'euros dans les échanges bilatéraux ! Comble de l'horreur, sa réussite se fonde sur une politique à l'exact opposé de la nôtre. S'il a tout bon, n'est-ce pas la preuve que nous avons tout faux ?

Le recadrage de Schröder

Comment faire avec l'Allemagne ? Pour la gauche, c'est devenu une obsession. Elle a tout d'abord dénigré la réussite germanique en soulignant son coût social : creusement des inégalités, augmentation de la pauvreté et de la précarité. Rien de plus exact : les Allemands ont payé leur succès au prix fort, celui de l'austérité, pas de la relance.

Dans les années 2000, les travailleurs allemands ont travaillé plus en gagnant moins, pour la seule satisfaction des clients étrangers. La gauche a dénoncé la concurrence déloyale créée par ce dumping social. Ainsi les « économistes atterrés » l'ont-ils fustigé dans leur *Manifeste* : « Cette course au moins-disant social a été remportée par l'Allemagne qui a su dégager d'importants surplus commerciaux au détriment de ses voisins et surtout de ses propres salariés, en s'imposant une baisse du coût du travail et des prestations sociales, ce qui lui a conféré un avantage commercial par rapport à ses voisins[1]. »

La droite et le patronat, qui ne cessaient de dénoncer le coût trop élevé du travail, ont repris la balle au bond. À l'été 2010, Nicolas Sarkozy proclamait admirer le modèle économique allemand et rêvait de mettre Paris à l'heure de Berlin. Et Laurence Parisot, en accueillant Gerhard Schröder, d'avouer : « S'il y a un programme que nous adorons, c'est votre Agenda 2010. Nous aimerions le copier-coller dans notre pays. » La France, selon la patronne du MEDEF, devait tirer les leçons de la démonstration allemande : baisser massivement les charges des entreprises et contenir les salaires.

---

1. *Manifeste d'économistes atterrés, op. cit.*

Ainsi, en dénonçant la politique de Gerhard Schröder, la gauche démontrait que, contrairement à ce qu'elle prétend, la baisse des cotisations et des rémunérations permet de regagner les parts de marché perdues. Certes, le traitement est douloureux. Tout au long des années 2003 à 2006, les Allemands ont été à la traîne des Européens pour le pouvoir d'achat. Quel sens peut avoir un tel effort s'il ne profite pas au peuple qui le consent ? La réponse n'est apparue qu'après la crise financière. Aujourd'hui, le chômage est à 6 % chez eux, dépasse 10 % chez nous, et, surtout, les salaires diminuent partout en Europe tandis qu'ils augmentent en Allemagne. Le coût social est élevé, mais le résultat est indiscutable. Faut-il admettre que l'austérité peut redresser une économie ? Pour censurer cette évidence incorrecte, la critique a dû faire un brutal tête-à-queue.

Exemple typique de ce retournement, l'économiste Guillaume Duval, excellent connaisseur de l'Allemagne et rédacteur en chef d'*Alternatives économiques*, avait dénoncé en 2006 dans *Libération* « l'Allemagne prédatrice » : « Depuis le début des années 2000, la poursuite des politiques de baisse du coût du travail voulues par les gouvernements allemands est devenue prédatrice : il s'agit désormais d'un véritable dumping social vis-à-vis de ses voisins européens. » Six ans plus tard, il publie *Made in Germany* et propose une tout autre analyse. Il prévient son lecteur : « Ce n'est pas parce que le coût du travail serait devenu moins cher en Allemagne qu'en France que les industriels allemands feraient des étincelles à l'exportation[1]. » Le rebond germanique, selon lui, doit s'expliquer par des causes structurelles internes – la tradition industrielle germanique – ou des causes conjoncturelles externes – la demande des pays émer-

---

1. Guillaume Duval, *Made in Germany. Le modèle allemand au-delà des mythes*, Paris, Seuil, 2013.

gents –, mais surtout pas par le conjoncturel interne, à savoir les réformes de Schröder : « On pourrait presque dire que l'économie allemande s'en sort moins mal que d'autres aujourd'hui, malgré Schröder plutôt que grâce à lui. » La conclusion est hautement morale : l'austérité ne saurait améliorer l'économie. Tous ces efforts rhétoriques se sont trouvés anéantis lorsqu'en mai 2013 François Hollande, fêtant les cent cinquante ans de la social-démocratie allemande à Leipzig, rendit hommage à l'action courageuse de Gerhard Schröder.

Fallait-il des études savantes pour découvrir que l'écart franco-allemand n'est pas seulement salarial, qu'il tient à l'ensemble de notre appareil économique, notamment aux déficiences de nos filières industrielles ? Que la baisse du coût du travail confère un avantage de compétitivité à court terme, mais ne peut, à elle seule, assurer une suprématie commerciale ? Peu importe ! L'exemple germanique ne doit plus jamais être utilisé chez nous pour justifier une politique d'austérité.

La météo franco-germanique

Les Français ne cessent d'évoquer le « couple franco-allemand » ; les Allemands, eux, ne nous voient pas comme leur conjoint, mais comme un partenaire parmi d'autres. Nécessaire mais compliqué. Avec l'acrimonie des mal-mariés, nous dénigrons leur réussite qui, à n'en pas douter, fut une cause de nos malheurs. Tant de succès commerciaux ne s'apparentent-ils pas à de traîtresses razzias sur nos richesses ? L'Allemagne ne devait-elle pas veiller à maintenir l'équilibre de nos échanges ? Mais non, elle a voulu gagner de l'argent sur notre dos. C'est donc à elle de le rendre.

Au tournant des années 2010, chaque économiste français bricole sa solution européenne pour nous sortir d'affaire. Le principe est toujours le même : faire jouer la solidarité entre États afin que les excédentaires – pensez « l'Allemagne », mais ne l'écrivez jamais – paient pour les surendettés. Pour des raisons historiques, la France connaît bien ce jeu de « l'Allemagne paiera » ; elle a donc fait preuve d'une remarquable créativité pour vider le coffre-fort germanique. Voici le scénario BCE qui transforme cet organisme, créé sur le modèle des banques centrales américaine ou britannique, en sorte qu'il puisse financer directement et gratuitement les États. Voici les FMI à l'européenne, fonds de soutien qui viendraient au secours des pays en difficulté. Voici la mutualisation des dettes, avec deux variantes : la mutualisation pour la part inférieure à 60 % du PIB, ou bien, au contraire, la mutualisation qui ne commence qu'à partir de 60 %. Voici les eurobonds, obligations émises par l'Europe et dont tous les pays seraient caution solidaire, etc. Dès lors que la caverne d'Ali Baba européenne serait ouverte, c'en serait fini de l'austérité, nous nous relancerions dans une somptueuse expansion continentale. Encore eût-il fallu, simple détail, que les Allemands entrent dans notre jeu. Mais là, nos références historiques sont à l'opposé des leurs.

Ils ont la faillite du mark de 1923 inscrite au fer rouge dans leur mémoire. À Berlin la monnaie est sacrée et le crédit public, une drogue. Il ne peut être question ni de le mettre en vente libre ni de relâcher la pression des gendarmes. Les marchés doivent surveiller les États et montrer les crocs sitôt qu'ils dérapent : la crainte des sanctions financières est le début de la sagesse budgétaire. C'est donc pour des raisons de principe et pas d'opportunité qu'Angela Merkel est opposée à une mutualisation qui permettrait à des États irresponsables de creuser les déficits en toute impunité, au risque d'entraîner l'Allemagne dans leur naufrage. Quand l'intoxication est à ce point ancrée dans les comportements, il faut, pense-t-elle, supprimer l'offre et sanctionner la transgression. La chancelière n'en démordra pas. Son successeur non plus. Qu'il soit conservateur ou socialiste, un responsable allemand se veut d'abord garant des équilibres et de la monnaie.

Cette Allemagne est radicalement différente de nous, et nous n'avons aucune chance de lui imposer nos vues ni nos solutions. Elle est à prendre comme elle est. « À prendre », car c'est à Berlin que se trouve la clé de la réussite ou de l'échec pour la France ; « comme elle est », car c'est évidemment le pays en déclin, la France, qui doit s'adapter à la puissance triomphante, l'Allemagne, et non l'inverse. François Hollande sait qu'une France seule, abandonnée à elle-même, n'est pas capable de se redresser. Angela Merkel le pense aussi. Mais ni l'un ni l'autre ne peuvent le dire.

Sitôt élu, François Hollande s'est vu imposer la rigueur budgétaire par la chancelière. Pas question d'ouvrir à la France les vannes de la monnaie européenne, comme le voudrait ce socialiste dépensier. Mais cette Europe de l'austérité devient un champ de mines dont les marchés financiers sont les artificiers. Les dirigeants doivent courir d'un sommet de la dernière chance au suivant pour éviter les explosions. À continuer ainsi, à laisser libre cours à la spéculation, l'Union tout entière risque de sauter.

Mais, en sens inverse, à vouloir tenir la bourse trop serrée, on ne fait qu'entretenir une spéculation qui parie sur le premier défaut européen. Mario Draghi, le nouveau président de la Banque centrale européenne, obtient en 2012 l'accord d'Angela Merkel pour changer les règles du jeu. En septembre, il permet à la BCE d'offrir aux banques des liquidités à bon compte et, surtout, il annonce un programme illimité pour le rachat des dettes souveraines. La France applaudit, nos théoriciens de la dépense transformeraient volontiers la BCE en un guichet ouvert à tous les gouvernements. Fort heureusement, l'Allemagne n'entend pas faire de la BCE une « *Big Bad Bank* ».

François Hollande rêve depuis toujours d'une relance keynésienne à l'échelle européenne pour compenser celle à laquelle il ne peut procéder à l'échelle nationale, faute de ressources. L'idée est intéressante. Ce serait en quelque sorte le complément des politiques nationales de rigueur budgétaire. Mais elle est refusée par nos partenaires. Il n'a obtenu qu'un pacte de croissance bidon pour faire passer son adhésion au pacte budgétaire.

Une nouvelle occasion se présente en février 2013 avec la discussion du budget européen. Le président français le voudrait ambitieux pour étendre le champ des activités et des moyens de l'Union. Malheureusement, la politique européenne s'est engagée en sens opposé. David Cameron a fait de la baisse du budget, la première de l'histoire européenne, une condition *sine qua non*. Or il a scellé sur ce point une alliance avec Angela Merkel. On parle de « Merkeron ». L'option française n'a donc aucune chance. De fait, les chefs d'État adoptent un budget croupion dans lequel la priorité est donnée aux dépenses d'utilité électorale au détriment des dépenses d'avenir. Exemple typique : le programme Connecting Europe Facility, une série d'investissements de 50 milliards d'euros pour développer les infrastructures en matière de transport d'énergie et de réseaux numériques, lancé par la Commission en 2011, se voit amputé de 21 milliards. Il en va de même pour divers programmes sociaux – 30 % de moins pour l'aide alimentaire, par exemple.

En cet hiver 2013, la météo franco-germanique, marquée par une crise d'hystérie germanophobe des socialistes, tend à devenir glaciale. La France, toujours égale à elle-même, est incapable de tenir ses engagements en matière de déficits. L'évidence s'impose : elle ne peut revenir aux équilibres que solidement encadrée sur le plan européen. Mais nos partenaires jugent qu'un délai supplémentaire, assorti d'un contrôle rigoureux, serait plus efficace que des sanctions.

L'Allemagne accepte que la Commission accorde un sursis à la France. Cette surveillance du mauvais élève par les bons se révèle dès le départ conflictuelle. Il faut au bâton ajouter une carotte pour mener à bien la cure de désintoxication. Seule une intégration plus poussée fera respecter la discipline commune. Les deux chefs d'État en sont convaincus. D'autant que l'euphorie monétaire et la détente des marchés financiers créent les conditions idéales pour une telle avancée.

François Hollande ouvre le feu dans sa conférence de presse du 16 mai. En lançant le projet d'un gouvernement économique de la zone euro, il reprend une idée avancée en août 2011, en pleine crise de la zone, par Nicolas Sarkozy et Angela Merkel. Les circonstances ne s'y prêtaient pas ; en 2013, elles sont plus favorables. Le président, offensif, propose que cette gouvernance ait de multiples compétences : convergence sociale et fiscale, lutte contre la fraude fiscale, recherche de la croissance, plan pour les jeunes, politique de l'énergie, etc. Enfin, grâce à une intégration plus poussée, la zone euro « doit se voir dotée d'une capacité budgétaire et doit pouvoir lever des emprunts ». Le tout à réaliser dans les deux ans.

L'annonce ne manque pas de panache, mais elle semble surtout destinée à des fins intérieures. Les observateurs ont relevé la référence à des emprunts européens qui, à elle seule, doit susciter un « *nein* » sonore. Erreur totale : dix jours plus tard, François Hollande fait visiter le musée du Louvre à Angela Merkel. Une façon plaisante de célébrer une bonne entente retrouvée. Car, à la surprise générale, la chancelière a donné son accord au projet de gouvernement économique, un accord qui vaut approbation européenne.

Pour la France, cette voie de l'intégration est la seule possible. Aujourd'hui, dans ces structures bâtardes, les Français ont le sentiment que l'Europe est une entité technocratique sans véritable légitimité et dont le pouvoir engendre plus de nuisances que d'utilité. Le pacte budgétaire réussit même ce miracle de transformer des contraintes universelles en diktats arbitraires imposés de l'extérieur. Sentiment renforcé par nos hommes politiques qui imputent aux autorités européennes ce qu'ils n'ont pas le courage d'assumer. Dans un tel cadre, la France devrait rétablir ses équilibres sous la férule d'un maître qui impose sa loi et sanctionne les manquements. Rien de mieux pour braquer tous les conservatismes nationaux. Cette Europe à demi semble faite pour surveiller et punir, pas pour mobiliser.

Tout changerait en revanche si les partenaires européens définissaient et mettaient en œuvre ensemble une politique commune qui ne se limiterait pas à la discipline budgétaire. La mutualisation des décisions, des règles, des contrôles faciliterait l'acceptation des contraintes. S'unir dans un gouvernement commun, ce serait enfin trouver le mode d'emploi de l'Allemagne et de nos autres partenaires. Mais, avant d'en arriver là, il faudra surmonter une montagne de préjugés.

Pour une certaine gauche, l'Allemagne est porteuse d'un modèle néolibéral qu'elle prétend nous imposer. En réalité, ses préoccupations sont beaucoup plus terre à terre. Elle vit dans l'angoisse d'un décrochage français qui pourrait l'entraîner à son tour dans le précipice. C'est à Berlin, pas à Paris, que la mauvaise santé française tourne à l'obsession. Les Allemands ne peuvent s'accommoder d'un partenaire foutraque, fantasque, perdu dans ses illusions et qui risque la sortie de route. En cela, leur réalisme est parfaitement conforme à nos intérêts.

Plus l'intégration européenne progressera, plus les désaccords légitimes apparaîtront. À nous de gagner l'autorité nécessaire au sein de l'Europe pour défendre nos intérêts et faire prévaloir notre point de vue. Malheureusement nous faisons exactement le contraire. Selon le baromètre européen BVA de 2013 pour l'Institut Delouvrier et *Les Échos*, la crédibilité de la France est en chute libre. Qu'on en juge : en deux ans, l'appréciation de notre situation financière a reculé de 16 points. Les Européens nous situent désormais au niveau des Espagnols ou des Italiens, et 51 % d'entre eux ont une opinion négative de notre pays. Même la Grande-Bretagne nous passe devant. Face à cette Bérézina, l'Allemagne domine l'Europe avec 87 % d'opinions positives sur sa solidité financière.

L'autorité germanique se fonde sur ses succès aussi sûrement que notre discrédit sanctionne nos échecs. Comment une France devenue le problème de l'Europe pourrait-elle lui proposer des solutions ? Il nous appartient de reprendre la main afin de redevenir audibles. Personne ne peut le faire pour nous. Mais nous ne le ferons qu'avec l'Allemagne. Certainement pas contre elle.

Chapitre 11

LA GRANDE DÉFISCALISATION

L'État français est ruiné ; il n'est pas le seul. Des dizaines d'autres, États-Unis en tête, croulent sous les dettes. L'incapacité à maîtriser les finances publiques est une épidémie mondiale. Le problème est mondial avant d'être français, la solution aussi. Bonne nouvelle : elle pourrait être à portée de main.

Partout dans le monde, des gouvernements désargentés pressurent les contribuables et coupent dans les dépenses au risque de provoquer des explosions sociales. Or cet argent qui leur manque existe et l'on sait fort bien où il se trouve : dans les paradis fiscaux, sur les comptes des fraudeurs et des multinationales, dans les torrents de la spéculation. Cet argent de contrebande suffirait à résoudre l'essentiel de nos problèmes monétaires, et sans doute pourra-t-on en récupérer une bonne partie dans les années à venir.

Dressons l'état des lieux pour un pays comme la France. Opération toujours délicate puisque, par définition, ce monde clandestin échappe à la statistique. On peut tout de même estimer des ordres de grandeur. Pour la fraude fiscale proprement dite, les estimations varient entre 30 et 80 milliards d'euros. Nous sommes dans les chiffres de nos déficits et des économies à réaliser.

Combien les Français ont-ils caché à l'étranger ? Selon une commission d'enquête sénatoriale, ces avoirs non déclarés seraient de l'ordre de 275 milliards d'euros, dont 130 milliards prospéreraient en Suisse. La perte de recettes fiscales sur ces sommes se chiffre en dizaines de milliards par an. Il faut ensuite compter avec tous les patrimoines partis avec les exilés fiscaux. Sans doute une bonne centaine de milliards.

La France taxe les activités économiques selon des barèmes qui devraient être respectés par tous les ménages et toutes les entreprises. En pratique, il n'en est rien. Cet impôt « explicite », affiché par les règlements, n'a rien à voir avec l'impôt « implicite », celui qui est effectivement payé. Entre les deux intervient l'optimisation fiscale qui permet aux plus riches, et surtout aux grandes sociétés multinationales, de ne payer que des impôts dérisoires. Juste un exemple : Pascal Saint-Amans, spécialiste des questions fiscales à l'OCDE, autorité mondiale en la matière, estime que les grands groupes multinationaux supportent entre 2,5 et 5 % de prélèvements. En toute légalité ! Qu'en est-il pour les entreprises du CAC 40, qui réalisent quelque 1 300 milliards de chiffre d'affaires ? On peut s'en tenir aux statistiques officielles et noter qu'elles paient 35 milliards d'impôts, soit l'équivalent des dividendes qu'elles versent. On peut aussi ne pas en rester là et lire les études de la direction du Trésor, du Conseil des prélèvements obligatoires et du très actif président de la commission des Finances à l'Assemblée, Gilles Carrez. Les chiffres racontent alors une tout autre histoire. Ces sociétés n'ont versé en moyenne que 3,5 milliards par an entre 2007 et 2009. Un total qui amalgame les bons contribuables et les pires. Dans la première catégorie se trouvent les quatre sociétés à forte participation étatique : EDF, France Télécom, GDF-Suez et Renault, qui paient 40 % de l'ensemble ; dans la seconde se trouvent les insaisissables, Total et quelques autres, qui ne paient rien ou presque. En excluant le quatuor des gros payeurs, Emmanuel Levy constate que, pour 2009, les 36 groupes restants ont fait 926 milliards d'euros de chiffre d'affaires pour 60 milliards de bénéfices et n'ont payé que 2 milliards d'impôts au fisc français[1]. Soit un taux de 3,3 % : dix fois moins que les PME ! Certes, ces sociétés travaillent essentiellement à l'étranger, mais Gilles Carrez a calculé que ces 36 groupes ont réalisé quelque 500 milliards d'euros de chiffre d'affaires en France et payé 2 milliards d'euros d'impôts, c'est-à-dire moins de 0,5 % du chiffre d'affaires. Si d'un coup de baguette magique nos percepteurs collectaient tout ce qui devrait être payé, la France croulerait sous les excédents fiscaux. Malheureusement, nous en sommes loin. La lutte contre la fraude ne rapporte guère que 15 milliards d'euros, mais, surtout, cette sous-imposition est, pour l'essentiel, légale.

Toutes les grandes nations se sont surendettées faute de pouvoir se faire payer, et la situation se dégrade au fil des ans. Les États, récoltant toujours moins auprès des contribuables les plus riches et des entreprises les plus grosses, ont demandé toujours plus aux salariés et aux consommateurs. Le système étant mondial, les nations étaient désarmées : incapables de se rassembler, il ne leur restait plus qu'à tondre les moutons qu'elles attrapaient en regardant passer au loin les plus belles pièces, hors de leur portée.

La communauté internationale est désespérante, c'est bien connu. Une cause qui dépend d'elle, qu'il s'agisse du réchauffement climatique, de la non-prolifération nucléaire ou de la protection de l'enfance, est perdue d'avance. Voici pourtant

---

1. Emmanuel Levy, « Scandaleux : l'impôt des groupes privés du CAC 40 n'est que de 3,3 % ! », *Marianne*, 8 juillet 2011.

l'exemple inverse : les États acculés par les mauvais payeurs ont dû se résoudre à lancer la croisade fiscale. Ils pourraient même la gagner. Ce peut être un tournant de l'histoire contemporaine. Depuis la fin du monde communiste, les forces économiques l'emportent régulièrement sur les forces politiques. Le marché avance et les États reculent. Mais, en matière fiscale, le point de rupture a été atteint, et la contre-offensive est peut-être en cours.

Certes, les gouvernements français s'efforcent de durcir la lutte contre la fraude. En 2010 a été créée une véritable police fiscale libre d'utiliser les écoutes, de jouer de la garde à vue. Le gouvernement socialiste veut aller plus loin en renforçant les pouvoirs de police, mais aussi la répression avec une taxation à 60 % des sommes dissimulées à l'étranger, et même des peines allant jusqu'à sept années de prison pour les fraudes les plus graves. Effort méritoire, mais la solution passe nécessairement par l'action internationale.

Google zappe l'impôt

Les contribuables doivent donc payer ce que les multinationales ne paient pas, car ce sont elles qui font la loi ou, ce qui revient au même, l'interprètent. En novembre 2012, la société Amazon annonce qu'elle va installer dans le Pas-de-Calais une plateforme de 90 000 mètres carrés qui pourrait employer jusqu'à 2 500 personnes à l'horizon 2015. Un rayon de soleil en pleine giboulée de plans sociaux. Mais les concurrents font entendre une musique un peu différente. Ils notent tout d'abord qu'Amazon reçoit, pour chaque emploi créé, 3 400 euros de la Région, plus 1 100 euros du département, plus 1 000 à 2 000 euros de l'État, des aides qui faussent la concurrence avec les entreprises déjà installées. Mais ce n'est rien encore. Ils se font un plaisir de révéler que, selon Euromonitor, Amazon, installé comme par hasard au Luxembourg, réalise en France 1,6 milliard de chiffre d'affaires, mais n'en déclare que 110 millions et n'a payé au fisc que 3,3 millions d'impôts en 2011. Ce chef-d'œuvre d'optimisation fiscale a fini par irriter Bercy qui réclame 200 millions d'arriérés au major de la vente en ligne.

C'est toute l'industrie de l'Internet avec, en tête, le GAFAM – Google, Apple, Facebook, Amazon, Microsoft – qui est désormais visée par les services de Fleur Pellerin, la ministre déléguée chargée des PME, de l'Innovation et de l'Économie numérique. Car les jeunes prodiges du numérique surfent aussi bien sur le Code des impôts que sur la Toile. À lui seul, le quintet de tête réalise en France un chiffre d'affaires allant de 7 à 10 milliards d'euros en ne payant que des impôts dérisoires. Comment est-ce possible ? Le business d'Internet a pris l'administration au dépourvu. Où est la richesse, comment saisir la matière imposable ? Passe encore pour la vente par correspondance, c'est pourquoi Amazon va se faire coincer, mais pour de pures sociétés en ligne ? L'exploitation des données n'entre pas dans les nomenclatures ordinaires. En revanche, les maîtres du cybermonde n'ont pas été du tout déboussolés par la législation fiscale. Ils l'ont maîtrisée à son niveau le plus ardu, le niveau international.

Connaissez-vous le « *Double Irish with a Dutch Sandwich* » de Google[1] ? Le fin du fin de l'optimisation fiscale. La tête de pont européenne de Google se trouve évidemment en

---

1. Voir le dossier d'Alexis Favre, « Optimisation fiscale. Les multinationales dans le collimateur de l'OCDE », *Le Temps* (Genève), 13 février 2013.

Irlande, pays de très basses pressions fiscales, qui attire les *royalties* payées par les autres filiales européennes. Cet argent est reversé à une filiale néerlandaise qui possède une double identité fiscale : irlandaise pour les Américains et bermudéenne pour les Irlandais. Les gains transitent donc par Amsterdam, puis repartent vers les Bermudes profiter d'un soleil qu'aucune ombre fiscale ne vient obscurcir. Grâce à ce tour de bonne-teau, ici très simplifié, le moteur de recherche tourne à plein régime dans l'Hexagone, réalisant 1,4 milliard d'euros de chiffre d'affaires et ne versant au fisc qu'une aumône de 5,5 millions d'euros. De la même façon, Apple gruge la France qui est pourtant sa terre d'élection. La société, qui réalise dans l'Hexagone 3,5 milliards d'euros de chiffre d'affaires, devrait verser quelque 400 millions d'euros au fisc. En réalité, elle joue entre l'Irlande et le Luxembourg pour n'en payer que 3,5 millions. Pour elle, il n'y a rien là que de très normal, puisque son taux moyen d'imposition hors des États-Unis est inférieur à 2 %.

La France a le plus grand mal à saisir l'activité numérique, d'autant que les États-Unis ont, dès l'origine, défiscalisé Inter-net et répugnent toujours à lui faire supporter l'impôt. Les services de Fleur Pellerin concoctent une TVA 2.0 qu'il fau-dra ensuite faire avaliser par nos partenaires européens. En attendant, nos clics continueront à enrichir Google, et le fisc se désespère de voir le commerce traditionnel, excellent contribuable, ébranlé par les sociétés du Net qui le paient d'un bras d'honneur.

Ces entreprises informatiques n'ont pas inventé l'optimisa-tion fiscale. Elles ont été à bonne école car leurs aînées la pratiquent avec succès depuis des lustres. Ainsi BFM TV a pu montrer qu'IKEA ne paye que 40 millions d'euros par an pour un chiffre d'affaires de 2,4 milliards. Selon le sénateur

Jean Arthuis, la grande distribution cache 2 % de ses marges nettes en Belgique...

Selon les estimations de l'OCDE, organisme intergouvernemental et non pas ONG contestataire, la sous-imposition des grandes sociétés multinationales représente chaque année, pour les États européens, un manque à gagner de 10 % sur l'ensemble de leurs rentrées fiscales. Si l'on transpose cela à l'échelle de la France, cela représente au minimum une quarantaine de milliards. Une fois de plus, on se trouve dans un ordre de grandeur comparable aux économies budgétaires que la France va devoir s'infliger.

L'optimisation-évasion fiscale est organisée à l'échelle planétaire par quatre réseaux : Deloitte, Pricewaterhouse-Coopers, KPMG et Ernst and Young, baptisées « the Big Four », qui réalisent un chiffre d'affaires de 100 milliards de dollars en vendant leurs conseils dans cent cinquante pays. Ils pratiquent pour eux-mêmes ce qu'ils apprennent aux autres. C'est ainsi qu'en Europe ils n'emploient pas moins de 2 500 personnes à Chypre... dont la fiscalité n'a rien de dissuasif. Le système a pu se mettre en place avec la neutralité bienveillante, voire complice, du pouvoir politique. Mais, là encore, les États impécunieux ne supportent plus de se faire ainsi berner.

Le 16 février 2013, à Moscou, les ministres des Finances du G20 sont partis en guerre contre les multinationales : « Les multinationales ne devraient pas pouvoir tirer avantage de la mondialisation pour réduire injustement leur impôt », a estimé le ministre allemand des Finances, Wolfgang Schäuble. « Nous voulons tous que des sociétés multinationales s'installent dans nos pays », mais « nous voulons que ces groupes paient les impôts qui existent dans nos pays », a insisté son homologue britannique George Osborne. Pierre Moscovici

n'était pas en reste en annonçant : « La coopération internationale sera indispensable pour relever le défi de cette sous-
imposition. » Le tout a débouché sur un véritable plan
d'action. Les ministres se sont déclarés « déterminés à prendre
les mesures nécessaires » et ont mandaté l'OCDE afin de présenter dès le mois de juillet un plan d'action mondial. Or la
coalition s'annonce véritablement mondiale, puisque aux
ministres européens se joignent les Russes, les Américains – le
président Obama est furieux de voir que les multinationales
américaines maintiennent 1 700 milliards de dollars de bénéfices hors de portée du fisc américain – et même le Brésil,
l'Inde et la Chine. Voilà donc un front ouvert dans la guerre
que se livrent en sous-main le marché et les États. Mais la
route est longue qui conduit de l'appel à la croisade jusqu'aux
remparts de Jérusalem.

En vérité, ce plan figure déjà dans le rapport « *Base erosion
and profit shifting* », connu sous le nom de « rapport BEPS »,
que l'OCDE a remis en février 2013 à ses États membres.
Les experts ont dû travailler six ans pour relever toutes les
failles des systèmes fiscaux ; ils en ont identifié pas moins de
quatre cents qui permettent d'échapper à l'impôt. La plupart
des conventions fiscales sont centenaires et ne correspondent
plus à l'économie du XXIe siècle : elles sont aisément contour-
nées et détournées par ces supercontribuables aussi retors que
compétents. C'est dire qu'il faudra tout remettre à plat et,
surtout, que le travail devra se faire à l'échelle internationale.
Car les multinationales ont fait leur nid dans un écheveau de
trois mille accords bilatéraux. Impossible de les détricoter un
à un. Il faudra mener une négociation multilatérale, toujours
longue et difficile.

Par chance, la crise a fait basculer le rapport de force entre
les peuples et les trusts. La chaîne Starbucks vient d'en faire

les frais. Depuis quinze ans, elle ne payait aucun impôt en Grande-Bretagne. Mais ce qui est toléré dans les années de vaches grasses devient insupportable par temps de vaches maigres. L'opinion s'en est émue et les dirigeants ne l'ont pas convaincue en expliquant sans rire que, depuis quinze ans, l'entreprise avait toujours été déficitaire en Angleterre. À croire qu'elle agissait en tant qu'organisation humanitaire à but non lucratif! Pour son malheur, on retrouva les documents dans lesquels elle célébrait, à l'intention de ses actionnaires, la rentabilité de sa filiale anglaise. En réalité, la chaîne américaine avait choisi, tout comme Google, de faire apparaître ses profits en Hollande. La filiale britannique devait donc payer le café au prix très fort, et verser 6 % de *royalties* à une entité située aux Pays-Bas. Face au mécontentement populaire, les députés infligèrent une médiatique volée de bois vert aux dirigeants de la firme qui durent faire amende honorable en apportant au fisc un chèque de 20 millions de livres. Trop tard! Cela n'empêcha pas les manifestants de se regrouper le 12 décembre 2012 devant les établissements de la chaîne en scandant : « Starbucks, paie tes impôts ! » À noter que Starbucks se déclare depuis toujours en déficit en France alors que son chiffre d'affaires a explosé. Malheureusement, les Français n'ont pas encore senti la moutarde leur monter au nez.

À l'assaut des paradis

La mondialisation, en laissant le champ libre à la finance, a recomposé une géographie monstrueuse avec cet archipel planétaire des paradis fiscaux. Moins il y a de population, plus il y a de capitaux ! Selon les sources, les sommes accumulées dans ces coffres-forts planétaires varient de 8 000 à 30 000 milliards de dollars (le PIB des États-Unis n'est que de 16 000 milliards de dollars). Encore faut-il distinguer les flux et les stocks. Autorité mondiale en la matière, le Suisse Édouard Chambost[1] estimait que « 55 % du commerce international ou 35 % des flux financiers transitent par les paradis fiscaux ». Ancien directeur du Trésor et président de Transparency International France, Daniel Lebègue cite des chiffres non publiés de la Banque mondiale selon lesquels les pertes de rentrées fiscales et les sorties de capitaux liées à la fraude, au blanchiment, à la corruption (c'est-à-dire, pour l'essentiel, aux paradis fiscaux) représentent dans le monde au minimum 350 milliards de dollars et 1 500 milliards dans le haut de la fourchette.

Pendant des décennies, la condamnation des paradis fiscaux est restée un exercice académique qui ne gênait en rien leur constante expansion. Ni les États ni les autorités internationales ne voulaient s'y attaquer. Seule une grande secousse pouvait les faire bouger. Ce fut la crise financière de 2008. Lors de la réunion du G20, en avril 2009, à Londres, les dirigeants du monde avaient une telle trouille qu'ils chargèrent leurs ministres des Finances de mettre au pas les « États non coopératifs ». « Les paradis fiscaux, c'est fini ! » lança Nicolas Sarkozy à l'issue de la réunion. Superbe déclaration, si ce n'est qu'au niveau mondial, c'est toujours l'exécution qui pèche. Mais non, c'est bien un deuxième front qui s'est alors ouvert dans la lutte contre la défiscalisation.

Depuis, les autorités internationales ont répertorié ces havres d'apesanteur fiscale, et d'Anguilla au Vanuatu (par ordre alphabétique), elles ont fait pression pour obtenir leur « coopération ». Les « États voyous » ont dû faire quelques

---

1. Édouard Chambost, *Guide Chambost des paradis fiscaux*, Lausanne, Favre, première édition novembre 2005.

concessions, mais nul ne doutait que l'on s'en tiendrait aux condamnations formelles et aux intentions louables. D'autant que les grandes nations ont chacune un petit eldorado qu'elles s'efforcent de conserver. Les États-Unis tiennent au Delaware et aux Bahamas, les Britanniques aux îles de Jersey et de Man, les Français à Andorre et Monaco, l'Allemagne au Lichtenstein et au Luxembourg ; la Chine a Hong Kong et Macao, la Suisse... a la Suisse, et tout le monde a Singapour. Enfin, le système bancaire et les multinationales ont lancé des pseudopodes vers ces terres de moindre pression fiscale où se retrouvent les mafias du monde entier.

Au début de 2013, Daniel Lebègue et Robert Lion rappelaient encore : « Les paradis fiscaux se portent bien. Un quart des filiales des douze plus grandes banques européennes, dont trois françaises, sont localisées dans des territoires ou pays [...] où l'impôt est léger et le régulateur arrangeant. Et ces grandes banques continuent de travailler chaque jour avec l'État[1]. » Fort heureusement, un certain nombre d'ONG comme Transparency, Finance Watch, ATTAC, Tax Justice Network et autres n'ont jamais relâché leur pression. Au mois de mars 2013, c'est l'opération « OffshoreLeaks ». D'anciens salariés d'entreprises spécialisées dans les placements financiers *offshore* livrent à des journalistes du ICIJ (Consortium international des journalistes d'investigation) des archives ultra-confidentielles sur des milliers d'opérations. Deux millions et demi de fichiers, avec, à la clé, des milliers de noms supposés rester secrets, apparaissent au grand jour. De telles fuites déstabilisent ce monde du secret. C'est une bonne chose, mais bien insuffisante.

---

1. Robert Lion, Daniel Lebègue, « Paradis fiscaux : la France va-t-elle donner le *la* ? », *Le Monde*, 13 février 2013.

Pourtant, on assiste à la véritable révolte d'un pouvoir politique étranglé par le dévoiement de la finance et lassé de se faire gruger par les forces économiques. Car les paradis constituent la base arrière de la fraude. Aussi longtemps que les capitaux en fuite pourront s'y abriter, les gouvernements n'auront aucune chance de remettre la main dessus. Ces places fortes fondent leur succès sur l'opacité que leur assure le secret bancaire ; que la transparence leur soit imposée et elles tomberont.

Fait significatif, l'offensive n'est pas lancée par des gouvernements de gauche, hostiles à la finance. Ce sont les Américains et les Britanniques, champions de l'économie libérale, qui se portent en pointe. Dès le mois de mars 2010, le président Obama obtient le vote de la loi FATCA (*Foreign Account Tax Compliance Act*), qui oblige toutes les banques et institutions financières dans le monde à déclarer les avoirs des citoyens américains sous peine de ne plus pouvoir exercer aux États-Unis. La transmission n'est pas « à la demande », mais doit se faire de façon automatique. L'Amérique entame alors un très dur bras de fer avec la Suisse pour obtenir l'abandon du secret bancaire. Les banques helvétiques doivent céder. Une défaite qui en appelle d'autres.

En Europe aussi les choses avancent sous l'impulsion de la Grande-Bretagne, de l'Allemagne et de la France. Neuf pays souhaitent un FATCA à l'européenne. Malheureusement, nous avons notre petit paradis au cœur de l'Union, le Luxembourg, sans compter l'Autriche qui a inscrit le secret bancaire dans sa Constitution. Or en matière fiscale s'applique la règle de l'unanimité et, de réunion en réunion, le blocage austrobourgeois se maintient. Ce dernier va pourtant céder. Inévitablement. Comment le Luxembourg, qui a dû accepter la règle de la transparence vis-à-vis des États-Unis, pourrait-il imposer l'opacité à ses partenaires européens ? D'autant que les abris anti-fiscaux cèdent les uns après les autres, des plus petits aux plus gros, comme Singapour. Chacun attend la chute des paradis pour le G20 du mois de septembre 2013 à Moscou. La victoire ne sera pas totale. On ignore notamment si la communauté internationale pourra venir à bout des sociétés-écrans qui, tels les trusts britanniques, protègent l'anonymat de leurs propriétaires. Les succès sont toujours bons à prendre, mais il faudra encore livrer bien des batailles pour venir à bout de l'argent sale.

Les banques sous surveillance

La France, reconnaissons-le, a suivi plus qu'elle n'a initié le mouvement. Elle part de loin. Les banques qui, jusqu'en 2009, ne payaient au fisc français que 9 % sur leurs profits, ont toujours jalousement caché leurs engagements dans l'archipel défiscalisé. Le conseil des prélèvements obligatoires, organisme lié à la Cour des comptes, a ainsi publié, en janvier 2013, un rapport réjouissant sur « les prélèvements obligatoires et les entreprises financières ». Étude fouillée de cent vingt-six pages dans laquelle on apprend que « le secteur bancaire français détient 2 325 filiales hors de France, dont 1 328 au sein de l'Union européenne et 997 dans des pays tiers ». À ce stade, on attend que soit précisée leur implication dans les paradis fiscaux. Voici : « Toutefois, on recense également la présence des entreprises du secteur financier dans des États de très petite taille. Celle-ci soulève quelques interrogations sur la nature de leurs motivations, surtout dans les États proposant un régime fiscal attractif, entre recherche d'une plateforme commerciale et des objectifs d'arbitrage réglementaire ou fiscal. » Qu'en termes diplomatiques ces choses-là refusent d'être dites ! En termes plus courants, cela s'appelle du foutage de gueule.

La loi bancaire de Pierre Moscovici, qui ne prévoyait pas grand-chose en général, n'avait rien prévu sur ce point particulier. Fort heureusement, les députés ont ajouté l'amendement qui sauve en obligeant les banques à rendre publiques l'ensemble de leurs activités dans les paradis fiscaux. Une transparence plus que nécessaire. Car les révélations d'Offshore-Leaks montrent que BNP Paribas et le Crédit agricole sont d'excellentes agences de voyage vers les paradis défiscalisés.

Agir contre le monde défiscalisé sans ruiner notre économie est possible et réaliste, mais cela ne suffit pas. Les banques ont besoin d'une solide réglementation pour réduire la spéculation et ses dangers. Ce qui ne peut se faire au niveau français pourrait se faire au niveau européen. Mais les socialistes découvrent que le secteur bancaire français a les inconvénients de sa force. La force, car il est sorti avec les honneurs de la crise financière, ses inconvénients, car il est devenu un atout de notre économie à préserver, donc à ménager. Or les banques anglo-saxonnes jouissent toujours de cette liberté sans limites dont elles ont fait le plus mauvais usage. Toute réglementation nationale risque d'ébranler un secteur économique en pointe. Peut-on se le permettre ? L'argument est de poids. Il explique que la France soit le pays d'Europe le plus frileux dans la transcription des directives européennes sur le secteur bancaire.

Wall Street et la City, qui n'ont rien appris ni rien retenu de la crise financière, n'accepteront rien, ne céderont rien. Les seules réformes possibles se feront sans elles, et même contre elles. Premier résultat significatif : les accords de Bâle 3 qui renforcent les règles prudentielles imposées aux banques. Les Américains, à leur habitude, ont annoncé qu'ils n'appliqueraient pas ces normes. *De facto*, la réforme se fait au niveau de l'Europe, échelon qui dépasse l'impuissance nationale sans se perdre dans l'impuissance mondiale.

Dès 2009, le Parlement européen s'est attaqué à l'un des pires scandales révélés par la crise : les bonus des traders. Un système de rémunération aberrant par lequel les joueurs gardent ce qu'ils gagnent sans payer ce qu'ils perdent. Ce « pousse-au-crime » spéculatif a transformé les salles de marchés en casinos d'enfer, l'affaire Kerviel n'étant jamais que l'illustration caricaturale d'une situation générale. Et la catastrophe financière n'a rien changé puisqu'en 2012 Wall Street a distribué 20 milliards de dollars à ses traders.

Dès 2010, le Parlement européen a voté une réglementation pour revoir ce système. En dépit des lenteurs européennes, un accord a finalement été annoncé le 28 février 2013 qui limite sévèrement ces rémunérations. Beau succès de la politique sur la finance ! Désormais, les bonus ne pourront pas dépasser le montant de la part fixe du salaire. David Cameron est évidemment contre. Mais le Conseil des ministres européens a pu adopter cette directive en passant outre à l'opposition britannique. La nouvelle règle deviendra donc obligatoire à compter de 2014. On l'eût préférée dix ou quinze ans plus tôt. Si l'Europe était capable d'anticipation, cela se saurait.

La taxe au long cours

La spéculation ? Il faut la condamner. Inutile de nuancer ou de s'interroger, nous sommes là dans la pensée-réflexe. Ambiguë, comme il se doit. L'économie de marché est une économie du risque, donc de la spéculation, laquelle peut être de deux sortes : dynamisante ou stérilisante. Par malheur, c'est la seconde qui s'est développée au cours des dernières décennies. Dans les transactions financières, les opérations de casino sont cent fois plus importantes que les véritables activités économiques. Les États ne tirent aucun profit de ces jeux financiers et risquent à tout moment d'être dévastés par leurs flux amazoniens. La solution est pourtant évidente : cette spéculation démentielle doit supporter une taxe qui en limiterait la dangerosité et profiterait à la collectivité. Idée trop simple dans un monde trop compliqué. Voilà quarante années que la taxe sur les transactions financières fait son chemin sans jamais parvenir à bon port. Une excellente leçon de réalisme.

En 1971, lorsque Richard Nixon suspend la convertibilité du dollar en or, l'économiste américain James Tobin – il obtiendra le Nobel d'économie dix ans plus tard – comprend que les fluctuations monétaires vont engendrer une économie de spéculation, porteuse de tempêtes. Il imagine d'organiser le marché entre des monnaies différentes, mais en mettant « des grains de sable », selon sa propre expression, pour en freiner les débordements. Il propose donc une taxe internationale uniforme sur toute conversion de monnaie : « Je ne vois pas d'autre façon d'empêcher les transactions financières déguisées en commerce », dit-il. Il s'agit de casser la pure spéculation et non de créer une ressource fiscale nouvelle.

Une intuition aussi prémonitoire ne peut que tomber dans l'oubli. De fait, pendant trente ans, elle reste une de ces belles idées que la gauche radicale entretient dans un éternel avenir. Elle catalyse en 1998 la création de l'Association pour la taxation des transactions financières et pour l'action citoyenne, l'ATTAC, qui s'épanouit au-delà de la taxe financière jusqu'à devenir le laboratoire des mouvements alternatifs. James Tobin, économiste orthodoxe et libre-échangiste, dénonce alors un

« détournement de son nom ». Les gens « réalistes » n'y croyaient pas, ils avaient bien raison. Mais en 2008, la crise américaine a révélé les dangers d'une spéculation financière débridée. La taxe Tobin pourrait bien être cette bride. Nicolas Sarkozy reprend l'idée et le Premier Ministre britannique Gordon Brown la met à l'ordre du jour du G20 de novembre 2009. Trop tôt : elle ne figurera pas dans le communiqué final.

Le cataclysme financier a popularisé l'idée dans l'opinion. Les élus ne peuvent rester insensibles à une proposition qui, selon Eurobaromètre, est approuvée par deux Européens sur trois. Le Parlement européen émet un premier vote favorable en mars 2010, mais la pesante machine européenne ne se met vraiment en marche qu'à l'été 2011, quand Angela Merkel et Nicolas Sarkozy annoncent la mise en œuvre d'une taxe financière à des journalistes déçus par le refus des eurobonds. Les milieux bancaires font aussitôt valoir que les conséquences d'une telle imposition seraient désastreuses. En réalité, la taxation des opérations boursières n'est pas si révolutionnaire que cela puisqu'elle a longtemps existé dans notre fiscalité et n'a été supprimée que par Christine Lagarde, alors ministre des Finances de Nicolas Sarkozy, qui voulait rendre plus attractive la place de Paris.

Le projet prend la route avec une sage lenteur. Au mois de mai 2012, le Parlement l'approuve à une énorme majorité (487 voix contre 152). Mais le très libéral David Cameron a pris la suite de Gordon Brown au 10, Downing Street, et, avec toute la City, s'y oppose farouchement. Par chance, onze États s'accordent sur cette réforme et déclenchent une procédure de « coopération renforcée », un passage en force, en quelque sorte. En janvier 2013, les pays de l'Union européenne donnent leur accord, étant entendu que seuls les Onze mettront en œuvre cette taxe. En février, la Commission présente son nouveau projet. Les discussions vont se poursuivre entre les États, puis au Parlement, pour une application en 2014 au plus tôt.

La fiscalité n'est pas simple, l'Europe non plus. Ensemble, les deux ressemblent à un casse-tête. Comment éviter que les financiers aillent faire gratuitement à Londres ce qui serait imposé à Paris ou à Berlin ? Dans la nouvelle version de la taxe coexistent les principes du « lieu d'émission » et de « résidence » qui taxent en fonction de l'origine de l'émetteur, indépendamment de sa localisation. Les traders parisiens ne gagneront rien à prendre l'Eurostar pour passer leurs ordres. Mais on n'attend plus de cette taxe que 35 milliards de recettes sur l'utilisation desquelles on ne manquera pas de se chamailler.

Et si le meilleur rapport d'une telle taxe était zéro ? Pour Tobin, il s'agissait de freiner la spéculation ; or les meilleurs freins sont bien ceux qui arrêtent purement et simplement le mouvement. L'idéal serait que les transactions visées soient uniquement à fins spéculatives. Mais, en fait, nos experts ont réussi à taxer plus lourdement, à 0,1 %, les achats d'actions et d'obligations qui entrent dans le jeu économique classique, et à 0,01 % seulement les prises de position sur les produits dérivés, beaucoup plus nombreuses et beaucoup plus spéculatives.

En dépit des interminables débats, le but visé n'est toujours pas clair. Veut-on empêcher la spéculation financière ou la faire payer ? Le premier objectif est de salut public, le second de simple opportunité. Or le lobby bancaire a fait calibrer la taxe pour qu'elle soit un permis de spéculer et nullement un « grain de sable » qui décourage l'opérateur. C'est la durée qui fait la différence entre les deux formes de spéculation. Un investissement ne peut se traduire par un aller-retour éclair. Il suffirait donc de matraquer les ordres de courte durée pour être assuré que l'on ne frappe pas de véritables opérations commerciales.

La bataille se joue en fait sur le Trading Haute Fréquence. Il s'agit d'ordinateurs dont les algorithmes envoient les ordres d'achat ou de vente au millionième de seconde. Le THF est une activité hautement rentable pour qui l'exerce, mais inutile et même nuisible pour la société. C'est l'industrialisation de la pire forme de spéculation. Elle représente d'ores et déjà plus de la moitié des opérations sur les marchés et mobilise des investissements gigantesques afin de créer des liaisons toujours plus rapides. Dépenser des milliards pour gagner des millièmes de seconde qui feront gagner des milliards d'euros : peut-on imaginer jeu plus stupide ? Pour le faire cesser, il suffirait d'une taxe dissuasive. Sans doute, mais cela ne gênerait pas les ordinateurs de la City. Et s'ils étaient atteints à leur tour, ceux de Singapour et de Hong Kong prendraient le relais. Telle est effectivement la réalité d'aujourd'hui. Pas nécessairement celle de demain. Cette technique est tout à fait capable de générer la catastrophe qui la fera bannir. Il faut donc la marginaliser aujourd'hui pour s'en débarrasser demain.

Au niveau européen, le Parlement a voté les premières règles pour en limiter l'usage et imposer la transparence. Il faudra encore franchir bien des obstacles pour qu'elles entrent en application. Raison de plus pour ne pas attendre. En France même, le candidat François Hollande s'était engagé à interdire le THF. Pierre Moscovici ne pouvait faire moins qu'annoncer l'application de cet engagement de campagne dans sa loi bancaire. Une fois de plus, l'extrême technicité de ces métiers devrait permettre au lobby bancaire de céder sur l'apparence pour mieux préserver l'essentiel. Au dire des connaisseurs, les mesures d'interdiction prévues ne devraient frapper que 10 à 20 % de l'activité THF. Il faudra des députés très perspicaces pour trouver une juste formulation qui ne soit pas détournée en trois mois par l'ingénierie financière.

Car le lobby bancaire n'a pas dit son dernier mot. Il a obtenu que le taux de la taxe bancaire en préparation soit réduit d'un facteur dix, ce qui ramènerait les recettes à 3,5 milliards. Encore un effort, et les experts de la banque pourront démontrer que cette taxe coûterait plus qu'elle ne rapporterait.

Les Français n'ont pas tort de penser que leurs difficultés sont aggravées par le monde qui les entoure. Ils doivent consentir des efforts supplémentaires, supporter des impôts plus lourds, se contenter de prestations diminuées, de services publics amputés, parce qu'une part de la richesse nationale échappe à la collectivité. C'est effectivement insupportable. Mais l'implication de la France dans l'ensemble européen et dans la mondialisation est aussi créatrice de richesses et présente des opportunités. Pour autant que nous sachions les saisir.

Chapitre 12

LE DRAME DES 1 %

« Nous allons dans le mur ! » Le voici en face de nous, à quelques mois ou quelques années de distance. Si nous n'en avons pas encore percuté la masse, nous ressentons déjà son ombre peser sur nos vies. Quel sera vraiment l'impact ? Un choc irrémédiable ou bien, au contraire, une épreuve certes difficile, mais nullement insurmontable ?

Les faits, tout d'abord : nous devons restaurer nos finances, retrouver notre compétitivité. Pour les finances, il fallait alourdir les impôts de 60 milliards d'euros et diminuer les dépenses du même montant. L'augmentation des prélèvements a été mal faite, mais faite. Restent les économies. Quantitativement, ce chiffre, rapporté aux 1 100 milliards de dépenses publiques, ne représente que 6 % de celles-ci et, étalé sur cinq ans, guère plus de 1 % par an. Ces réductions budgétaires corrigent nos déséquilibres financiers, elles ne restaurent pas notre dynamisme économique. Pour cela, il ne faudra pas seulement dépenser moins mais aussi dépenser mieux, c'est-à-dire redéployer les crédits des secteurs improductifs vers les investissements d'avenir.

Dans notre vie personnelle, un effort aussi marginal passerait inaperçu. Qu'en est-il dans la société française ? Rappelons que François Hollande a jugé cette réduction des dépenses indispensable et n'affectant en rien la vie des Français. Et il a tout à fait raison.

Si l'on pouvait remodeler la France comme un jardin, en choisissant un ordre rationnel, en n'étant conduit que par le souci de justice et d'utilité sociale, s'il suffisait d'appliquer l'un ou l'autre des excellents rapports qui nous ont été proposés, il serait possible de trouver ces 60 milliards sans verser ni sang ni larmes. La suppression des gaspillages, la fin des doublons, la lutte contre le corporatisme, la bureaucratie et la gabegie, puis la restructuration, la modernisation et la simplification permettraient de conserver la qualité de nos services publics et de notre protection sociale. Après une telle cure de modernisation, notre appareil étatique serait plus efficace, plus simple, plus rapide et plus à l'écoute des usagers. Or nous allons foutre en l'air la France pour 1 % de dépenses non essentielles. Comment est-ce possible ? Par quelle fatalité sommes-nous incapables de vivre avec 50 % du PIB de dépenses publiques ?

Les dures lois des économies

Si nos dépenses publiques étaient ramenées à 52 % du PIB, nous serions encore à une dizaine de points au-dessus de la moyenne européenne. C'est dire que cela ne ferait pas basculer la France d'un modèle socialiste à un modèle libéral. Notre société resterait l'une des plus « socialistes » du monde. Mais il faut prendre la mesure de l'effort, car le chiffre de 12 milliards d'euros d'économies peut être trompeur. Il ne s'agit pas de le maintenir d'une année sur l'autre, mais de procéder, chaque année, à une réduction supplémentaire de 12 milliards. C'est le « toujours moins » qui agit comme un supplice chinois : plus on en fait et plus ça fait mal. Chacun le vérifie sur son propre train de vie : le réduire de 5 % n'est pas trop pénible. Les 5 % suivants sont plus délicats à trouver. Et l'effort se corse si l'on y ajoute encore 5 %, et ainsi de suite. On coupe le superflu, puis l'utile, pour passer de l'utile au nécessaire, du nécessaire à l'indispensable, jusqu'aux limites du supportable. Les Français se lamentent avant même d'avoir connu le début de l'austérité ; pourtant, le pire est à venir pour les années 2015-2016. La fin du traitement peut se révéler très difficile, mais d'où vient que ni la gauche ni la droite ne l'aient même engagé ?

La première raison en est le caractère pénible de toute restriction. Les peuples comme les individus peuvent s'accommoder de ce qu'ils n'ont pas, mais ne supportent pas de perdre ce qu'ils ont. Voilà précisément ce que les Français, fonctionnaires ou pas, vont connaître pendant cinq ans. À tout moment, leur colère risquera d'exploser. Les économies se font sur un champ de mines.

La deuxième raison tient au caractère inflationniste des dépenses publiques. Même reconduites telles quelles, elles augmentent en raison des clauses d'indexation, de revalorisation, d'augmentation à l'ancienneté, etc. À budget maintenu, les dépenses croissent de 7 milliards par an, et la seule masse salariale gonfle de plus de 2 milliards. Le maintien de la dépense suppose donc une réduction du budget. En outre, l'action politique porte naturellement à la dépense. Jean-Marc Ayrault n'avait pas plus tôt imposé un strict cadrage budgétaire qu'il dut y ajouter 2 milliards d'euros pour financer les mesures prises à l'issue des journées de lutte contre la pauvreté. Imagine-t-on un chef du gouvernement quitter une telle assemblée sans laisser son obole ? Réduire cinq années de suite les budgets suppose, pour notre personnel politique, une véritable révolution culturelle.

À ces raisons générales s'en ajoutent d'autres, plus spécifiquement françaises. Dans notre pays, les représentants du peuple n'ont aucun souci de l'argent public. Aux États-Unis, un « bon budget » est celui qui économise l'argent des contribuables ; en France, c'est tout simplement celui dont les crédits augmentent. Ce comportement des représentants traduit naturellement le sentiment des représentés. Une majorité de la population estime avoir plus à gagner qu'à perdre dans l'augmentation des dépenses publiques. Si l'on additionne les fonctionnaires et assimilés, ceux qui œuvrent dans les domaines culturel, social ou associatif, largement subventionnés, ceux qui vivent de revenus sociaux et, pour faire bon poids, cette moitié des Français qui, ne payant pas l'impôt sur le revenu, se croient défiscalisés, on rassemble largement la moitié de la population. Certes, dans les sondages, les Français sont unanimes à souhaiter voir diminuer les dépenses de l'État (93 % veulent les voir baisser, contre 7 % qui les verraient bien augmenter[1]), mais cet accord de principe ne les empêcherait nullement de protester contre toute économie dont ils auraient à faire les frais.

Jean-Luc Mélenchon ne s'y est pas trompé : cette propension à dépenser est un marqueur idéologique de la gauche. La France vit toujours sur l'image d'un partage entre la gauche, émanation du peuple, et la droite, émanation de la bourgeoisie. Ce schéma simpliste est aujourd'hui totalement faux. La gauche représente en priorité la France du service public, la droite celle du marché. Au premier tour de l'élection pré-

---

1. Sondage IFOP effectué en avril 2011 pour l'Observatoire de la fiscalité et des finances publiques, cité dans *Le Cri du contribuable*, mai 2011.

sidentielle, 32 % des fonctionnaires ont voté Hollande contre 17 % seulement Sarkozy (notons que pour le second tour ils auraient éliminé Nicolas Sarkozy au profit de Marine Le Pen), tandis que les salariés du privé équilibraient leurs votes : 27 % pour Hollande, 25 % pour Sarkozy. Or le secteur public tire sa puissance et ses conditions de vie de ses budgets. Il les a toujours vus augmenter et ne peut supporter qu'ils diminuent. Ce facteur électoral n'est jamais évoqué en tant que tel et disparaît derrière l'inévitable référence aux valeurs du service public. Au soir des batailles électorales, j'ai parfois le sentiment que, pour une certaine gauche, l'argent public, c'est le butin après la victoire.

Économies sur catalogue

Dans son examen de la Sécurité sociale de 2012, la Cour des comptes s'est fait un devoir de préparer les mesures d'économies. Il n'y a plus qu'à découper selon les pointillés. Y a-t-il un chirurgien ? Où est le bistouri ? C'est toute la question.

Premier exemple : le transport sanitaire. Le coût pour l'assurance maladie est de 3,5 milliards d'euros par an. Voici le gaspillage : « Bon nombre de ces dépenses sont injustifiées : par exemple, un médecin qui envoie un patient dans un hôpital à cent kilomètres, alors qu'il en existe un beaucoup plus proche. La Cour estime à 220 millions d'euros les économies possibles en matière de prescription. Un meilleur contrôle des factures, et notamment la détection des abus en matière de kilométrages facturés, ferait économiser 120 millions par an. Au total, c'est au moins 450 millions qui pourraient être économisés par l'assurance maladie dans ce domaine. » Le gouvernement a donc tenté de négocier avec les taxis et ambulanciers.

Il a été menacé de blocages urbains et autres « opérations escargot ». Ne nous fâchons pas ! Les discussions et les décisions ont été reportées *sine die*.

Autre exemple : les arrêts maladie. Ils ont coûté à la collectivité 6,4 milliards d'euros en 2011 pour indemniser 204 millions de journées, soit 25 millions de plus qu'en l'an 2000. Si l'on se rapporte aux dépenses, elles ont augmenté de près de 50 % sur la période. L'enjeu n'est pas mince. Or, constate la Cour des comptes, « la fréquence des arrêts varie de 6,5 à 13,2 journées par salarié d'un département à l'autre [...], le nombre moyen de journées d'arrêt prescrites par un médecin généraliste s'élève à 2 700 par an ; ce chiffre atteint 7 900 chez certains ». Conclusion : « Les marges de manœuvre budgétaire dans ce domaine sont donc larges. » Ces remarques rejoignent celles d'un rapport parlementaire d'avril 2013. Mais croit-on sérieusement que le gouvernement a la volonté de renforcer les contrôles alors qu'il vient de supprimer la journée de carence pour les arrêts maladie dans la fonction publique ?

Un an après cette décision, une étude de la SOFCAP, courtier en assurances des collectivités territoriales et établissements hospitaliers, a montré que l'instauration de ce jour de carence avait réduit de 43 % les arrêts maladie d'une journée, et de 18 % ceux de deux jours dans la fonction publique territoriale. Il s'agissait, en fait, d'un pur cadeau clientéliste de 100 millions d'euros sans la moindre étude préalable du dossier. La décision de Marylise Lebranchu aura eu le mérite de mettre le sujet sur le devant de la scène. *Le Monde*, lui, a consacré sa une et deux pleines pages d'une enquête détaillée[1],

---

1. Bertrand Bissuel, « Fonctionnaires : les inconnues de l'absentéisme », *Le Monde*, 4 mars 2013.

pour conclure que « l'État ne dispose que de données lacunaires sur ce sujet sensible ». Élégante façon de dire qu'il ne veut pas savoir.

Selon la source d'information que vous choisissez, les fonctionnaires s'absentent autant que les salariés du privé, ou trois fois plus. Il suffirait d'une autorité indépendante et crédible pour tirer la chose au clair et repérer les anomalies. Cela peut se faire dans le secteur privé, mais, pour la fonction publique, il n'en est pas question. En pratique, l'Administration ne contrôle guère les absences de ses agents et celles-ci peuvent atteindre des taux effarants dans les fonctions publiques régionales, hospitalières ou ultramarines. Mais ce serait « stigmatiser » les fonctionnaires que contrôler leurs absences. Les Français continueront donc à se raconter que, dans les administrations, on entend dire : « Cette année, je n'ai pas encore pris tous les jours de congé de maladie auxquels j'ai droit. » L'État, lui, plutôt que réduire le nombre des faux malades, préfère dépenser quelques centaines de millions en permettant l'augmentation des absences.

Troisième exemple : les retraités. Non pas les retraites, dont les régimes devraient être réformés, mais ceux qui les touchent. En l'espace de quarante ans, ces personnes âgées ont changé de condition sociale. En 1970, elles formaient les « économiquement faibles », selon la formule de l'époque. Leur niveau de vie était de 20 % inférieur à celui des actifs, et elles comptaient deux fois plus de pauvres que le reste de la population. Aujourd'hui, selon l'INSEE, les retraités ont un niveau de vie supérieur de 15 % à celui des non-retraités, un pourcentage de pauvres de 6 % contre 13,5 % pour l'ensemble des Français, ils ont des patrimoines plus élevés pour des ménages plus resserrés, ne connaissent pas la précarité professionnelle, etc. Il ne s'agit que de moyennes, car beaucoup de personnes âgées vivent dans une grande pauvreté, ce qui prouve *a contrario* que beaucoup vivent dans une réelle aisance. Or, en dépit de son hétérogénéité, cette catégorie a bénéficié au fil des ans d'avantages répartis de façon uniforme. Le total de ces déductions, réductions et autres exonérations coûte à l'État 12 milliards d'euros par an. Les comparaisons internationales sont formelles : aucun pays n'en fait autant pour ses anciens. La France devrait attirer les vieux aussi sûrement qu'elle fait fuir les riches et s'expatrier les jeunes.

La Cour suggère donc de « supprimer progressivement les dépenses fiscales et niches sociales », comme l'abattement de 10 % pour l'impôt sur le revenu (au titre des frais professionnels !) et le taux réduit de cotisation à la contribution sociale généralisée (CSG) pour les bénéficiaires dépassant un certain niveau de revenu. Au total, la collectivité gagnerait ainsi 4,5 milliards d'euros. La Cour préconise cela « dans un souci d'équité et d'efficacité de la dépense publique ». Imaginez cela, une économie qui va dans le sens de la justice sociale ! Maintenant que l'on a « fait payer les riches », il ne doit plus en rester beaucoup. Voilà une mesure qui se « vend » à l'opinion plus facilement qu'une réduction des crédits hospitaliers : excellent rapport gain/image. Ne rêvons pas, elle aurait tout de même un prix : le mécontentement des retraités, dont le poids dans le corps électoral ne cesse d'augmenter. Il n'en était donc pas question en 2012 ! Mais les seniors fortunés n'en sont évidemment pas quittes et le gouvernement, pris à la gorge sur ce dossier, devra les mettre à contribution en 2014.

Quatrième exemple : notre mille-feuille administratif, source de doublons, de lenteurs et de surcoûts. Que nous ayons un échelon de trop et qu'il s'agisse du département, tout le monde le sait, de nombreuses études l'ont signalé, dont le rapport Attali et, dernier en date, un rapport de l'OCDE. Mais l'ancien président du conseil général de la Corrèze, devenu président de la République, ne va certainement pas inquiéter les conseillers généraux qui vivent de leur rente départementale. Il l'a assuré : on ne touchera pas au département. Ajoutons que le désastreux référendum alsacien[1] retarde encore toute simplification territoriale, et que les très vagues lois de décentralisation que s'apprête à faire voter le gouvernement ne feront que compliquer un peu plus cette usine à gaz. Même la ruineuse compétence générale qui permet à chaque niveau d'administration territoriale de dépenser tous azimuts ne sera pas remise en cause. Une source de gabegie que l'opposition dénonce avec une virulence d'autant plus forte qu'elle s'est bien gardée de la réformer en son temps.

Sans aller jusqu'à remettre en cause l'arrondissement, on ose, tout au plus, s'interroger sur l'utilité du canton, qui, avec ses deux cent trente-huit sous-préfectures, comme le constate la Cour des comptes, « a été progressivement vidé de sa substance ». Leur nombre n'en a pas moins augmenté. Plutôt que supprimer radicalement cet héritage de la France napoléonienne dont le fonctionnement coûte tout de même 250 millions d'euros par an, la République s'est acharnée à multiplier les instances intermédiaires entre commune et département. Manuel Valls aurait l'intention d'ouvrir le dossier. Sans envisager la seule véritable modernisation : la suppression. Toujours inconcevable en France où Marylise Lebranchu va compliquer

---

1. Un référendum a été organisé le 7 avril 2013 en Alsace dans les départements du Haut-Rhin et du Bas-Rhin pour fusionner les deux conseils généraux et le conseil régional en une seule et même entité. Le projet a été rejeté par 56 % des voix dans le Haut-Rhin.

encore notre administration territoriale avec ses métropoles et ses territoires. Comment réussir un « choc de simplification » qui ne connaît que l'addition et jamais la soustraction ?

Je dépense, donc je suis

C'est en fonction de la faisabilité, pas de la nécessité ou de l'équité, que les gouvernements décident des réformes. Ils savent que dans tous les cas, ils se heurteront à des résistances, des affrontements. Ils n'ont pas oublié la leçon de 1995. Alain Juppé avait modifié le régime spécial des retraites à la SNCF sans anticiper la riposte des cheminots. Le pays se trouva bloqué en plein hiver, et le Premier ministre dut faire machine arrière. Depuis lors, il est entendu qu'on ne s'attaque pas aux corporations les plus dangereuses et qu'on ne livre bataille qu'en ayant acheté d'avance la victoire.

Les bénéfices des réformes peuvent être considérablement réduits par les marchandages préalables lorsque des corporations menaçantes sont impliquées. C'est ainsi que les syndicats du ministère des Finances, après avoir fait échouer l'indispensable fusion des deux administrations du Trésor et des Impôts en l'an 2000, ne l'ont acceptée, dix ans plus tard, qu'après avoir reçu une rafale de primes sans équivalent dans aucune autre administration. En termes technocratiques, on qualifie de « retours catégoriels » ces cadeaux qui doivent contribuer à la bonne acceptation des réformes. Nicolas Sarkozy fut le champion du système lorsqu'il décida d'affecter à l'augmentation des fonctionnaires la moitié des économies réalisées par le non-remplacement d'un départ sur deux en retraite. Cette concession a peut-être évité quelques jours de grève, mais elle a réduit le bénéfice de cette mesure, pour l'État, d'un milliard d'euros par an à 250 millions effectivement constatés.

Entre ses structures politiques et ses intérêts particuliers, la France est si bien verrouillée qu'elle se transforme mais ne se réforme pas. Une mesure ne s'impose qu'en confirmation d'un changement qui s'est produit spontanément. C'est très lent, très pénible et très injuste. Car tout l'effort d'adaptation se reporte sur les inorganisés. Il faut sans cesse mettre à contribution les chômeurs, les précaires ou les jeunes comme variable d'ajustement, les classes moyennes comme source de prélèvements, afin de ne jamais rien demander à tous les statutaires, aux grands corps ou aux banquiers.

Les chantiers de la réforme

Tous les précédents internationaux le prouvent, les seuls progrès irréversibles dans le rétablissement des finances correspondent à des économies, et pas n'importe lesquelles : celles qui résultent de transformations en profondeur de l'État. Mal fichu comme il est, notre secteur public a besoin de 370 milliards (hors Sécurité sociale) pour fonctionner. Seule sa modernisation pourra le rendre plus économe. Ces réformes de structure sont connues, elles figurent dans de nombreux rapports, mais ne sont pas d'un bénéfice immédiat. Imaginez que l'on supprime enfin le département. L'essentiel de l'économie réalisée porterait sur les frais de personnel. Mais des fonctionnaires devenus surnuméraires ne peuvent être licenciés. La fonction publique départementale se résorbera très progressivement. Les économies n'apparaîtront qu'au bout de quatre à cinq années. À l'échelle d'un an, il n'y a que les impôts supplémentaires, les réductions de salaires, la baisse des dotations ou la diminution des prestations sociales qui permettent de récupérer plus d'argent ou d'en sortir moins. Or l'État a besoin de résultats immédiats pour tenir ses engagements financiers. Il faudra donc manier les ciseaux sur les concours, subventions, dotations, financements qu'assure l'État et, pire que tout, sur les investissements d'avenir, sacrifiés au fonctionnement. Là encore, la ressource ne manque pas, car la puissance publique arrose à tout-va. Qu'on en juge : 31 milliards pour la formation professionnelle, 40 milliards pour les aides au logement, 60 milliards pour la politique familiale, 62 milliards pour la politique de l'emploi et 116 milliards d'aides aux entreprises se décomposant en quinze cents dispositifs.

Pour l'État, les coupes sont ici plus faciles puisqu'elles concernent ses obligés et pas ses serviteurs. Elles ne sont pas anodines pour autant. Mettre au régime nombre d'« associations lucratives sans but », selon l'expression de Pierre-Patrick Kaltenbach[1], est un exercice à haut risque, car les mêmes arguments qui ont permis d'arracher les subventions servent aussi à les défendre.

Où couper ?

Avec ce secteur public hypertrophié devenu un musée historique de l'Administration, cette prolifération cancéreuse des organismes et des règlements, cette insurmontable allergie aux changements, ces pouvoirs de nuisance à l'intérieur et à l'extérieur du secteur public, la France est aujourd'hui pour les

---

1. Pierre-Patrick Kaltenbach, *Associations lucratives sans but*, Paris, Denoël, 1995.

« chasseurs » d'économies une terre promise aussi riche d'incitations que de dangers.

Plusieurs instituts se sont efforcés de trouver les 60 milliards d'économies nécessaires, à la demande du magazine *L'Expansion*[1]. Exercice stimulant mais qui suppose un problème résolu : celui de la faisabilité. Trois d'entre eux, l'Institut de l'entreprise, l'Institut Montaigne et l'IFRAP, de tendance libérale, arrivent au compte, alors que le quatrième, l'OFCE, de gauche keynésienne, et le cinquième, Cartes sur table, proche des socialistes, ne proposent que 22,4 à 24 milliards d'euros d'économies. Quant à l'Institut Thomas More, plus international et sensible au modèle germanique, il suggère carrément une réduction de 114,6 milliards. La confrontation entre ces visions est instructive. Les experts de gauche concentrent tout l'effort, l'un sur la politique du logement (ciblage des aides, diminution des prêts à taux zéro), qui doit fournir 17,3 milliards, l'autre sur la rationalisation de la politique de santé (salarisation des médecins, réduction des minima sociaux, rationalisation de la gestion et des effectifs de la fonction publique hospitalière, etc.) dont il attend 15 milliards. Cette ambition extrême, et sans doute peu réalisable, sur ces deux chapitres permet de ne toucher qu'à dose homéopathique à la fonction publique d'État ou à la protection sociale : assurance maladie, assurance chômage, politique familiale, retraites, etc. Pour la fonction publique locale, l'IFRAP voudrait y faire 14,6 milliards d'économies, l'OFCE 7 milliards, l'Institut de l'entreprise 5,9 milliards, l'Institut Montaigne 2,7 milliards et Cartes sur table 500 millions.

---

1. Franck Dedieu, Béatrice Mathieu, « Dépenses publiques : comment économiser 60 milliards sans casser le modèle social », *L'Expansion*, 27 février 2013.

Que retenir de cette confrontation ? Tout d'abord, la force des présupposés idéologiques. Une pensée marquée par le libéralisme européen voit 120 milliards en trop dans nos dépenses, tandis qu'une pensée française de gauche ne peut pas couper plus d'une vingtaine de milliards. Pour aller au-delà, elle devrait repasser au dossier niches fiscales, autrement dit prélèvements. On mesure à quel point le président peine à rassembler son camp sur l'objectif des 60 milliards d'économies. On voit aussi qu'on ne peut atteindre ce montant sans couper dans les dépenses sociales, qui, pour les trois propositions libérales, supportent la moitié des économies. Enfin, l'exemple de la fonction publique territoriale témoigne de l'incertitude extrême qui règne en ce domaine. Autant les services fiscaux peuvent chiffrer avec une bonne approximation le rapport d'une taxe, autant il est incertain d'évaluer le montant des gains à attendre d'une réforme.

Nous aurions pu faire cela tellement mieux en nous y prenant à temps, il y a une dizaine d'années. Malheureusement, nous sommes aujourd'hui dans l'urgence. Impossible d'attendre que les fruits des réformes viennent à maturité, le gouvernement raisonne en budget annuel. Pour trouver l'équilibre, il devra sortir le moins d'argent possible, même et y compris dans les domaines social et culturel. Tout ce qui n'est pas donné est gagné ! À écouter les cris d'orfraie que suscite la simple annonce des premières réductions, on imagine les hurlements qui accompagneront celles de 2016. Or, constate la Cour des comptes au début de 2013, « aucune réforme porteuse d'économies substantielles au-delà de 2013 ne peut être identifiée ». Face à un défi d'une telle ampleur, le gouvernement piétine comme ces chœurs d'opéra partant à la bataille. Faire réellement diminuer la dépense publique, c'est s'attaquer au ciment de notre cohésion sociale.

La société française devra donc être opérée à chaud pour trouver chaque année une coupe supplémentaire d'au moins 12 milliards d'euros jusqu'à la fin du mandat présidentiel. Étant entendu que si nos taux d'intérêt venaient à augmenter sans que revienne la croissance, nos plus grands efforts ne parviendraient plus à réduire notre déficit, seulement à freiner son augmentation. Cela ne se fera pas sans souffrances sociales. Soyons du moins conscients que, dans une société plus consensuelle, plus civique, le même résultat serait obtenu à un coût humain bien moindre. Ce n'est pas le prix des économies qui est intolérable, c'est le surcoût exigé par l'incivilité française. Le gouvernement socialiste se trouve condamné à en faire l'expérience sur le dossier le plus empoisonné, celui des retraites. Un cas d'école.

Les mauvais comptes de la retraite

« Dès lors que l'on vit plus longtemps, on devra travailler un peu plus longtemps. » Voilà le genre de banalité qu'un homme politique peut toujours glisser dans un discours, mais qui devrait s'oublier aussitôt. Pourtant, lorsque François Hollande l'affirme lors de sa conférence de presse du 16 mai 2013, tous les journalistes dressent l'oreille et les télévisions reprennent la phrase en boucle. Merveilleuse France qui, des plus plates évidences, fait un événement. Rappelez-vous : « La France ne peut pas accueillir toute la misère du monde » ; « L'État ne peut pas tout » ; « Le coût du travail est tout sauf rien »...

S'il est un domaine dans lequel la France en général et la gauche en particulier se sont complues dans le mensonge, c'est bien celui des retraites. En mai 2012, le président nouvellement élu en tenait encore pour « le droit à la retraite à

60 ans ». Un an plus tard, il découvre que la démographie l'emporte sur le droit.

Voilà le plus franco-français des problèmes : des Français actifs paient pour des Français retraités. Nous devrions régler cela entre nous, sans que l'étranger ait quoi que ce soit à en dire. Encore eût-il fallu regarder la réalité en face. Une fois de plus, nous en avons été incapables, et l'accumulation des déficits nous oblige à ouvrir le dossier sous le regard, pour ne pas dire le contrôle, de l'étranger.

En matière de retraites, l'irréalisme français se fonde sur une vision idéologique, c'est-à-dire mensongère, qui ignore la démographie autant que la comptabilité. Nous avons ainsi hérité du système le plus coûteux, le plus injuste et le plus rigide. Coûteux : il distribue les plus généreuses pensions, acca- pare 13,5 % du PIB et favorise les vieux au détriment des jeunes. Injuste : il est balkanisé en des centaines de caisses et de régimes qui ne privilégient pas les plus malheureux, mais les plus menaçants. Rigide : il a fait l'objet d'une série de pré- tendues réformes qui se révèlent au pire catastrophiques, au mieux insuffisantes. Le tout confié à des partenaires sociaux qui, sous couvert de progrès social, servent l'ordre corporatiste et reculent devant toutes les décisions impopulaires. Il nous faut payer aujourd'hui un demi-siècle de procrastination.

Les socialistes n'ont à leur actif que la très calamiteuse retraite à 60 ans, instituée en 1982. À l'époque, les ouvriers travaillaient le plus longtemps et vivaient le moins longtemps. La retraite ouvrière à 60 ans s'imposait pour corriger cette injustice scandaleuse. Pour la compenser, il n'était que de sup- primer les départs précoces et injustifiés dans le secteur public. Au lieu de quoi, nous eûmes droit à ce cadeau non financé qui allait à l'encontre de toutes les prévisions démographiques et préparait les déficits à venir de tous les régimes. En 1989,

Michel Rocard balise l'avenir de nos retraites avec un livre blanc. « Il y a là de quoi faire sauter cinq ou six gouvernements ! » prévient-il. Quatre ans plus tard, Édouard Balladur met à profit la torpeur du mois d'août pour lancer une réforme. Courageux mais pas téméraire, il se limite au régime général et se garde bien de toucher aux régimes privilégiés des corporations. Le changement passe comme une lettre à la poste, mais il crée un décalage insupportable entre les retraités du privé et les retraités du public. À charge pour les successeurs de remettre tous les Français à égalité. En 1995, Alain Juppé relève le défi et tente une opération commando sur les régimes de la SNCF. Les cheminots bloquent la France, Chirac recule. La leçon est claire : le pouvoir peut jouer avec les 70 % de Français relevant du régime général, il doit craindre les 20 % qui relèvent de la fonction publique et doit s'abstenir face aux 5 % qui jouissent de situations privilégiées.

Pendant ses cinq années à Matignon, Lionel Jospin s'est donné beaucoup de mal pour ne rien faire. Il a commandé des rapports contradictoires, créé un fonds de réserve, un observatoire, le Conseil d'orientation des retraites (COR)... Tout plutôt qu'une réforme. L'idée du COR était en soi excellente. En un domaine aussi conflictuel, il est indispensable d'avoir une autorité de référence, une Cour des comptes de la retraite, en quelque sorte. Encore fallait-il assurer son indépendance. Malheureusement, il dut s'en remettre aux partenaires sociaux, ceux-là mêmes qui couvrent depuis des décennies toutes les dérives et perversions du système.

Depuis lors, la droite a rouvert le chantier à trois reprises en 2003, 2008 et 2010, sans jamais venir à bout de l'ouvrage. Elle a modifié, non sans courage, le régime des fonctionnaires et, pour les régimes spéciaux – EDF, SNCF, etc. –, monté une superbe entourloupe. Nicolas Sarkozy était prêt à tout pour s'attribuer le mérite de les avoir supprimés. Il a donc tout cédé à des cheminots et électriciens qui ont monnayé pied à pied leur pouvoir de nuisance. La créativité syndicalo-administrative fut sans pareille pour s'assurer qu'à tout privilège supprimé correspondrait un avantage supérieur. C'est ainsi que les années d'études ont été comptées comme années de cotisations, que les primes ont été intégrées dans le calcul de la pension, que la grille des salaires a été modifiée, que le poids des enfants a été augmenté, etc. Tout et n'importe quoi, pourvu que les retraités du rail soient aussi bien traités avec ou sans régime spécial[1]. En définitive, la subvention aux différents régimes censés avoir été supprimés a augmenté de 1,7 milliard d'euros.

Les socialistes ont combattu toutes ces réformes, dans la plus stupide tradition de notre vie républicaine. Ils n'en ont pas seulement critiqué telle ou telle disposition, ils en ont diabolisé les principes mêmes. Plus ils étaient intransigeants dans le cadre national, plus ils devenaient accommodants dans le cadre européen. En mars 2002, le sommet de Barcelone, auquel participait le Premier ministre socialiste Lionel Jospin, préconisait la création de fonds de pension et le recul du départ en retraite de cinq années dans la décennie. Au Parlement européen, en octobre 2010, les députés socialistes adoptaient, avec les députés français de droite, une résolution recommandant de ne pas laisser entièrement au secteur public le financement des pensions. En 2013 encore, ils ont approuvé l'abandon d'un âge obligatoire pour la cessation d'activité et la création de retraites complémentaires privées. Pourquoi faut-il que l'intelligence n'ait pas droit de cité sur le sol national ?

---

1. Agnès Verdier-Molinié, *60 milliards d'économies !*, Paris, Albin Michel, 2013.

La réforme sous contrôle européen

En arrivant au pouvoir, François Hollande espérait avoir quelques années devant lui. Hélas ! Le COR sonne le tocsin dès décembre 2012. La réforme Fillon-Woerth devait assurer l'équilibre jusqu'en 2017… pour autant que la croissance alimenterait les caisses. Avec le ralentissement économique, celles-ci se retrouvent vides. Le COR a donc prévenu que le déficit était encore de 14 milliards en 2012 et s'annonçait à hauteur de 19 milliards pour la fin du quinquennat et de 25 milliards en 2020. La nouvelle est inquiétante… mais fallacieuse, car les vrais comptes de la retraite sont bien plus alarmants.

Un régime de retraite devrait être équilibré entre les cotisations qu'il prélève et les pensions qu'il verse. Le déficit apparaît dès lors qu'il faut assurer un complément de financement. Celui-ci peut être rendu nécessaire pour des raisons démographiques. Comment le régime de la SNCF pourrait-il se trouver à l'équilibre alors que les cheminots en activité, donc cotisants, sont deux fois moins nombreux que les cheminots retraités, donc pensionnés ? Le déficit n'est pas, en soi, scandaleux. Mais, si l'on en parle, alors il faut partir des vrais chiffres. C'est l'opération vérité à laquelle s'est livré le professeur Jacques Bichot, spécialiste reconnu de la question[1]. Il ne s'en tient pas aux trous relevés par le COR dans le budget de la Sécurité sociale, mais traque les artifices comptables. Comment évaluer le régime de la fonction publique ? Difficile, puisque l'État joue les contributeurs en tant qu'employeur, mais aussi les payeurs en versant les pensions. Il faut donc

---

1. Jacques Bichot, Arnaud Robinet, *La Mort de l'État-providence*, Paris, Les Belles Lettres, 2013.

reconstituer un régime de retraite virtuel sur le modèle du régime général. « Le régime des fonctionnaires de l'État, calcule Jacques Bichot, serait déficitaire d'une vingtaine de milliards s'il existait une caisse de retraite pour le gérer avec des cotisations aux mêmes taux que celles des salariés du privé. » Une vingtaine de milliards à laquelle il faut ajouter la contribution aux « ex- »régimes spéciaux, supérieure à 7 milliards, celle de 2 milliards pour le régime des agriculteurs, quelque 12 milliards de soutien fiscal aux régimes des commerçants et artisans, etc. Au total, Jacques Bichot arrive à une cinquantaine de milliards d'euros. C'est dire qu'une véritable réforme de nos retraites est le préalable indispensable à tout retour à l'équilibre des finances publiques.

En soi, le paiement des retraites n'est qu'une redistribution entre Français ; il ne devrait pas peser sur nos finances. En réalité, il les déséquilibre à raison de 2,5 % du PIB. Impossible donc de réduire nos déficits sans diminuer, en priorité, celui-là. Les experts européens en sont parfaitement conscients et réclament des efforts en ce domaine. Or nous avons passé un « deal » avec la Commission. Sur le moment, nous n'avons retenu que le répit de deux ans pour parvenir aux 3 %, mais il y avait aussi une contrepartie : le contrôle des réformes. Le commissaire européen aux Affaires économiques, le Finlandais Olli Rehn, nous a prévenus en mai 2013, lorsque nous avons obtenu ce délai : « L'heure des réformes courageuses a sonné. »

Les experts européens ne se contentent pas de préconiser une réforme des retraites permettant de ramener les régimes à l'équilibre. Désormais, ils indiquent le chemin à suivre. Il faudra donc procéder, nous préviennent-ils dans leurs recommandations de mai 2013, « en adaptant les règles d'indexation, en augmentant encore l'âge légal de départ à la retraite et la durée de cotisation pour bénéficier d'une retraite à taux plein, et en réexaminant les régimes spéciaux, tout en évitant une augmentation des cotisations sociales patronales ». Et maintenant, Français, négociez !

François Hollande a senti le danger d'une réforme « dictée par l'étranger ». Il a donc rappelé que la France devrait réformer ses retraites pour elle-même, pas pour l'Europe. Sans doute, mais que ne l'a-t-elle fait plus tôt ? Pourquoi avons-nous laissé les déséquilibres devenir tels qu'ils mettent en danger les équilibres européens ? Puis il feint de s'indigner : « La Commission n'a pas à nous dicter ce que nous avons à faire. » Et Jean-Marc Ayrault de fanfaronner : « Nous ferons les réformes à notre manière. » Vaines protestations : ils connaissent parfaitement les nouvelles règles du jeu. Mais cette présence étrangère risque de rendre encore plus inconfortable la position de la gauche qui, depuis un demi-siècle, ne cesse de mentir sur ce dossier.

En *off*, les socialistes réalistes, les plus nombreux, conviennent que la France ne peut pas être le seul pays au monde à parler encore de retraite à 60 ans, le seul à traiter aussi favorablement les seniors, à verser aux agents d'EDF ou de la Banque de France des pensions supérieures de 50 % à celles que touchent les cadres du privé, à tout miser sur le financement public d'une retraite par répartition, etc. Chacun convient qu'il est intolérable d'hypothéquer, comme nous le faisons, l'avenir de nos enfants en faisant peser sur leurs épaules le paiement de nos pensions, le remboursement de nos dettes et la prise en charge de notre dépendance. Mais, dans les négociations, l'idéologie reprend ses droits.

Le véritable point d'achoppement, c'est évidemment le décalage public-privé. Il se lit dans les chiffres. Selon la Commission des comptes de la Sécurité sociale, d'après les données de 2009, le régime général regroupe 68 % des cotisants, 54,2 %

des bénéficiaires et touche 48,6 % des pensions ; le régime des fonctionnaires compte 17,2 % des cotisants, 12,1 % des bénéficiaires et absorbe 31,2 % des pensions. Quant aux régimes spéciaux, avec 1,8 % des cotisants et 4,7 % des bénéficiaires, ils captent 7,7 % des pensions. Or le décalage risque de s'accentuer en dépit des corrections apportées en 2010. En 2050, les enseignants, les cheminots, les électriciens et autres fonctionnaires toucheront des pensions représentant 70 à 80 % de leur dernier salaire, les salariés du privé n'auront qu'un taux de remplacement de 64 % et les cadres de 42 % ! La France des plus de 60 ans deviendra véritablement duale entre public et privé. Les Français souhaitent que l'on s'oriente vers une unification des régimes ; ils savent aussi que le gouvernement risque de reculer face à la colère des corporations. Une fois de plus, la France du privé sera la variable d'ajustement permettant de maintenir les privilèges des plus menaçants.

Une telle situation ne peut se perpétuer que dans l'opacité. Toute volonté d'informer se heurte au fameux : « Il ne faut pas dresser les Français les uns contre les autres ! » De fait, la réalité des mécanismes est très mal connue. Quel Français sait que, sur sa facture d'électricité, la ligne CTA correspond à la taxe qu'il doit payer pour financer les retraites des électriciens ? Comment peut-on conduire une concertation nationale sans savoir au préalable qui paie quoi et pour qui ? S'il est une réalité qui devrait s'imposer à tous, dans ses données comme dans ses solutions, c'est bien la retraite. Ce socle commun peut se décliner en version de droite et en version de gauche, mais il s'agit toujours d'unifier les régimes, de travailler plus longtemps, de réduire les pensions, d'augmenter les cotisations et de diversifier les systèmes de financement. Un programme trop ambitieux. Les Français, eux, ne se font guère d'illusions. Ils savent que notre système n'est pas viable en l'état. 83 % se déclarent inquiets pour leur retraite[1] et les trois quarts ne font pas confiance au gouvernement pour en garantir l'avenir[2]. Les deux tiers souhaitent une réforme en profondeur du système et, dans les mêmes proportions, ils pensent qu'il faut allonger la durée des cotisations, en alourdir le montant et retarder l'âge du départ à la retraite. L'évidence des faits est telle que l'infantilisation de l'opinion finit par céder.

Remettre à l'équilibre notre système de retraite est, en soi, une tâche titanesque. Or, entre l'obligation pour les socialistes de se déjuger sur tous les points et celle de rester dans les clous plantés par Bruxelles, la concertation préalable s'est engagée dans les pires conditions. Les populistes de tous bords font jouer les réflexes xénophobes et anti-européens pour défendre les privilèges. Dès avant l'ouverture des négociations, la messe était dite.

Le président de la République ne veut pas d'une remise à plat du système telle qu'envisagée par les observateurs européens. Beaucoup trop dangereux. Il se contentera d'une réforme *a minima*, une de plus. Tenu en respect par ses troupes du secteur public, il exclut l'alignement public-privé pour le calcul des pensions, et, plus encore, la remise en cause des « ex-régimes spéciaux ». La réforme concernera d'abord les retraités du privé. Cependant, pour des raisons idéologiques, il ne sera pas question de reculer l'âge de départ en retraite – référence à la retraite à 60 ans oblige –, et, pour des raisons électorales, pas question non plus de désindexer fortement les pensions. Une fois de plus, le pouvoir socialiste privilégiera

---

1. Sondage CSA pour *L'Humanité*, 3 juin 2013.
2. Sondage IPSOS pour l'Union mutualiste retraite et *Liaisons sociales*, 2 mai 2013.

l'augmentation des prélèvements à travers la CSG. Les examinateurs européens se satisferont-ils d'un ersatz de réforme qui laissera le système à la dérive ? Accepteront-ils de se faire vendre une peau de lapin au prix d'une fourrure de zibeline ?

Le vrai réalisme consisterait à remettre à plat tout le système pour instaurer un mécanisme de retraites à points et à la carte, égal pour tous et voué à l'équilibre. Ce serait là une grande et belle réforme. Elle est possible, d'autres pays l'ont faite, mais elle supposerait une véritable concertation. Pour le coup, impossible est bien français.

Chapitre 13

UNE RÉPUBLIQUE EN PANNE

Que la France soit ingouvernable, c'est entendu. Le pays n'a-t-il pas collectionné en l'espace de deux cents ans deux empires, trois monarchies, un directoire, un consulat, cinq républiques et un État de fait ? Le général de Gaulle, qui avait tant de dévotion pour la France et si peu de considération pour les Français, a donc verrouillé les institutions de la Ve République autour d'un pouvoir fort. Mais une Constitution n'est jamais qu'un cadre : tant vaut l'autorité, tant vaut le pouvoir. En 2013, le régime paraît à bout de souffle, incapable de surmonter les situations paroxysmiques qui s'annoncent. Que vaudra l'équipage au milieu des tempêtes, face à la mutinerie des passagers ? Posons les questions, car si nous attendons les réponses, elles viendront trop tard.

Si l'on retient la formule d'Émile de Girardin, « gouverner, c'est prévoir », alors oui, la France est ingouvernable, car les Français sont collectivement incapables d'anticipation. Leur indifférence face à l'avenir résiste à toutes les mises en garde. Elle est totale quand les périls sont lointains et hypothétiques, ce que l'on peut comprendre. S'il fallait suivre l'absurde principe de précaution et craindre tout ce qui peut arriver, nous ne pourrions plus nous lever le matin. Mais cette insouciance se maintient alors que l'on passe du possible au probable et du probable au certain. On ne dérange pas les Français au nom du futur !

En outre, il est entendu que la politique ne consiste pas à résoudre les problèmes, mais seulement à reporter les solutions. Gagner du temps, c'est le seul espoir de ces « combattants malgré nous » qui nous tiennent lieu de dirigeants. Ils ont fait de la procrastination, cette manie de toujours remettre au lendemain, la marque distinctive de la gouvernance française. Cette politique de l'autruche n'influant en rien sur le cours des choses, les événements dédaignés finissent par arriver. C'est alors, mais alors seulement que la France réagit.

Il ne fait plus aucun doute que notre fuite en avant dans l'endettement nous conduit à la catastrophe. Mais il ne fait aucun doute non plus, au vu de notre histoire, que nous serons incapables de nous redresser tant que nous n'aurons pas la corde au cou. Alors les Français réagiront. Mais, entre-temps, ils auront découvert que leur République ne fonctionne plus.

De gauche ou de droite

La vie politique française s'est organisée selon l'opposition droite contre gauche. En dépit de leur aversion pour le fondateur de la Ve République, les grands partis ont parfaitement récupéré son schéma constitutionnel : élection du chef de l'État au suffrage universel et scrutin majoritaire. Nous voilà donc en régime d'alternance : un camp contre l'autre, personne au milieu, personne aux extrêmes, à chacun son tour de gouverner. Cela correspond assez bien à notre tempérament national. Il nous faut des oppositions fortes. Notre slalom droite/gauche semble parfaitement réglé, mais gare à la tentation permanente de tout foutre en l'air.

Sous une forme ou sous une autre, le schéma binaire se retrouve dans la plupart des démocraties, mais il a été radicalisé par les Français jusqu'à opposer deux univers. Tout repose sur une répartition des valeurs. La gauche affiche obsessionnellement la justice, l'égalité, le progrès social ; la droite : la liberté, la sécurité, la famille, la croissance économique. Ces références ont peu à voir avec la réalité des clientèles électorales et des intérêts particuliers, mais elles permettent de construire des projets de société rivaux en tout point opposés. Nous aimons la politique à grand spectacle, manichéenne, avec ses immenses scènes de bataille sur écrans géants. Cette politique à la française se reconnaît donc à l'inanité de ses oppositions idéologiques.

Pour être séducteurs et exclusifs, les projets politiques doivent s'enrichir de ces promesses « qui n'engagent que ceux qui y croient ». Nulle difficulté pour les partis protestataires. Ils se situent tout entiers dans l'espace du verbe et s'adressent à un public qui « veut y croire ». Je me souviens d'un Jean-Luc Mélenchon m'annonçant, lors d'une émission télévisée, qu'en alignant la fiscalité du capital sur celle du travail on collecterait 100 milliards d'euros supplémentaires. Imaginez le bonheur de Jean-Marc Ayrault cherchant désespérément à faire 60 milliards d'économies et en obtenant bien plus grâce à une mesure qui figurait au programme du candidat Hollande et était déjà appliquée. De même Marine Le Pen peut-elle gagner des dizaines de milliards sur le dos des immigrés ou sur les droits de douane. Ces chiffres purement fantasmatiques permettent de financer le rêve en billets de Monopoly.

Par opposition, les partis de gouvernement sont condamnés non pas à la vérité, mais à la vraisemblance. Il leur faut une certaine marge de manœuvre pour faire des promesses qui gardent leur crédibilité. La France n'a survécu à son syndrome bipolaire qu'en raison des promesses non tenues et des actions non annoncées. Nous utilisons donc une gouvernance hémiplégique faisant appel tantôt à la panoplie de la droite, tantôt à celle de la gauche, et fondant sa crédibilité sur l'affrontement, jamais sur la concertation. C'est idiot, mais les politologues assurent que c'est inévitable.

Quand l'espace politique se réduit

Rattrapés par la menace de l'étranglement financier, les Français ont dû adopter le pacte budgétaire européen qui a changé insidieusement les règles du jeu. En imposant à la droite comme à la gauche les mêmes priorités, les mêmes objectifs et les mêmes moyens, il a rapproché leurs politiques. Tout à coup, les partis n'ont plus la marge de manœuvre nécessaire pour crédibiliser leur propagande grandiloquente.

Comment prétendre suivre des directions opposées en prenant le même chemin ? Les Français sont déjà 40 % à penser que Hollande fait la même politique que Sarkozy. Ce retour au réel a décontenancé un électorat façonné par l'idéologie. En 2011, les électeurs de droite ont été scandalisés par le matraquage fiscal « socialiste » ; en 2012, les électeurs de gauche ont été scandalisés d'entendre un président socialiste annoncer une réduction de la dépense publique « libérale ». Semaine après semaine, l'opinion découvre que les partis de gouvernement interprètent, chacun à leur façon, la même partition, qu'ils ne se font plus concurrence sur des programmes libres, mais sur des figures imposées. Prise au piège de cette nouvelle configuration, notre République ne sait plus faire. À force de désorienter leurs troupes, ce qui n'est pas grave, les deux camps risquent d'accentuer le rejet de la classe politique dans son ensemble, ce qui peut se révéler dramatique.

Pour mener sa politique, la gauche se veut désormais championne des économies budgétaires, de l'abaissement des charges et de la réforme des retraites. C'est le grand basculement de l'idéologisme au pragmatisme. Aussi difficile que dangereux, car le sectarisme suspecte toujours le réalisme de trahison. En soi, ce rapprochement ne signifie nullement que le choix démocratique a disparu. Tout d'abord, il reste toutes les questions extra-budgétaires : l'euthanasie, le mariage homosexuel, la sécurité, l'immigration, la laïcité, etc. Elles permettent toujours de jouer camp contre camp. Et, pour l'économie même, convergence ne signifie pas équivalence.

La politique ne se réduit pas au rééquilibrage de nos finances : il faut d'abord faire repartir l'économie. De ce point de vue, toutes les façons d'alourdir les prélèvements et de réduire les dépenses ne se valent pas. Les unes matraquent indifféremment tous les riches et plombent l'appareil productif ; les autres ponctionnent les rentiers, les héritiers et les spéculateurs, tout en favorisant les investisseurs, les entrepreneurs et les créateurs. Dans le premier cas, l'austérité est mortelle ; dans l'autre, elle peut restaurer la confiance et insuffler un nouveau dynamisme. Il faut donc renoncer à l'opposition entre austérité et relance, changer notre façon de faire la politique sur le mode binaire.

L'économie de guerre

Un tel changement de gouvernance se produit en période de guerre. Lorsque l'ennemi attaque aux frontières, la politique n'a plus qu'un objectif : le repousser. Le pouvoir fait appel à toutes les compétences, utilise tous les moyens. La droite peut nationaliser, la gauche remettre en cause des droits sociaux : « À la guerre comme à la guerre ! » Ce n'est plus un parti qui dirige le pays, c'est la nation qui prend ses affaires en main. Nous n'en sommes pas encore là, mais nous avons fait les premiers pas dans cette direction, ce qui ne va pas sans semer le trouble.

Si François Hollande rate, son échec ne sera pas celui des socialistes, mais celui de la France. Le parti s'en remettra. Le pays ? Beaucoup moins sûr. Son décrochage le précipitera dans la pauvreté et la désagrégation sociale. Les moyens ne sont pas militaires, mais les enjeux sont vitaux. C'est pourquoi il fallait la proclamer, sinon la déclarer.

Nos dirigeants ont reculé devant ce coup de force et tenté d'opérer la transition en douceur, avec pudeur, en espérant que les Français ne remarqueraient rien. Au plus fort de la crise financière, en 2008, Nicolas Sarkozy a parfaitement analysé le changement du monde, mais s'est bien gardé d'en tirer les conclusions sur le plan intérieur. Quant à François Hollande, il s'est fait élire en père tranquille et certainement pas en chef d'état-major. Souvenons-nous de Jean-Marc Ayrault soutenant, contre toute évidence, que sa politique épargnerait neuf ménages sur dix...

Lorsque, dans sa conférence de presse de novembre 2012, François Hollande doit infléchir sa politique, c'est en soulignant qu'il ne prend aucun tournant. Comptant sur l'actualité pour révéler ce qu'il n'annonce pas, il conduit les Français avec le pas déterminé du promeneur cherchant des champignons dans le sous-bois. Pas de panique ! Quant aux Français, ils suivent, la trouille au ventre, n'ayant aucune envie de se battre. Depuis quand gagne-t-on une guerre sans la déclarer ?

Continuons ainsi et nous ferons de notre campagne du – 1 % le Waterloo du XXIᵉ siècle. Le courage en moins.

Depuis un demi-siècle, nos dirigeants ne croient plus à la possibilité de mobiliser le peuple sur les difficultés du présent ni pour un projet d'avenir. Le futur n'autorise que les cadeaux et l'on ne consent que les efforts inévitables, ceux qu'on ne peut plus repousser. À droite comme à gauche, même refus du combat, même peur des citoyens qui, à son tour, engendre la peur chez les citoyens. Dommage que la normalité hollandaise ne se vérifie jamais mieux que dans la conformité à nos mauvaises habitudes. Car une politique, surtout lorsqu'elle est difficile, ne se cache pas. À quoi bon minimiser des dangers dont tous les Français sont conscients ? Le déni de réalité répand la peur et les mesures à prendre perdent leur légitimité.

De la politique de guerre, nous avons vu le premier volet : la banalisation des moyens. D'un côté comme de l'autre, on doit augmenter les recettes et réduire les dépenses. Il est un autre volet, non moins essentiel : c'est l'union sacrée. Un grand mot qui, sous les formes les plus diverses, se traduit par une réduction des antagonismes. Face au péril le plus grave, on met les querelles entre parenthèses. L'opinion sent confusément que nous devrions en être là et aspire à un gouvernement d'union nationale, mais elle n'en voit pas la moindre trace dans la vie politique.

François Hollande semble être le seul à ne pas remarquer que la règle d'or, la TVA pour baisser les charges, les contrats compétitivité-emplois ou l'allongement des durées de cotisation sont des mesures typiquement sarkozystes. Expliquer qu'elles sont différentes lorsqu'elles sont appliquées par des socialistes ne convainc personne, car la gauche les avait combattues pour des raisons de principe et pas d'opportunité. Et voilà que, sans véritables explications, l'erreur, pour ne pas dire l'horreur, de la veille devient la vérité du présent. La droite s'en sort mieux qui, n'ayant jamais eu ce goût de la doctrine, peut en changer plus aisément.

Le rose et le noir

La démocratie est toujours une logocratie. Les mots y tiennent une place essentielle. Comment peut-on espérer redresser les finances en bannissant les mots de rigueur et d'austérité ? Depuis trente ans, nos gouvernants s'interdisent absolument de les prononcer, quitte à se perdre dans d'incroyables circonlocutions. N'allez surtout pas croire qu'augmenter les impôts de 60 milliards et réduire les dépenses publiques d'autant soit en aucune façon de l'austérité. Les gouvernants s'entretiennent dans l'espoir fou que, grâce à cette censure, les Français ne se rendront compte de rien. Or une austérité ainsi niée et occultée n'a aucune raison d'être et devient inacceptable. Le pouvoir socialiste a mis dix mois pour assumer pleinement la rigueur ; combien de temps lui faudra-t-il pour reconnaître l'austérité ?

Nos dirigeants sont tous, peu ou prou, disciples du docteur Coué. Ils sont convaincus qu'il suffit de dire que tout va bien pour que tout aille mieux. Cet optimisme de commande, et de commandement, est tout simplement le langage du pouvoir. Dans l'armée, dans les entreprises, en politique, partout, le leader est un marchand d'espoir, il se doit de vanter sa politique, d'en masquer les effets désagréables et d'en annoncer le prochain succès. Les techniques pour enjoliver la réalité participent plus que jamais de l'art de gouverner.

En régime dictatorial, l'optimisme officiel peut devenir oppressant ; en démocratie, il devient insignifiant, puis anxiogène. D'autant que l'opposition se doit de passer au noir ce que la majorité peint en rose. Ainsi, la parole syndicale abuse traditionnellement de cette « austérité » que bannit le langage officiel. Depuis trente ans, les grandes confédérations répètent aux « travailleurs » qu'ils en subissent les effets. Toute une tradition ! Dans les années 1960, alors que le pouvoir d'achat des Français, et des ouvriers en particulier, connaissait une augmentation sans précédent, la CGT en tenait toujours pour la paupérisation absolue de la classe ouvrière et se livrait à de savants calculs pour montrer que sa condition s'était dégradée par rapport à l'avant-guerre ! Emportés par la surenchère victimaire, les Français se sont ainsi persuadés qu'ils supportent l'austérité depuis trente ans, alors qu'en réalité ils vivent l'inverse : la relance permanente. C'est dire leur incompréhension, leur méfiance et leurs doutes. Ils souffrent d'une défiance généralisée, syndrome dévastateur dans une démocratie qui ne saurait être qu'une société de confiance.

Le débat démocratique doit d'abord prendre acte de la réalité pour faire apparaître les véritables choix. Mais resserrer ainsi le discours politique, c'est aussi ouvrir d'immenses espaces à la démagogie du populisme.

Le temps des extrêmes

Le populiste ne dit pas les choses parce qu'elles sont vraies, mais parce que le peuple souhaite les entendre. Or, à la différence du politicien ordinaire, qui doit toujours craindre de se retrouver au pouvoir et d'avoir à confronter ses promesses à la réalité, il se place hors de toute responsabilité gouvernementale. Depuis ce monde virtuel, il peut dédaigner ce frein à la démagogie que constitue la réalité. N'ayant pas à l'affronter, il l'ignore et se fabrique les solutions les plus plaisantes.

En temps normal, la gauche et la droite pratiquent une démagogie qui limite l'espace des populismes et les marginalise. Mais le repli sur le réel des deux grands partis laisse le champ libre à l'extrême gauche comme à l'extrême droite.

Depuis cinq ans, les Français suivent un stage d'initiation à la politique de crise. Stage intensif avec la plus efficace des méthodes pédagogiques : le spectacle de la réalité. À l'exemple de tous ces pays qui, de l'Islande jusqu'à Chypre, se sont retrouvés dans le piège du surendettement, nous voyons se mettre en place les règles avec lesquelles nous allons devoir jouer.

Comment douter que l'austérité ne traduit pas un choix politique quand on la voit appliquée par la gauche comme par la droite ? Comment douter que le défaut de paiement ne puisse être une solution quand on voit le malheur des peuples grec et cypriote ? Comment douter qu'une résilience soit au bout de l'effort partagé quand on observe le redressement de l'Islande ou de l'Irlande ? Comment nous couper de l'Europe qui a retenu l'Italie au bord du gouffre ?

Chapitre 14

LA LOI DE L'ÉTRANGER

La suite de notre histoire, inscrite dans les livres de comptes, nous entraîne vers une rupture majeure, irrémédiable. Ce choc risque d'instiller dans notre société la drogue de l'irresponsabilité, le poison de la xénophobie et le vertige du repli sur soi, car il viendra de l'extérieur.

Mille scénarios sont imaginables, qui tous ont un point commun : il ne s'agira pas d'une histoire franco-française comme la crise des finances royales qui provoqua la Révolution de 1789. La France du XXIe siècle est totalement immergée dans l'Europe et dans le monde. Cette crise ultime ne peut qu'être internationale. Quand les investisseurs étrangers détiennent mille milliards de dette française, quand notre commerce extérieur représente plus du quart de notre PIB, quand la France emprunte chaque année 200 milliards d'euros sur les marchés financiers, alors les comptes intérieurs et extérieurs sont intriqués. Si l'état de nos finances menace la France de la ruine, quelles qu'en soient la raison et l'origine, nous nous retrouverons confrontés aux autorités monétaires internationales : FMI, Union européenne, BCE... En recevant leurs mises en demeure, en voyant la troïka plonger son nez dans leurs affaires, les Français sauront que le pire est arrivé. Ils en ont eu un petit avant-goût avec les recommandations, si mal reçues, de la Commission européenne.

Les peuples surendettés se posent en victimes et cherchent des coupables. Les autorités financières qui imposent un contrôle, formulent des exigences, exercent des pressions et infligent de mauvais traitements se désignent tout naturellement comme boucs émissaires. Et les règles de bonne gestion, qui ont été bafouées, passent pour des prétextes inventés à seule fin d'asservir les peuples. Dès lors qu'ils mettent des conditions aux crédits, le FMI ou l'Europe deviennent responsables des souffrances infligées aux peuples. Ils n'interviennent pourtant qu'en dernier recours, lorsque des politiciens, des banquiers, des aigrefins incapables et/ou corrompus ont conduit le pays à la ruine. Peu importe, le rôle du coupable convient si bien à l'étranger que les naufrageurs sont oubliés et les sauveteurs qui, tant bien que mal, s'efforcent de réparer les dégâts deviennent la cible de la vindicte populaire.

Tout est en place pour qu'il en aille de même lorsque la France plongera. Malheur aux instances internationales qui se manifesteront pour nous éviter une faillite pure et simple. Car les tourments de la nation ne sont imputables ni aux Français ni à leurs dirigeants ! Tout le mal vient de l'Europe allemande et des marchés financiers. Voilà bien la plus détestable illusion, celle qui nous retire tout espoir de résilience. Il n'est jamais demandé le moindre compte aux gouvernants et aux experts qui, cédant aux commodités de l'emprunt, ont préparé les cures d'austérité qu'ensuite ils dénoncent. Il faudra s'en souvenir, car ils feront tout pour reporter la faute sur nos créanciers étrangers. Or ce n'est pas en s'exonérant de ses responsabilités que l'on parvient à se redresser, ce n'est pas en s'attaquant à l'autre qu'on se dispense des efforts à faire sur soi.

Poker menteur à Bruxelles

Le scénario le plus vraisemblable, mais qui est loin d'être le seul possible, se jouera lors d'un prochain rendez-vous manqué avec Bruxelles, celui qui viendra clore l'invraisemblable partie de poker menteur que nous entretenons avec l'Europe depuis deux décennies. François Hollande a dû reprendre à son compte les engagements du pacte budgétaire, ceux qu'il était censé renégocier. Promis, juré, il ramènera le déficit de 2013 à 3 % du PIB.

Un engagement réitéré sur tous les tons pendant les six premiers mois de sa présidence. Le président de la République savait mieux que personne que la promesse ne serait pas tenue. Mais il devait remplacer l'image du Français flambeur qui, depuis vingt ans, se moque de la comptabilité et des comptables de Bruxelles, par celle du socialiste nouveau, gestionnaire rigoureux qui s'engage et tient parole.

Quand, au début de 2013, la Commission fait savoir, secret de Polichinelle, que le déficit sera de 3,7 % au lieu des 3 % annoncés, le « bon élève » constate, navré, qu'il a été trahi par la stagnation de l'économie. Menacée de poursuites pour déficit abusif, la France plaide les circonstances atténuantes. Par chance, l'Europe ignore que nous avons déjà raté la marche en 2012, puisque nous nous étions annoncés à 4,5 % du PIB et sommes arrivés à 4,8 %. Au mois de février, elle accorde un sursis ; à Bercy, on sabre le champagne. Mais l'indulgence n'a fait que reporter l'échéance. Pour 2014, il nous faut descendre d'un 3,7 % en 2013 (qui devient 3,9 % en cours de route et sera à plus de 4 % à l'arrivée) à « nettement moins de 3 % ». Un effort énorme en l'absence de croissance. Peu importe ! L'irréalisme comptable continue. Pierre Moscovici annonce que le déficit sera ramené à 2,9 % du PIB en 2014.

Avant même qu'il fasse avaliser sa feuille de route budgétaire par le Conseil des ministres, le Haut Conseil des finances publiques, l'OFCE et le FMI ont dénoncé, chacun de son côté, des hypothèses de croissance trop optimistes. Les nouveaux objectifs sont aussi illusoires que les précédents. Lassé d'être ainsi mené en bateau, le FMI fait savoir que le déficit français en 2014 ne sera pas de 2,9 %, mais de 3,5 % du PIB, bien loin des exigences de la Commission. Les bons chiffres sont toujours ceux des annonces, jamais ceux des résultats. Ainsi la France aura-t-elle augmenté ses impôts de plus de 60 milliards et bénéficié des taux d'intérêt les plus bas sans davantage respecter ses engagements.

Avril 2013, nouveau verdict de la Commission : le déficit pour l'année atteindra 3,9 %, et, loin de se réduire à 2,9 % en 2014, il explosera à 4,2 %. La France devrait être sanctionnée mais, miracle ! l'Europe lui accorde un sursis de deux ans. Les − 3 % du PIB, initialement prévus pour 2013, ne seront plus exigés qu'en 2015.

Que s'est-il passé ? Tout d'abord le pacte budgétaire, contrairement à la caricature qui en est faite, évalue le déficit structurel hors conjoncture. Les experts ont donc pris en considération la stagnation européenne, ce qui rend les chiffres plus présentables. Mais, surtout, l'Europe, comme le reste du monde, est inquiète des effets de l'austérité sur l'activité.

Depuis longtemps déjà, les économistes soulignent le risque d'une cure généralisée et synchronisée. Si la demande diminue partout en même temps, un tourbillon dépressif risque de s'amorcer. Il faudrait donc que la consommation augmente dans certains pays, tandis qu'elle diminue dans d'autres. C'est ainsi que, dans les années 2000, l'Allemagne, entourée de pays en croissance, a pu compenser la réduction de sa consommation par l'augmentation de ses exportations. Mais si tout le monde freine en même temps, on se retrouve vite à l'arrêt, et même dans le décor. C'est ce qui est en train d'arriver à l'Europe. D'autant que l'effet récessif de l'austérité s'est révélé plus rude qu'anticipé sur la base de calculs économétriques à la noix. Impossible de laisser les pays méditerranéens s'enfoncer dans une dépression qui provoquera des explosions sociopolitiques sans réduire pour autant les déficits.

La Commission, son très libéral président José Manuel Barroso en tête, a convenu de lever le pied. Il faut accorder des délais supplémentaires aux peuples les plus éprouvés comme les Portugais, les Espagnols ou les Grecs. L'Allemagne ne dit pas non. Ce revirement s'inscrit dans une inflexion mondiale. Les gouvernements sont partout inquiets de la menace d'une dépression et, partout, remettent en cause le rétablissement des équilibres à marche forcée. *A priori*, la France, qui n'a pas encore entamé sa cure d'austérité, c'est-à-dire la baisse réelle des dépenses publiques, ne devrait pas être concernée. Sans doute n'obtiendrait-elle pas la moindre faveur si elle n'était qu'un pays de 5 millions d'habitants, avec un PIB de 200 milliards d'euros et une dette de 180 milliards d'euros. Mais elle est dix fois plus grosse et présente en permanence un risque systémique. Sa chute aurait des conséquences cataclysmiques pour l'Europe et même pour le monde ; elle doit donc être traitée avec précaution et bénéficie de bonnes manières auxquelles les petites nations n'ont pas droit.

Pour les Français qui n'ont jamais cherché qu'à gagner du temps, c'est une victoire. Deux ans de répit, quelle aubaine ! Pour la gauche de la gauche et la droite de la droite, cette décision prouve *a contrario* que ce n'est pas la réalité mais la Commission qui impose l'austérité. Raison de plus pour ne pas l'accepter : la politique de la France ne doit se faire ni à la corbeille ni à Bruxelles, et les Français n'ont pas à s'imposer des restrictions pour se conformer au libéralisme européen. Bref, le relâchement de la pression internationale s'accompagnera d'un accroissement de la pression interne. Sans compter l'encouragement donné à notre procrastination endémique : nous avons toujours remis à demain ce qu'il fallait faire le jour même, alors ce qu'il faudrait faire après-demain... D'autant que les taux d'intérêt anormalement bas dont nous jouissons créent un faux sentiment de sécurité.

Entre la France et l'Europe va s'instaurer une guérilla de deux ans qui pourrait à tout moment dégénérer si la réitération de nos manquements finissait par ouvrir un véritable conflit. Dans un premier temps, les Français ont accueilli les admonestations européennes sur le mode du « cause toujours, tu m'intéresses ». Mais l'affaire des retraites a tout de suite montré qu'on n'en resterait pas là. L'Europe vient mettre son nez dans la réforme, comme elle le mettra dans l'indemnisation chômage et dans le budget 2014. Ce n'est pas une mise sous tutelle, mais ça y ressemble.

La mansuétude européenne vis-à-vis de la France a fait grincer bien des dents, notamment en Allemagne. Comment peut-on faire confiance à ces tricheurs invétérés de Français qui n'ont tenu aucun de leurs engagements depuis vingt ans, qui ne cessent de clamer leur refus de l'austérité et leur attachement à la relance ? La Commission se doit de répercuter sur nous la pression qu'elle s'est mise sur le dos. Elle va exiger des économies pour lesquelles François Hollande manque d'autorité autant que de majorité. Comme tous ses prédécesseurs, il n'entend sacrifier aucune des vaches sacrées qui entretiennent notre surpâturage budgétaire. À tout moment Olli Rehn, le commissaire finlandais qui suit notre dossier, risque de sortir le carton rouge.

Dès le mois de juin 2013, nous nous sommes offert une excellente répétition des batailles à venir, une répétition à fleurets mouchetés puisqu'elle est restée dans le cadre national. Sitôt lancée la concertation sur les retraites, majorité et opposition recommencent à se chamailler sur notre dérive financière. C'est alors que le juge-arbitre, le Premier président de la Cour des comptes, vient rendre son verdict en présentant, le 25 juin, le rapport annuel sur l'état des finances publiques. La situation s'est-elle améliorée depuis un an ? La réponse est clairement négative. Les comptables nationaux évaluent notre déficit pour l'année en cours entre 3,8 et 4,2 % du PIB, bien loin des mythiques 3 % auxquels le gouvernement s'accrochait encore au mois d'avril. Et la suite s'annonce encore plus inquiétante. La Cour des comptes rappelle que, pour revenir aux 3 % en 2015, comme nous en avons l'obligation, il nous faut trouver 13 milliards d'économies en 2014 et 15 milliards de plus en 2015. La veille même, sur le perron de Matignon, Jean-Marc Ayrault s'adressait un satisfecit : « Pour la première fois depuis 1958, les dépenses de l'État seront, l'année prochaine, en diminution de 1,5 milliard d'euros. » Un premier pas qui permettra l'année prochaine de trouver les 14 milliards d'euros d'économies et de tenir les 3,5 % du PIB de déficit. Dérisoire rituel ! Les budgets français sont toujours parfaits sur les fonts baptismaux, mais ils rencontrent des malheurs en cours de route.

Il y a tout juste un an, le même Jean-Marc Ayrault présentait celui de 2013, certifié à 60 milliards de déficit et qui, six mois plus tard, se retrouve à 80 milliards. Qu'en sera-t-il pour le nouveau compte qu'il nous présente et pour ceux qui suivront ? Pour s'en faire une idée, mieux vaut décidément ignorer les promesses gouvernementales et s'en remettre aux avis des experts. Les incorruptibles de la Cour, tout comme les experts de la Commission, se font plus pressants que jamais, et, non contents de fixer des objectifs, passent aux mesures à prendre. Ce qui d'ailleurs suscite le même agacement : « La Cour fait ses observations, elle donne son diagnostic, mais ce n'est pas elle qui fait la politique du gouvernement », tient à faire remarquer le Premier ministre. Voici même les comptables nationaux accusés par les membres d'ATTAC de « promouvoir une orientation politique ultra-libérale[1] ». Il est vrai qu'ils font des recommandations qui sont à la politique du gouvernement ce que la vodka est à la camomille. Voici donc la politique qui serait en adéquation avec nos objectifs.

La Cour rappelle que les réformes de structure sont indispensables mais ne rapportent rien à court terme ; il faut donc les combiner avec des mesures de « freinage à effet immédiat ». Poursuite du gel du point d'indice dans la fonction publique pendant deux ans, sous-indexation systématique de certaines prestations sociales, des pensions ou des indemnités chômage, hormis les minima sociaux. Tout est calculé. Si retraites et allocations familiales sont à 1 % en dessous de l'inflation, la Sécurité sociale gagne 1,5 milliard en 2014. Pour les indemnités chômage, l'économie serait de 165 millions ; pour l'aide au logement, de 170 millions, et ainsi de suite. Les censeurs osent même envisager des mesures à faire s'étrangler les partenaires sociaux, comme la remise en cause des indemnités maladie journalières ou de la majoration de retraite pour les familles nombreuses. Pour les économies de fonctionnement, ils jonglent avec de la dynamite : remise en cause systématique des aides et des subventions, réduction du personnel dans la fonction publique

---

1. Thomas Coutrot, Pierre Khalfa et Jean Loye, « La Cour des comptes, décideur politique ? », *Le Monde*, 26 juillet 2013.

territoriale, compression des mesures catégorielles, ralentissement de carrières, allongement du temps de travail, etc.

Or le président de la République doit se battre sur deux fronts. L'un, extérieur, en matière budgétaire, l'autre, intérieur, en matière de chômage. Ici, il lui faut revenir aux 3 % du PIB avant 2015, et là, inverser la courbe du chômage avant la fin de l'année. À l'évidence, il est plus soucieux de tenir ses engagements vis-à-vis des Français que vis-à-vis de la Commission européenne. Il sait que le retour de la croissance, qu'il espère comme Napoléon attendait Grouchy sur le champ de bataille de Waterloo, ne sera pas au rendez-vous en 2013. Il lui faut donc miser sur la multiplication des emplois aidés, qui n'apporte aucune réponse à terme mais améliore les statistiques dans l'immédiat. Malheureusement, ces expédients sont coûteux. Et, alors même que la Cour des comptes présente son régime très austère, c'est un milliard de plus qui est affecté au traitement social du chômage. Le jour même où elle demande que le nombre de fonctionnaires soit réduit de 10 000, Vincent Peillon annonce qu'il recrutera 10 000 assistants de plus dans l'Éducation nationale. L'affrontement est inévitable avec Bruxelles d'abord, avec les marchés financiers ensuite. La France poursuit donc obstinément son décrochage et n'a aucune chance de retrouver l'équilibre en 2017, voire d'éviter une dette à 100 % du PIB avant cette date.

Une fois de trop

Après vingt ans de défaillances arrivera celle, petite ou grande, qui ne sera pas pardonnée. La sanction pourrait être triple. Une première émanant de la Commission européenne, une deuxième des agences de notation et une troisième des marchés financiers, qui, ainsi alertés, corrigeraient brutalement l'appréciation flatteuse dont nous bénéficions. S'enclencherait la spirale des frais financiers croissants. Là encore, Didier Migaud a pris soin de chiffrer la menace : « Si les taux d'intérêt augmentaient d'un point, la charge de la dette s'accroîtrait de 2 milliards en un an, de 8 milliards au bout de cinq ans et de 13 milliards au bout de dix ans[1]. »

Une fois l'effet boule de neige enclenché, il ne s'arrêtera pas de lui-même. L'Allemagne seule serait en mesure de se porter garante ; elle exigerait en contrepartie des mesures d'un rapport immédiat, dans l'esprit de celles qu'envisage la Cour des comptes.

Voilà ce qui pourrait se produire dans les mois ou les années à venir. Mais la rupture pourrait aussi intervenir plus tôt, provoquée par une nouvelle crise européenne. Autre scénario, beaucoup plus probable et déjà entamé : la colère des peuples. Combien de temps le consensus démocratique peut-il se maintenir sur la seule perspective d'éviter la faillite et de redresser les comptes ? Partout les systèmes politiques arrivent au point de rupture et, là encore, aucune frontière, aucune digue ne saurait nous protéger des débordements.

La France – ou plutôt ses dirigeants –, incapable d'anticiper les événements, ne fera rien sans y être contrainte et forcée, donc rageuse et colérique. Comme tout pays ouvert et surendetté, elle devra faire appel à l'Europe et au FMI qui exigent la correction des déséquilibres. Car – faut-il le rappeler ? – les autorités monétaires n'interviennent pas dans des pays à l'équilibre. La règle est simple : en équilibre, faites ce qui vous plaît ; en déséquilibre, corrigez, s'il vous plaît… et même si cela ne vous plaît pas.

---

1. Didier Migaud interrogé par Claire Guélaud, « La dette publique atteint 90,2 % du PIB », *Le Monde*, 27 juin 2013.

Il est une deuxième loi de l'étranger, beaucoup plus pernicieuse, celle du libéralisme. Les Français ressentent comme une perte de souveraineté l'obligation de revenir à l'équilibre budgétaire, mais ils ne se sont pas vraiment rendu compte que, depuis un peu plus de dix ans, notre société est remodelée par le libre-échangisme européen. À commencer par la baisse de la fiscalité dont nous avons été si lents à découvrir les effets et les méfaits. Bref, il existe deux lois de l'étranger : l'une, fondamentalement saine, qui interdit les déséquilibres excessifs ; l'autre, potentiellement dangereuse, qui provoque une dérive vers un modèle de société ultralibérale.

Le nationalisme économique confond évidemment les deux ; il dénonce une dérive libérale dans l'austérité qui se borne à vouloir rétablir les équilibres. Une pure absurdité. Les Français s'entendront ainsi dire que l'austérité est une punition infligée sans aucune raison par la finance internationale. Il sera difficile de faire admettre que les mêmes lois du surendettement s'appliquent aux ménages, aux entreprises et aux pays, que l'étranger n'y est pour rien, que les responsables sont les gouvernants qui ont pratiqué le déficit.

Des peuples voisins doivent explorer la voie pénible du désendettement : ils nous permettent de la découvrir dans les faits et non dans les conjectures, d'en bien mesurer la dimension internationale. Nous n'avons que l'embarras des destinations. Lisbonne, par exemple.

L'austérité portugaise

Avec ses dix millions d'habitants et son économie peu développée, le Portugal n'est pas comparable à la France. Cependant, le mal qui le frappe ressemble assez au nôtre.

Contrairement à l'Irlande ou à l'Islande, victimes de la folie bancaire, à l'Espagne, emportée dans le délire d'une bulle immobilière, le Portugal a tout bonnement vécu au-dessus de ses moyens, plus soucieux de consommer que d'investir. Ainsi le parcours des Portugais sur les terres de l'austérité pourrait-il nous donner un avant-goût de ce qui nous attend.

Quand, dans le sillage du naufrage grec, le pays entame sa dérive financière en 2010, le Premier ministre socialiste José Sócrates, qui dirige un gouvernement minoritaire, est d'abord soucieux de rassurer la population et de préserver l'indépendance nationale. Le Portugal entre donc dans la crise à reculons, en essayant de passer à côté, sans la voir. Nous connaissons cela. Le premier plan présenté par Sócrates en mars 2010 ne prévoit ni réduction de la protection sociale ni augmentation des impôts, rien qu'un gel des salaires dans la fonction publique, une réduction des crédits militaires et une vague de privatisations. « Notre situation n'a rien à voir avec celle de la Grèce ! » proclame-t-il. Sans doute, mais elle risque de devenir intenable sur le plan international.

Deux mois plus tard, pour rassurer les investisseurs, José Sócrates doit mettre en place un deuxième plan qui, lui, comporte une rafale d'augmentations d'impôts, les « taxes de crise », censées peser sur les plus riches mais que supporte l'ensemble de la population. Six mois plus tard, c'est un véritable budget d'austérité qui est présenté avec une baisse de 5 % sur les salaires des fonctionnaires, le gel des pensions, des coupes claires dans les budgets de l'Éducation et de la Santé, et, surtout, une augmentation de la TVA de 21 à 23 %. Une seule justification : « Il n'y a pas d'alternative. » Sur le plan international, cela va de soi. Pour le peuple portugais, c'est le choc. Fin mai, 300 000 personnes viennent crier leur mécontentement dans les rues de Lisbonne.

José Sócrates s'efforce d'éviter l'aide internationale pour ne pas avoir à en subir les conditions. Mais les taux d'intérêt dépassent 6 %, les agences de notation dégradent la note de plusieurs crans. C'est l'étranglement. En mars 2011, il doit entamer des négociations avec l'Europe et le FMI. En deux mois, le plan d'aide est ficelé. Le Portugal va bénéficier d'un prêt de 78 milliards d'euros sur trois ans. Mais il lui faut ramener son déficit à 3 % du PIB dès 2013, accomplir des réformes et prendre des mesures d'austérité « ambitieuses ». Simple difficulté : les élections sont prévues pour début juin, impossible de passer un accord avec une majorité qui pourrait perdre le pouvoir dans le mois qui vient. Le chef du PSD et leader de l'opposition de droite, Pedro Passos Coelho, s'engage donc à suivre la politique d'austérité et même à la renforcer sur certains points. Comme dans toutes les élections européennes, sauf en Allemagne, le sortant est battu et l'opposition arrive au pouvoir... pour marcher sur les traces de ses prédécesseurs.

La nouvelle majorité doit faire face à une conjoncture qui ne cesse de se dégrader. Année après année, le Portugal s'enfonce dans la récession, les impôts rentrent moins que calculé, le chômage augmente plus que prévu et le déficit se réduit moins vite que promis. Coelho doit renforcer l'austérité en supprimant le 13ᵉ et le 14ᵉ mois des fonctionnaires et des retraités, ou en fiscalisant les allocations de chômage et les indemnités de maladie. Tout ce que Sócrates avait refusé de faire et qui est devenu indispensable. Le peuple portugais, si peu porté à la révolte, est plongé dans le désespoir, au bord de l'explosion. Au début 2013, des manifestations monstres ont lieu dans tout le pays pour dénoncer l'austérité imposée par la troïka Commission-BCE-FMI. Les Portugais ont désormais bien compris qu'ils ne jouent plus avec leur gouvernement, mais avec les autorités financières internationales. Le président de la République soumet le budget très brutal de Pedro Passos Coelho à la Cour constitutionnelle, et les juges retoquent les mesures les plus pénibles. Pour le gouvernement, c'est plus d'un milliard d'euros en moins. Superbe geste, mais qui n'est en l'occurrence que de la gesticulation.

Le Portugal est tenu par ses engagements. S'il ne les respecte pas, il ne recevra pas le solde de l'aide internationale. En mai 2013, le gouvernement impose donc un nouveau lot de mesures : report à 66 ans de la retraite à taux plein, allongement du temps de travail de 35 à 40 heures pour les fonctionnaires dont le nombre sera réduit de 30 000, etc. Le gouvernement a joué la carte de la coopération avec l'Europe. Il doit donc tenir ses engagements pour obtenir de nouveaux prêts et de nouveaux délais.

Les ressemblances sont troublantes entre l'histoire des Portugais et la nôtre. Ils nous ont simplement devancés de quelques années. Voici un très bref et non exhaustif inventaire de ce qu'ils ont supporté, en sus d'une baisse du niveau de vie de 4,5 % en 2012 et d'un taux de chômage qui atteint 16,5 %. Sur le plan fiscal : une augmentation massive des impôts pour les plus riches, 3 points de TVA en plus, la suppression des déductions fiscales pour la santé, l'éducation ou le logement. Pour la fonction publique : gel de tous les traitements sur quatre ans, baisse de 5 % au-dessus de 1 500 euros par mois, suppression des mois supplémentaires, baisse des effectifs de 2 % par an. Mais encore : gel des pensions, diminution du salaire minimum, allongement des horaires de travail, réduction du montant et de la durée des allocations-chômage, réduction des bourses, des allocations aux handicapés, radiation de 100 000 allocataires aux minima sociaux... Voilà ce que signifie le programme d'austérité que doit accepter un pays surendetté pour être retenu au bord du gouffre par la finance internationale.

Les dirigeants portugais ne sont ni sadiques ni masochistes, ils préfèrent donner que prendre et se faire aimer plutôt que détester, mais l'étranger ne leur laisse de choix qu'entre l'austérité et le défaut. Les Portugais ont donc pris le rôle du « bon sujet » dans la classe des mauvais élèves européens, ils ont accepté et mis en application des plans européens toujours plus rigoureux. Or les dirigeants ne peuvent même pas garantir à leur opinion publique que toutes ses souffrances seront payées en retour. Le pays retrouvera-t-il le chemin de la croissance ? Parviendra-t-il à remettre de l'ordre dans ses finances ? Se verra-t-il accorder des délais supplémentaires pour éviter de se faire engloutir dans la dépression ? Nul ne le sait. Au jeu de l'austérité, on perd toujours à ne pas jouer, mais on joue parfois à qui gagne perd.

Cette loi de l'étranger devient insupportable si elle semble infliger une sanction et non pas apporter un remède. Elle a fait sortir de leur réserve les paisibles Portugais, elle a conduit les irascibles Grecs à deux doigts de l'explosion. Mais, à l'arrivée, cela n'a guère fait de différence pour les peuples.

Qu'en sera-t-il pour les Français au tempérament si méditerranéen ? Ils seront tentés de refuser une évidence aussi brutale que le choix entre austérité et faillite, de poursuivre la fuite en avant jusqu'à l'écrasement final. Voilà ce qu'il faut garder à l'esprit en s'interrogeant sur les prochaines séquences de notre film. Une nation excédée, acculée, sommée de s'exécuter peut encore et toujours refuser toute réalité lorsque celle-ci lui est imposée de l'extérieur. N'importe quoi plutôt que ça !

C'est l'option qu'ont choisie en 2013 un quart des électeurs italiens en apportant leurs voix au Mouvement 5 Étoiles

(M5S) de Beppe Grillo. L'électeur dépasse alors la tentation démago-populiste pour se jeter dans la protestation pure. Le refus, le dégoût l'emportent sur tout autre sentiment. Il s'agit d'abord d'être « contre », on verra après ce que sera le « pour ». C'est le vertige de la table rase qui emporte un peuple accablé de trop de malheurs, trop longtemps déçu, trop souvent trompé. Car dans tous ces pays, le désastre financier de l'État s'accompagne de scandales en cascade qui achèvent de discréditer la classe dirigeante. De ce point de vue, l'affaire Cahuzac n'est pas une exception, mais une sinistre conformité à la règle.

Parmi tous ces pays qui se retrouvèrent surendettés, contraints de solliciter l'aide internationale et de subir la loi de l'étranger, n'y en a-t-il pas un qui ait réussi à se redresser ? N'aurions-nous pas un exemple positif dont nous pourrions retenir quelque enseignement ? Nous avons certes ceux, toujours cités, du Canada ou de la Suède, mais à mille lieues de nous. Ils ont pris leurs affaires en main, à titre préventif, et, en gens courageux et pragmatiques, ont remis de l'ordre dans la maison. Pour la France, ce stade est passé. Selon sa mauvaise habitude, elle réagira à chaud. Seule une catastrophe, advenue et pas seulement annoncée, pourrait nous éclairer. Un tel exemple existe, fort différent sans doute, mais riche d'enseignements : c'est le cas de l'Islande.

Le sursaut viking

Ce micro-État insulaire de 300 000 habitants était, en 2007, une sorte de paradis arctique. L'île tout entière est un des plus somptueux parcs naturels au monde, mais, en outre, elle était devenue un modèle de prospérité et certains classements internationaux en faisaient le pays où l'on vivait le plus heureux. À 40 000 euros par tête, le niveau de vie des Islandais n'était dépassé que par celui des Norvégiens. Avec l'eau chaude de leur terre, ils avaient réussi à devenir aussi riches que leurs voisins avec le pétrole de mer du Nord. Leur État était un modèle de gestion : une dette inférieure à 30 % du PIB, un budget en excédent de 5 %, une économie en croissance assurant le plein emploi, cela va de soi. Il n'y avait qu'un ver dans ce fruit merveilleux : les banques.

À un millénaire de distance, les Vikings s'étaient relancés à l'assaut du monde avec autant de dynamisme et de succès que leurs ancêtres conquérants, mais ils avaient abandonné les drakkars pour les circuits financiers. Les actifs des banques étaient devenus dix fois supérieurs au PIB du pays ! La bulle explose en 2008 dans le maelström provoqué par le naufrage de Lehman Brothers. Brusquement stoppées dans leur fuite en avant, les trois grandes banques du pays sont insolvables. L'État est incapable de les sauver. En l'espace de quelques jours, les Islandais voient leur monde s'effondrer. L'État se retrouve en quasi-faillite. La monnaie nationale est dévaluée de 50 %, l'inflation frôle les 20 %, les taux d'intérêt sont à 15 %, le contrôle des changes est instauré. L'économie plonge dans la dépression, le chômage atteint 10 %, 30 000 Islandais (10 % de la population) quittent l'île, le niveau de vie s'effondre de 30 %, les particuliers croulent sous les impayés. L'Islande a besoin d'une aide internationale d'urgence, mais le peuple a en lui assez de force, de cohérence et de pragmatisme pour négocier avec la communauté internationale.

Dans un premier temps, le pays se trouve mis au ban de la communauté financière et la Grande-Bretagne veut même le classer parmi les États terroristes, car les Islandais refusent de rembourser les clients britanniques et néerlandais qui, après avoir empoché des gains énormes, entendaient se faire indemniser de leurs pertes. Impossible de partir de plus haut, impossible de tomber plus bas.

Faisons un saut de cinq ans. En 2013, l'Islande entame sa troisième année consécutive de croissance. Elle file à 2,5 % l'an, de quoi faire rêver une Europe en récession. Le chômage est redescendu à 6 %, le déficit est repassé sous la barre des 3 % du PIB, le pays a remboursé par anticipation les prêts du FMI et a retrouvé la confiance des marchés financiers. Une résurrection payée au prix fort et qui laisse des traces profondes. L'Islande s'est infligé une violente cure d'austérité. Les impôts ont été massivement augmentés, de nombreux Islandais doivent travailler plus dur en gagnant moins, et, surtout, sans avoir pu sortir de leur surendettement. Le peuple islandais a subi un choc d'une violence inouïe en comparaison duquel ce que les Français appellent austérité est à peine un petit régime minceur. La fable est à ce point exemplaire que le monde entier s'interroge : « Comment ont-ils fait ? »

Le secret de la réussite réside d'abord dans la société islandaise. Tous les Islandais voulaient que le pays s'en sorte, mais ils étaient loin d'avoir tous la même idée de la solution à suivre. On vit, spectacle incroyable, le peuple en colère envahir les rues de Reykjavík et faire tomber le gouvernement. À deux reprises, les Islandais refusèrent par référendum d'indemniser les clients étrangers. Ce qui n'empêcha pas le pays de faire appel au FMI et de négocier un prêt indispensable. En contrepartie, il fallut augmenter fortement les impôts et couper sans pitié dans les dépenses publiques, tout en maintenant la protection sociale. L'État renégocia les prêts des propriétaires surendettés pour éviter les expulsions comme celles des victimes américaines des *subprimes*. Surtout, les syndicats, le patronat, le secteur public et le secteur privé entamèrent de très longues et sérieuses négociations au terme desquelles fut signé, en juin 2009, le pacte de stabilité. Il s'agissait d'une véritable feuille de route sur fond de consensus national. Elle fixait les étapes du redressement, le gel des salaires, la politique budgétaire, la gestion du surendettement, la fin du contrôle des changes, etc. Le gouvernement n'avait plus qu'à l'appliquer, assuré que sa politique recueillerait l'assentiment de la nation. Entre-temps, les Islandais avaient fait le ménage, éliminant la caste politico-financière responsable du désastre et traduisant ses responsables en justice. Les seuls au monde à l'avoir fait.

Une superbe histoire, mais impossible à transposer : on ne fait pas un couper-coller entre une société de 300 000 habitants et un pays qui en comporte 65 millions. Il n'empêche qu'il y a toujours des enseignements à en tirer. En France, le qualificatif « mou » colle au substantif « consensus ». Seuls les gens sans opinion sont censés s'entendre. À l'évidence, les Islandais ont le consensus dur. Mais l'affrontement n'y opposait pas deux idéologies. D'un côté, les Islandais voulaient sauver leur pays ; de l'autre, une caste d'aigrefins politicards voulait leur faire payer ses malversations. Ils les ont chassés, mais ont consenti les plus grands efforts pour préserver leur mode de vie et faire redémarrer l'économie. Ils n'ont suivi aucune recette préfabriquée, aucune idéologie, ils n'ont pas imaginé une seconde qu'ils pourraient s'offrir une « relance » pour retrouver leur richesse perdue en dépensant plus, ils ont été réalistes et ont accepté tous ensemble d'inévitables et terribles sacrifices. Pragmatisme et consensus, c'est toujours la voie gagnante, avec, en prime, la possibilité d'une dévaluation monétaire que n'autorise pas l'euro.

La France assiégée

Les Islandais ont eu la chance d'être confrontés à un problème simple. La cause du mal était clairement identifiée, délimitée, les responsables aussi ; il fallait les éliminer puis reconstruire. La situation de la France, elle, est affreusement compliquée, et les Français ont bien du mal à s'y retrouver. Ils éprouvent beaucoup de compassion pour ces malheureux Portugais, mais ne s'imaginent pas une seconde partageant le même sort. Subir ainsi la loi de l'étranger, couper dans le vif, réduire traitements, pensions, allocations, remboursements, vous n'y pensez pas !

Pourtant, le jour venu, la France devra elle aussi négocier avec l'étranger. Son meilleur atout sera alors la cohésion nationale. Si elle inspire confiance, nous obtiendrons des conditions avantageuses ; si la société semble se défaire, les clauses de l'accord seront très dures. Anticipant cette situation, Jean-Luc Mélenchon expliquait lors d'une émission de télévision ce qu'était la nouvelle force de la France : « Nous sommes un grand pays, disait-il en substance, car nous avons 1 800 milliards d'euros de dettes, nous sommes donc en état de dicter nos conditions. » Il sous-entendait par là que nous détiendrions l'équivalent financier de la bombe atomique avec la menace d'un défaut qui jetterait à bas l'euro et ébranlerait le monde. Ce à quoi Jacques Attali répondit fort justement qu'une faillite équivaudrait pour la France à un suicide économique et que celui qui menace de se suicider n'est pas cru et prête à rire. Tout est dit. Notre force de négociation réduite à notre seule immolation ne vaut pas tripette. Les Français supporteront très mal de voir leur pays ne pas peser plus lourd que le Portugal entre les griffes des instances financières. Car nous pensons toujours être la grande nation rêvée par le général de Gaulle et sommes offensés par notre dégradation sur le plan international. Rien de tel pour s'offrir une crise de xénophobie paranoïaque.

Au reste, l'ordre international qui nous jugera est tout sauf parfait, et nombre de critiques lancées par ses opposants sont tout à fait fondées. Pourquoi nous accommoder d'une répartition de la richesse si favorable au capital et si restrictive pour le travail ? Pourquoi admettre que les banques privées réalisent d'énormes profits en empruntant à la BCE des milliards d'euros qu'elles prêtent ensuite à des taux beaucoup plus élevés ? Pourquoi avoir la même politique monétaire pour des pays excédentaires et des pays déficitaires ? Pourquoi pratiquer l'austérité tous ensemble entre partenaires commerciaux ? Pourquoi ne pas conduire à l'échelle de l'Europe une politique de relance qui compense les politiques restrictives à l'échelle nationale ?

Notre duo populiste, les Lepenenchon, peut s'en donner à cœur joie. Envoyer Angela Merkel se faire voir chez les Grecs, augmenter le Smic, les retraites et les allocations, puiser les milliards au guichet de la BCE, mettre en place des droits de douane, revenir au franc, interdire les licenciements et ainsi de suite : tout est possible dans le monde virtuel d'une contestation radicale.

Mais, à l'heure des comptes, le retour à la réalité tombe comme le couperet d'un verdict. Nous nous sommes endettés, il nous faut rembourser ; nous avons pris du retard, il nous faut le rattraper. Un euro est un euro. Voilà tout. Comment s'en indigner, comment le dénoncer ? Seul le populisme pourra s'en donner à cœur joie en dénonçant l'étranger qui se cache derrière cette prétendue réalité. La mondialisation, l'Europe, l'Allemagne, les immigrés : toute une conspiration qui vise à étouffer la France.

Nous n'en sommes pas là, mais suffisamment proches pour pressentir la confrontation qui nous attend. Ce sentiment alimente une poussée xénophobe, nationaliste, identitaire dans tous les pays surendettés, et, en France même, celle-ci transparaît dans les plus récents sondages d'opinion. Les Français, qui n'ont jamais été de grands mondialistes, le sont de moins en moins. Les deux tiers d'entre eux ressentent la mondialisation comme une menace. Selon un sondage IFOP d'avril 2012, ils sont 82 % à lui imputer la poussée du chômage, la baisse des salaires et une fragilisation de nos entreprises. Très logiquement, les trois quarts de nos compatriotes souhaitent un retour au protectionnisme, et il ne s'en trouve que 22 % pour voir dans la mondialisation « une bonne chose pour la France ». Entre les excès du libre-échangisme et les méfaits de la crise, les Français, comme bien d'autres peuples, dresseraient volontiers leurs barrières.

Quant à l'Europe, célébrée tout au long du XXe siècle, elle n'est plus qu'une regrettable nécessité. On y reste à contre-cœur, faute de pouvoir en sortir. Un sondage IFOP de septembre 2012 pour *Le Figaro* illustre ce revirement. Vingt ans plus tôt, 51 % des Français approuvaient le traité de Maastricht et la naissance de l'euro. En rejouant aujourd'hui le référendum, c'est 64 % d'entre eux qui voteraient contre. Suite logique d'une grande désillusion. Ils pensent que la monnaie unique a eu des conséquences négatives pour la compétitivité (61 %), pour le chômage (63 %) et pour les prix (89 %). Merci, l'euro ! En 2003 encore, la construction européenne était considérée comme une bonne chose par les deux tiers de nos compatriotes ; aujourd'hui, on ne compte plus que 38 % d'optimistes. Mais, en dépit de cette désillusion, les deux tiers des Français veulent rester dans l'Union européenne et conserver la monnaie unique. L'euro, ça traîne ; la sortie de l'euro, ça craint ! Marine Le Pen et son retour au franc n'ont pas encore gagné la partie.

La composante internationale sera décisive dans la crise annoncée. Que le monde moderne soit dangereux, qu'il nous lance des défis, nous impose des épreuves, c'est certain. Que nous soyons seuls responsables de l'état lamentable de notre pays, ce n'est pas moins assuré. Quand on a reçu la France en héritage, on ne peut invoquer ni excuses ni circonstances atténuantes. Il faut assumer les échecs pour assurer le redressement.

Chapitre 15

OUVERTURE vs FERMETURE

Peut-on disputer simultanément deux matchs, l'un de foot, l'autre de rugby, sur le même terrain ? Dans les stades, c'est plutôt rare ; mais, sur la scène de la Vᵉ République, c'est devenu banal. Le résultat est loin d'être probant. Les spectateurs et les acteurs ne savent plus à quel jeu se vouer. Entre l'affrontement droite/gauche et les batailles ouverture/fermeture, les Français ne s'y retrouvent plus.

Nous avons eu un avant-goût de ce double jeu lors du référendum de 2005 sur le projet de Constitution européenne. Le clivage droite/gauche a volé en éclats car il avait cessé d'être pertinent pour beaucoup de Français : les partis de gouvernement, PS, centristes, UMP, Verts, étaient tous d'accord sur ce texte. Au reste, le recours au corps électoral n'était qu'une très médiocre manœuvre politicienne de Jacques Chirac. Les chefs d'État en difficulté croient toujours faire un bon coup avec un référendum gagné d'avance.

Question consensuelle, profit électoral. En 2004, le traité constitutionnel européen en préparation, approuvé par tous les grands partis de gouvernement, recueille deux tiers d'opinions favorables dans les sondages. Seuls le Front national et le Parti communiste se prononcent contre. C'est l'occasion ou jamais, pour le président, de s'offrir un « oui » franc et massif. Il annonce le référendum le 14 juillet. Une consultation interne au Parti socialiste révèle que 58 % des militants y sont favorables. L'affaire est dans le sac. Mais, en cours de campagne, les Français font de leur bulletin de vote un message de mécontentement et, surtout, ils s'interrogent sur l'Europe, sur l'ouverture qu'elle implique, la perte de souveraineté. Ils changent de jeu. Pour les électeurs, la question n'est plus : « Votez-vous à droite, votez-vous à gauche ? », mais : « Voulez-vous que la France soit davantage intégrée dans l'Europe, davantage ouverte sur le monde, et que l'indépendance nationale soit réduite en conséquence ? » Or les Français ont peur et, sur l'axe ouverture/fermeture, c'est le second pôle qui les attire. Le 29 mai 2005, ils sont 55 % à voter contre. Et les opposants à cette ouverture se recrutent autant à droite qu'à gauche.

Le résultat paraît aberrant : comment la majorité dans un jeu peut-elle devenir minoritaire dans l'autre ? Telle est la confusion de l'opinion dans une consultation assez classique. Mais que se passerait-il si les Français devaient se prononcer non pas sur un projet de Constitution, mais sur les exigences bien réelles de la troïka dans une situation d'étranglement financier pour leur pays ?

La colère grecque

Tel est le marché que le peuple grec s'est vu imposer au printemps 2012 : accepter la très austère tutelle internationale ou laisser le pays faire défaut et se mettre en faillite. La Grèce, qui se trouvait au bord de la cessation de paiement, avait dû prendre toute une série d'engagements consignés dans un mémorandum, en contrepartie d'un prêt salvateur de 130 milliards d'euros sur cinq ans. Diminutions de dépenses, retrait de l'État, le texte est extraordinairement précis et contraignant. Les Grecs, dont la condition ne cesse de se dégrader depuis 2009, se voient infliger quatre années supplémentaires de pénitence[1]. Ils sont conscients de l'enjeu et, à 70 %, souhaitent rester dans l'euro.

S'engage alors la campagne pour les législatives qui, à travers le jeu très compliqué des partis, se transforme en un référendum : « Pour ou contre l'Europe et le FMI ? » Le mémorandum des Européens n'est guère attirant, les deux formations qui le soutiennent ne le sont pas davantage. Le parti conservateur, la Nouvelle Démocratie, et le Parti socialiste, le Pasok, qui ont gouverné le pays au cours des trente dernières années, sont tous deux responsables de son état lamentable. Pressions internationales et déconfiture intérieure, plus quelques scandales : c'est un terreau idéal pour le populisme. Il prospère avec un parti néonazi à droite, Aube dorée, et, surtout, un rassemblement de la gauche radicale, le Syriza, emmené par son jeune leader charismatique, Alexis Tsipras. Celui-ci part en guerre contre le mémorandum, autant dire contre l'ouverture. Il rejette absolument l'austérité et, pour son programme, n'y va pas avec le dos de la cuillère : doublement du Smic, hausse des pensions et des retraites, engagement de 100 000 fonctionnaires, nationalisations... De telles propositions, sitôt formulées, entraîneraient la rupture avec l'Europe, la sortie de l'euro et le défaut généralisé qui plongerait le pays dans un indescriptible chaos. Cette réalité est parfaitement connue des Grecs qui vivent au bord du gouffre depuis quatre ans. Elle est à ce point oppressante qu'elle devrait désarmer la démagogie. Effectivement, Tsipras n'aurait pas rempli les urnes en proposant à la Grèce d'affronter seule l'Europe et le reste du monde.

---

1. Alexia Kefalas, *Survivre à la crise : la méthode grecque, op. cit.*

Il va embobiner les électeurs avec un artifice bien connu des socialistes français : la renégociation. En 1997, Lionel Jospin s'était engagé à renégocier le pacte de stabilité ; en 2012, François Hollande devait renégocier le pacte budgétaire européen ; aujourd'hui, Jean-Luc Mélenchon, grand ami d'Alexis Tsipras, se fait fort de renégocier tous nos engagements avec l'Europe et l'Allemagne. Grâce à ce tour de passe-passe, la disparition des contraintes ne naîtrait pas d'un coup de force, lequel ne serait guère crédible, mais d'une rassurante négociation qui permettrait une sortie par la grande porte plutôt qu'une évasion cataclysmique. La ficelle est grosse comme de la corde à grimper, nul ne devrait s'y laisser prendre. Pourtant, elle a très bien fonctionné en Grèce puisque, au soir du 17 juin 2012, Syriza recueille 26,89 % des voix et n'est battu que par la Nouvelle Démocratie avec 29,66 % des suffrages. Le scrutin est resté indécis jusqu'au bout. Longtemps les sondages ont même donné l'extrême gauche en tête, et l'Europe a retenu son souffle.

La France fermée des Lepenenchon

La France n'en est pas encore là, mais on voit bien se mettre en place la double configuration de la vie politique. Le jeu droite/gauche perd ses marques à mesure que les politiques suivies se rapprochent. Dans l'enquête du CEVIPOF de décembre 2012, le pourcentage des contrebandiers qui n'attachent plus grande signification à cette frontière atteint 68 %. Selon le même sondage, ils n'étaient que 63 % en 2011. Chiffres d'autant plus parlants que nos institutions ne laissent aucune chance aux partis centristes et imposent la bipolarisation. Mais la référence n'est plus qu'électorale. Sur le plan politique, les Français confondent l'action des uns et des autres. Dès 2010, ils étaient 67 % à ne faire confiance ni à la droite ni à la gauche pour gouverner, et, six mois après avoir élu François Hollande, ils estimaient que Nicolas Sarkozy aurait fait aussi bien... ou aussi mal que lui. Car la classe politique, structurée selon cet axe, est au plus bas dans l'opinion. Les Français lui dénient la compétence et même l'honnêteté. À des pourcentages effarants.

Si encore les électeurs ne faisaient que des allers-retours de gauche à droite avec arrêt au centre. Non, c'est la frontière sacrée, celle de la diabolisation, qu'ils ignorent. Le 24 mars 2013, au deuxième tour d'une élection partielle dans l'Oise qui laissait face à face Jean-François Mancel, candidat UMP, et la candidate du FN, Florence Italiani, 40 % des électeurs socialistes ont reporté leurs suffrages sur cette dernière. À 800 voix près, ils envoyaient un troisième élu frontiste à l'Assemblée. Le même scénario se rejoue en juin à Villeneuve-sur-Lot pour la législative partielle qui suit la démission de Jérôme Cahuzac, où le candidat du Front national, Étienne Bousquet-Cassagne, passe de 8 552 à 15 647 voix entre le premier et le second tour. Sept mille électeurs qui se sont reportés sur le candidat frontiste et qui ne venaient pas de l'UMP.

Que des électeurs refusent absolument de soutenir le candidat du camp opposé, c'est une attitude classique. On connaissait aussi les passages d'un extrême à l'autre. Mais que des électeurs socialistes puissent mettre dans l'urne un bulletin du Front national, c'est un signe des temps nouveaux. La stratégie de diabolisation qui avait si bien fonctionné avec le FN de Jean-Marie Le Pen perd son efficacité avec le FN-bis, celui de Marine. Le père fondateur jouait dans le jeu politique traditionnel, à l'extrême droite, mais avec les repères attendus : la France aux vrais Français, celle des églises et pas celle des mosquées, celle des honnêtes gens et pas celle des délinquants. Des airs bien connus. En homme du passé, Le

Pen y ajoutait des relents d'antisémitisme, des remugles de Vichy qui le rendaient infréquentable. François Mitterrand avait ainsi imposé à la droite un handicap pour équilibrer le match dans une France désertée par les communistes. Un électeur du Parti socialiste ne pouvait pas plus passer au Front national qu'un wahhabite être fait chevalier du Tastevin.

Comme l'ont superbement démontré Hervé Le Bras et Emmanuel Todd[1], Marine Le Pen a fait muter le frontisme. Après avoir fait ses choux gras de la xénophobie antimaghrébine et des valeurs d'extrême droite, le FN prospère désormais sur le rejet de la mondialisation financière. L'ennemi, c'est la finance avant l'islam, c'est le grand système apatride qui inclut la France pour mieux exclure les Français. Le discours économique a basculé d'un libéralisme d'origine à une soupe anticapitaliste, antilibérale, antieuropéenne. Il vise moins à regrouper les traditionalistes horrifiés par le mariage gay que les pauvres, les laissés-pour-compte, les dominés de notre société ouverte et mondialisée. Marine Le Pen a délaissé le droite/gauche pour le fermeture/ouverture, et, avec cette nouvelle donne, les barrières n'ont plus la même signification.

De même Jean-Luc Mélenchon est-il tout autant dans la fermeture qu'à l'extrême gauche. Entre nos deux populismes, il existe une différence de forme et une autre de fond. Dans la forme, Marine Le Pen proclame haut et fort sa volonté de fermeture, tandis que le leader du Front de gauche annonce une politique qui y conduirait inévitablement. La différence n'est pas significative ; en revanche, elle l'est sur le fond et porte sur l'immigration. À l'extrême gauche, on ouvre les frontières et on régularise les sans-papiers ; à l'extrême droite,

---

1. Hervé Le Bras, Emmanuel Todd, *Le Mystère français*, Paris, Seuil, coll. « La République des idées », 2013.

on les ferme et on expulse. D'un côté, on assure une égalité totale, y compris pour le droit de vote, entre nationaux et étrangers ; de l'autre, on fait jouer la préférence nationale pour l'emploi et pour la protection sociale.

Cette différence doctrinale confère un avantage électoral certain au Front national sur le Front de gauche. En effet, la prévention à l'égard de l'étranger est un réflexe naturel dans les classes les plus pauvres. Les ouvriers ont toujours vu dans les nouveaux arrivants l'armée de réserve à laquelle le capital fait appel pour s'opposer à leurs revendications. Et ils ont bien raison. Dans les années 1970, le patronat de l'automobile a préféré chercher de la main-d'œuvre au Maghreb plutôt que revaloriser la condition ouvrière. À cette concurrence sur le marché de l'emploi s'ajoute désormais la concurrence sur le marché de la protection sociale. Le travailleur a peur que l'on fasse appel à des travailleurs immigrés ; les familles pauvres ont peur que des familles immigrées passent au guichet devant elles.

Le Parti communiste en était parfaitement conscient, dans les années 1980, quand il était encore le grand parti ouvrier. Le 24 décembre 1980, le maire communiste de Vitry-sur-Seine avait créé l'événement en bloquant avec des bulldozers la construction d'un foyer pour travailleurs maliens sur le territoire de sa commune. Il savait fort bien que ses électeurs ne supportaient plus la concentration d'immigrés dans la cité et fut soutenu par Georges Marchais. En revanche, l'électorat socialiste, moins populaire, s'indigna. Depuis lors, les chômeurs, les précaires ont ressenti de plus en plus fortement la peur de l'étranger et sont allés chercher la sécurité de la fermeture du côté du Front national. Quand Jean-Luc Mélenchon et le Front de gauche plaident pour la régularisation des sans-papiers, pour un accueil plus généreux des étrangers, ils poussent vers le FN des électeurs qui leur auraient été acquis sur le plan social.

Cette demande de fermeture, réaction classique et attendue à la crise que nous vivons, s'observe dans toute l'Europe et ne peut que s'accentuer. En 2003, le sondage Eurobaromètre montrait que 65 % des citoyens européens avaient une vision positive de la mondialisation et que 29 % en avaient une perception négative. En 2006, on était passé à 42 % de positif et 44 % de négatif. Depuis, la crise aidant, les partisans de la mondialisation n'ont fait que reculer, et ce recul n'a été nulle part plus marqué qu'en France. Au cours de la dernière campagne présidentielle, aucun des candidats n'a mis en avant les bienfaits du libre-échangisme, et, d'un côté comme de l'autre, ont été évoqués des contrôles plus stricts de nos frontières. L'Europe, censée apporter une bénéfique coopération internationale, semble imposer une maléfique contrainte extérieure. Le libre-échange, qui promettait de nous enrichir, menace de nous appauvrir, et la plupart des peuples deviennent peu ou prou protectionnistes.

Sur le plan politique, cette évolution suscite l'apparition de mouvements nationalistes partisans de la fermeture. On le voit dans l'Europe du Nord qui a évité le pire de la crise, comme dans l'Europe méditerranéenne en pleine tourmente. Et voilà que de nouvelles formations qui font de l'europhobie leur produit d'appel apparaissent dans des pays comme la Grande-Bretagne ou l'Allemagne qui semblaient à l'écart de ce nationalisme protectionniste. Sophie Meunier, qui travaille sur l'Union européenne à l'université de Princeton, constate que, chez nous, domine la vision d'une Europe « trop "molle", qui a exposé la France au lieu de la protéger. [...] Le débat français actuel offre deux réponses : soit se protéger à l'échelle européenne, soit se protéger de l'Europe. La crise de la zone euro, en particulier, a attisé l'hostilité contre les institutions européennes et ravivé les accusations de déficit démocratique.

Les plans d'aide et les programmes d'austérité sont perçus dans l'opinion publique comme imposés par les eurocrates de Bruxelles, et les gouvernements européens non plus démocratiquement élus, mais désignés par les marchés. [...] À la place, la nation doit reprendre le contrôle de ses frontières et de sa souveraineté. C'est ce que prônent notamment le Front national, mais aussi des intellectuels et économistes de tous bords, nombre d'entre eux venant de la mouvance altermondialiste, comme Jacques Nikonoff et Jacques Sapir[1] ».

Notre couple populiste fonctionne en duo lorsqu'il s'attaque aux marchés financiers, à l'Europe, à l'Allemagne, aux multinationales, ou vante les ressources d'une France protectrice qui tient ses habitants à distance d'un monde inquiétant, avec ses financiers milliardaires qui viennent faire la loi chez nous, pour l'un, et ses milliards de pauvres qui viennent profiter de notre Sécu, pour l'autre. Ces rêves portés par les Lepenenchon ne peuvent se jouer qu'à frontières fermées. L'un comme l'autre, chacun à sa façon, agite le fantasme du repli sur soi. Seule l'expérience permettrait de découvrir qui bluffe et qui est prêt à aller jusqu'au bout. Espérons que nous ne le saurons jamais.

La contagion populiste

Sur ces thèmes d'un nationalisme social ou d'un socialisme national, les extrêmes peuvent s'étendre, gagner de nouveaux électeurs, nouer des alliances. Nul doute qu'ils seront portés par l'opinion et ne seront arrêtés qu'au tout dernier moment, lorsque le mythe du repli sur soi devient le saut dans l'inconnu.

---

1. Sophie Meunier, « La France face à la mondialisation : se protéger ou se projeter ? », *Les Notes de l'Institut de l'entreprise*, septembre 2012.

Au-delà de leurs succès dans les urnes, ces deux pôles peuvent-ils passer des alliances, éventuellement majoritaires ? À droite, la vieille frontière de la diabolisation complique – mais pour combien de temps encore ? – tout accord national entre le Front national et l'UMP. Elle ne laisse place qu'à une multitude d'accords locaux. Marine Le Pen s'est coincée dans un cul-de-sac en préconisant le retour au franc. À quoi bon se dédiaboliser vis-à-vis de l'antisémitisme si l'on s'enferme dans le nationalisme monétaire ? Lorsque le débat se focalisera sur les engagements internationaux de la France, il sera difficile de nouer des alliances entre ceux qui veulent rester dans la zone euro et ceux qui veulent la quitter. Ne nous rassurons pas à trop bon compte. Parmi les scénarios de l'avenir figure en bonne place l'éclatement de cette zone. Avec un tel déclencheur, la crise semblerait conforter les thèses du FN et pousserait vers lui des alliés comme des électeurs. Autrement dit, l'euro freine un FN qui voudrait le quitter, mais, s'il explosait, il favoriserait le FN. L'un dans l'autre, l'extrême droite considérerait comme un échec de stagner autour de 20 %.

À gauche, il n'existe aucune frontière infranchissable entre les membres de la famille. À la pire époque du stalinisme, les socialistes mêlaient leurs voix à celles des communistes sans le moindre état d'âme. Un cartel du refus peut se constituer autour des valeurs de la gauche doctrinaire : rejet de l'austérité, relance par la consommation, retour au protectionnisme, écrasement des riches, suprématie du secteur public, augmentation du Smic et des petites retraites, taxation des entreprises, nationalisations, etc. Trotskistes, communistes, écologistes, altermondialistes et socialistes se retrouveraient dans un bloc protestataire pour rejeter le plan imposé par l'Europe, accepté par le président de la République, et revenir aux illusions de 1981. Certes, la gauche a porté le projet européen et la perspective d'une rupture radicale ferait reculer de nombreux sympathisants. Beaucoup voudront croire que Jean-Luc Mélenchon obtiendrait de nos partenaires européens un renoncement à toute austérité, une politique budgétaire expansionniste et, surtout, l'ouverture des vannes du crédit par la BCE. Nul doute que l'attractivité de l'extrême gauche sur le monde socialiste sera proportionnelle aux pressions internationales qui s'exerceront sur la France.

Pour un nombre toujours plus élevé d'électeurs, les discours de l'extrême droite et de l'extrême gauche finiront par se confondre, devenir interchangeables. Ce recoupement des électorats condamnera les leaders à redoubler d'agressivité l'un contre l'autre. Dans le couple infernal Mélenchon-Le Pen, la ressemblance ne réduit pas mais aggrave l'animosité. Au contraire, chacun doit ménager ses alliés ou ralliés potentiels. Marine Le Pen peut attaquer durement la direction de l'UMP, mais certainement pas ses élus, encore moins ses électeurs, et il en va de même avec Jean-Luc Mélenchon qui tire sur les dirigeants socialistes et caresse leurs militants. Résumons cela : l'offre politique est devenue à peu près illisible entre des partis populistes qui s'invectivent en disant la même chose et des partis de gouvernement qui s'invectivent en faisant la même chose. La raison ne pouvant démêler dans la réalité les accords et les désaccords, le choix démocratique risque de se faire dans l'aveuglement de la passion.

Le socialisme de fermeture

Cette poussée xénophobe remet directement en cause l'élite française. C'est elle, en effet, qui n'a eu de cesse, depuis un demi-siècle, qu'elle ne fasse sortir le pays de son isolement peureux et de l'ouvrir sur le monde. La construction européenne est inspirée de cet idéal, or elle a toujours été l'exception consensuelle dans le grand affrontement droite-gauche. Sans doute les deux camps n'ont-ils pas mesuré à quel point, sous couvert d'Europe, ils allaient engager la France dans le néolibéralisme, le culte de la concurrence, l'ouverture mondialiste, et susciter tant de réactions négatives à propos de l'immigration.

Si nous arrivions à la crise de financement arbitrée par l'étranger, le PS, l'UMP et le centre n'auraient d'autre choix que d'approuver le mémorandum qui nous serait imposé. Le corps électoral se retrouverait dans la configuration des référendums de Maastricht et de la Constitution européenne, enserré par les deux pôles contestataires. Cette restructuration ne serait plus occasionnelle mais structurelle. Ainsi se répartissent les Français en période paroxysmique. L'UMPS n'est plus seulement un sobriquet lepéniste, mais une réalité politique. Un ensemble conflictuel. Car la droite et la gauche, liées depuis un demi-siècle par un même engagement européen, ne peuvent assumer cette alliance objective alors même qu'elles doivent faire face aux assauts des antieuropéens. Plutôt que faire cause commune, elles se jettent leurs échecs et leurs insuffisances à la figure pour s'opposer au mutuel débauchage. Et, tandis qu'elles rebâtissent tous les jours la frontière vermoulue qui les sépare, elles font les yeux doux à leurs extrêmes pour faciliter les reports de voix. Effet dévastateur garanti.

Ce thème de l'ouverture sur l'extérieur est en passe de recomposer toute la classe politique française. Aujourd'hui, les socialistes sont coincés par la réalité comme la cavalerie des westerns piégée au fond d'un canyon. Leur latitude d'action est très faible car ils doivent endurer la baisse du niveau de vie et de la croissance, la hausse du chômage et de la dette. Sur les hauteurs, les protestataires, à l'abri de leur irresponsabilité, canardent à tout-va les « salopards » avec leurs « Yakas » dévastateurs. Et ces derniers se trouvent à court de munitions puisqu'ils ont dû rengainer leurs meilleurs arguments : âge de départ à la retraite, refus de la hausse de la TVA, taxation des hauts revenus, coût du travail, etc., en attendant le rebond espéré.

Le pouvoir, qui a perdu la supériorité morale qu'il s'était autoattribuée, n'a aucune perspective enthousiasmante à proposer. Peut-on mobiliser un peuple contre la banqueroute et pour le redressement des comptes ? L'Allemagne a supporté le traitement Schröder car elle était portée par un grand projet national : la réunification. Elle construisait une version moderne de l'Empire germanique. La France ne recèle rien d'aussi exaltant. Elle veut sauver son passé plus que construire son avenir. Le remplacement de l'austérité par la relance est certes une imposture, mais les temps de malheur sont aussi ceux des imposteurs.

Quelle est réellement la conviction des socialistes dans cette problématique ouverture/fermeture ? Les positions officielles ne nous apprennent pas grand-chose, car la question est toujours restée souterraine. C'est maintenant seulement qu'elle apparaît au grand jour. La gauche française est historiquement déchirée entre un courant anticapitaliste et un courant social-démocrate. Le premier donne priorité au politique, donc à la nation, cadre naturel du pouvoir politique. Le second se fonde sur l'économie, donc sur le marché qui ignore les frontières et s'étend à l'international. Longtemps les choses furent assez simples : le Parti communiste, parti de pure opposition, à l'extrême gauche, et la SFIO, parti de gouvernement, à gauche. Elles se compliquèrent au début des années 1980 lorsque les deux partis firent alliance et accédèrent au pouvoir. La gauche du Programme commun, qui n'avait toujours pas rompu avec le marxisme et voyait dans la social-démocratie un coupable compromis, entendait que le politique commande à l'économie, et avait prévu en conséquence une forte distribution de pouvoir d'achat pour célébrer son joyeux avènement. À charge pour l'économie de cautionner cette générosité au nom de la relance. L'injection de pouvoir d'achat est alors massive, le revenu réel augmente de près de 5 % en un an. La France joue seule en se pensant comme un pays fermé, alors qu'elle est déjà très ouverte sur le monde et liée à ses partenaires européens.

La leçon de 1983

Les résultats ne se font pas attendre : on dévalue tous les ans, le déficit budgétaire explose, le déficit extérieur double dans l'année, l'inflation s'emballe, les capitaux s'enfuient, les entreprises sont exsangues et le chômage s'envole. En 1983, tous les voyants sont au rouge. Le franc est attaqué, les réserves de change sont au plus bas : la contrainte extérieure devient intolérable.

La France a construit avec ses voisins européens le Système monétaire européen, le SME, qui lie ensemble les monnaies et impose une discipline commune pour maintenir des marges de fluctuation réduites. Si la France veut poursuivre dans la voie inaugurée en 1981, elle doit sortir du SME, laisser flotter un franc qui perdrait sans doute le quart de sa valeur, et se claquemurer derrière des barrières douanières. C'est la rupture avec l'Europe en gestation. Mais, à l'opposé, pour rester ouverte sur l'Europe, la France doit en accepter la discipline, c'est-à-dire négocier avec ses partenaires une dévaluation modérée, accompagnée d'un plan de rigueur visant à rétablir ses équilibres.

Le débat est passé dans l'Histoire. Les partisans de l'« autre politique » (déjà !), parmi lesquels nombre de ténors de la gauche,

Jean-Pierre Chevènement, Laurent Fabius, Gaston Defferre, Jean-Jacques Servan-Schreiber, Pierre Bérégovoy, etc., entendent dégager la France des contraintes internationales. Mais l'indépendance a un coût. Dans une perspective gaullienne, elle devrait se payer d'un implacable retour aux équilibres en réduisant la consommation et en renforçant les entreprises. La gauche idéologique, elle, entendait couper la France du reste du monde et poursuivre la politique sociale à crédit dans un seul pays. Il ne lui aurait pas fallu six mois pour la mettre sous la tutelle du FMI.

François Mitterrand refuse la fermeture et fait le choix de l'ouverture. Le franc est dévalué de seulement 2,5 %, mais l'Allemagne nous fait une fleur en réévaluant le mark de 5 %. Jacques Delors applique un draconien plan de rigueur (le mot avait été préféré à « austérité », de connotation barriste) : augmentation des impôts, des tarifs, contrôle des changes et même emprunt forcé sur les patrimoines ! Au total, 2 % du PIB est repris aux Français, plus que ce qui avait été distribué en 1981. L'objectif est moins de réduire le déficit budgétaire – la dette n'est encore que de 25 % du PIB – que de casser l'inflation et de maîtriser le déficit commercial. Il sera parfaitement atteint. L'inflation amorce sa décrue dès 1984 et le déficit commercial est divisé par trois entre 1982 et 1984. En outre, le redressement financier s'accompagne d'une politique industrielle vigoureuse et d'une reconstitution des profits pour les entreprises. C'est assurément la meilleure politique qu'ait suivie la France au cours des cinquante dernières années.

Le peuple de gauche subit un choc terrible. Il avait réellement cru à l'invention d'une nouvelle politique qui permettrait de faire tirer le progrès économique par le progrès social. On distribue d'abord et on produit après. Ça ne marche pas, il lui faut en prendre acte. Le coût politique n'est pas moindre. Aux élections européennes de 1984, le Parti socialiste ne recueille que 21 % des voix contre 43 % pour la liste de l'opposition conduite par Simone Veil. Lionel Jospin, premier secrétaire du Parti socialiste, explique qu'il s'agit d'une simple « parenthèse », un accident conjoncturel en quelque sorte. Jacques Attali, qui fut au cœur de ces événements, remet les choses au point : « La rigueur n'est pas une parenthèse, c'est une politique. » Effectivement, elle met l'action en conformité avec la réalité, et donne une base durable à la politique.

La gauche s'est offert une superbe leçon, car on n'apprend jamais que de ses erreurs. Or plutôt que faire leur aggiornamento, les socialistes confondent la parenthèse à oublier de 1981 avec la politique à préserver de 1983. Ils célèbrent les absurdités de 1981 et oublient les succès de 1983. Cela prouve que le communisme pèse encore sur eux comme un surmoi qui les domine intellectuellement, dont les valeurs leur servent de référence ; à l'opposé, le pragmatisme de gouvernement qu'ils pratiquent n'est qu'une médiocre concession à la réalité qu'il convient à leurs yeux d'oublier. Ainsi la gauche française réussit-elle ce miracle de garder le cul entre les deux chaises capitaliste et communiste, alors même qu'il n'en reste qu'une.

Or le monde capitaliste, devenu monopolistique dans les années 1990, part dans les dérives de l'ultralibéralisme, de la financiarisation, de la mondialisation, bref, devient aussi envahissant que destructeur. Dès lors que le capitalisme revient à ses excès du XIX⁰ siècle, bien des socialistes se raccrochent plus que jamais à leur génome anticapitaliste. Le marché mondial avec la finance internationale, la mondialisation, en somme l'extérieur, devient le monde malfaisant à combattre. Pourtant, la France y est totalement immergée, pour une bonne part du fait des socialistes, et, à moins de se refermer, doit jouer le même jeu que ses partenaires.

La fracture socialiste

Dans la gauche qui accède au pouvoir en 2012, les plus de 50 ans sont le plus souvent des sociaux-démocrates assumés, sinon affirmés. Ils disposent d'un fief électoral et ont travaillé dans le secteur économique. En revanche, on compte parmi les moins de 50 ans beaucoup de doctrinaires enfermés en politique depuis leur jeunesse, qui n'ont jamais occupé de fonction dans le monde de l'économie concurrentielle. Pour eux, la France ne doit pas se plier à la discipline d'une Europe mondialisée. Ne voulant pas prôner le repli sur soi, formule de l'extrême droite, ils rêvent d'une Europe à leur convenance, socialo-francisée en quelque sorte. Ils ne rejettent pas le monde, ils veulent le changer, tout simplement. Sans voir que, dans la pratique, cela conduit inévitablement à la soumission ou à la fermeture.

À trente ans de distance, cette gauche ressent le tournant de 1983 comme un reniement et non pas comme un redressement. Contrainte et forcée par François Hollande à suivre une démarche européanisante, elle entend en faire une « parenthèse » à refermer, si possible, avant même de l'avoir commencée.

Dieu sait pourtant que François Hollande est arrivé au pouvoir avec une belle majorité ! Communes, départements, Régions, Assemblée, Élysée, les socialistes ont tout conquis. Même le Sénat ! C'est la Grande Armée et le grand malentendu. Car si tout le monde trouve les mêmes marques sur la ligne droite/gauche, les positions sont très différentes sur la configuration ouverture/fermeture. Les alliés du Parti socialiste, communistes, Front de gauche ou Verts, prennent d'emblée leurs distances. Pour eux, la gauche n'est qu'une alliance électorale, pompeusement baptisée « discipline républicaine », qui mêle ses voix au second tour et s'invective le reste du temps. L'impopularité aidant, les Verts finiront par abandonner le pouvoir qu'ils aiment tant. Le Parti socialiste se retrouvera bien seul pour assumer le plus dur du redressement.

Pour ce qui est du parti lui-même, sa majorité absolue fragilise son unité. La gauche du parti, contrainte et forcée, a voté la réduction du déficit, la règle d'or, les coupes dans la dépense publique, le pacte de compétitivité, en attendant la réforme des retraites. À l'Assemblée, lors du scrutin sur l'accord de sécurisation de l'emploi, six députés socialistes ont voté contre et trente-cinq se sont abstenus. La jeune garde socialiste, qui est en réalité beaucoup plus proche de Jean-Luc Mélenchon que de François Hollande, en tient toujours pour la suprématie du politique et pour le mépris de l'économique. Au printemps 2013, alors que la France pratique un déficit, donc une relance, de 80 milliards par an, elle en appelle toujours à celle-ci selon le postulat suivant : « Une relance qui ne marche pas est une relance insuffisante ! »

Son attachement au parti tiendra aussi longtemps que l'investiture socialiste sera indispensable à une réélection. Mais si l'on arrive à un niveau de colère et d'exaspération populaire qui, de l'étiquette « socialiste », fasse un handicap, alors tous les prétextes seront bons pour quitter le vieux parti et rejoindre une mouvance plus conforme à ses opinions. C'est un scénario bien connu. Il ne ferait qu'ajouter un chapitre à l'histoire parallèle de ce quatuor : François Hollande et Jean-Luc Mélenchon, Gerhard Schröder et Oskar Lafontaine.

Prenons le train pour Berlin, en 1998, quand les socialistes gagnent les élections et chassent Helmut Kohl. À la tête du SPD se trouvent deux personnages emblématiques : Schröder et Lafontaine. Le premier devient chancelier, le second ministre des Finances. Ils incarnent deux visions du socialisme radicalement différentes qui peuvent cohabiter dans l'opposition, plus difficilement au pouvoir. Le ministre, fortement ancré à gauche, entend pratiquer une vigoureuse relance keynésienne assortie d'avancées sociales ; le chancelier veut, au contraire, accentuer la politique d'austérité amorcée par son prédécesseur et, surtout, gouverner avec et non pas contre le marché. Le divorce est inévitable. Après six mois de mésentente, Lafontaine quitte le gouvernement. Lorsque Schröder, après sa réélection en 2002, lance, avec les lois Hartz, une série de réformes franchement libérales, Oskar Lafontaine devient son plus virulent opposant. En 2007, il crée Die Linke, le parti de gauche qui s'oppose au SPD. La rupture est consommée entre une gauche qui veut s'adapter aux changements du monde et une autre qui prétend s'y opposer. Elle ouvre la voie à Angela Merkel.

Et, tout naturellement, en décembre 2008, à Saint-Ouen, le leader allemand, francophone, est aux côtés de son ami Jean-Luc Mélenchon comme invité d'honneur pour la création du Front de gauche. Depuis lors, ils n'ont cessé de resserrer leurs liens jusqu'à cet appel lancé en commun au mois de novembre 2012 : « Nous avons décidé d'unir notre action personnelle pour construire, avec les progressistes qui le veulent, sur les cinq continents, un cadre commun de rencontres et de propositions, un Forum mondial de la révolution citoyenne. » Tous ensemble dans le combat contre l'austérité et pour la fermeture, combat qui suscite beaucoup moins d'échos en Allemagne, championne des exportations, qu'en France, mère de tous les déficits.

Au fil des mois, le refus de la contrainte extérieure est devenu, au sein du Parti socialiste, la meilleure expression de l'opposition interne. Ce n'est pas au président qu'on s'en prend, c'est à Bruxelles et, plus encore, à Berlin. Penser que la Commission européenne ne se contente plus d'enregistrer nos promesses, mais vient désormais vérifier nos budgets et nos réformes, met en fureur la jeune garde socialiste qui fait entendre dans la presse un véritable concert de vociférations.

Bruxelles irrite, mais le véritable ennemi de l'extérieur se trouve à Berlin. Ce sentiment aussi médiocre que compréhensible s'épanouit dans l'odieux lorsqu'il s'en prend personnellement à la chancelière. Inouï, le déferlement de haine que peut susciter Angela Merkel dans tous ces pays à la dérive. Avec, en permanence, la référence à l'Allemagne nazie. Ce ne sont pas seulement les images d'une chancelière avec le casque à pointe, la moustache hitlérienne ou la croix gammée que l'on voit dans les manifestations. « Angela Merkel, comme Hitler, a déclaré la guerre au reste du continent, cette fois pour s'assurer un espace vital économique. » Ces lignes, signées d'un professeur d'économie de l'université de Séville, Juan Torres Lopez, proche d'ATTAC, ont été reprises sur le site d'*El País*, le quotidien de référence espagnol. Le magazine *Time* a publié le portrait de la chancelière avec en titre : « Pourquoi tout le monde aime détester Angela Merkel ».

La France n'en dit pas autant, mais n'en pense pas moins. Arnaud Montebourg, avant d'être ministre, trouvait à la chancelière de faux airs de Bismarck, et l'inévitable Mélenchon fait d'elle « une paysanne d'un coin de l'Allemagne ». On se retient sur le mode public pour mieux se lâcher sur le registre privé. Dans les conversations, notre classe dirigeante s'offre un véritable concours de dénigrement, une surenchère dans la vindicte et le mépris. Le fait que la cote de popularité de la chancelière se maintienne à 70 % n'impressionne pas. Chacun feint de croire qu'en l'absence de cette maléfique Angela, les marchés financiers et la BCE nous approvisionneraient en milliards sans rien nous demander en échange.

L'Allemagne va évidemment tenir un rôle essentiel dans le grand jeu du « Je te soutiens, moi non plus » qu'entretiennent les socialistes avec le président. Lors du Conseil national du parti qui s'est réuni au Palais des congrès à Paris le samedi 13 avril 2013, Jean-Marc Ayrault a ouvert la séance en justifiant la politique de rigueur budgétaire et le respect (si l'on peut dire) des engagements européens. Il n'a pas plus tôt terminé que la scène est envahie par une cinquantaine d'ouvriers de PSA-Aulnay. Le Premier ministre a tout juste le temps d'être exfiltré pour ne pas entendre le leader cégétiste lancer à la salle que ses collègues et lui « [se sont] sentis trahis ». Ovation des militants et même de certains députés. La salle n'est pas chaude pour applaudir la rigueur. Les dirigeants socialistes tirent sur les majorités conservatrices en Europe et, en premier lieu, sur cette vilaine sorcière d'Angela Merkel. Habillée d'oripeaux germaniques, la politique présidentielle, qui, rappelons-le, n'est qu'une très pâle imitation de l'austérité ou même de la rigueur, est donc clouée au pilori par le parti majoritaire. Quant à l'aile gauche socialiste, elle se taille un franc succès en prônant l'« autre politique » : relance par la consommation, renvoi des 3 % de déficit à la Saint-Glinglin, report de la réforme des retraites, augmentation du Smic, etc. « *The Eighties are back !* » On gomme tout et on reprend l'histoire trente ans plus tôt.

Quelques jours plus tard, c'est le troisième personnage de l'État, Claude Bartolone, président de l'Assemblée nationale, qui passe à l'offensive en préconisant une « confrontation » avec l'Allemagne. Peu après, c'est le Parti socialiste qui, dans un texte de travail, dénonce l'« intransigeance égoïste » de la chancelière. Au gouvernement et au parti, tout le monde s'agite et vocifère, s'invective ou tente de calmer le jeu. La gauche a superbement choisi son moment pour lancer ces attaques : à Bruxelles, la Commission étudie le sursis de deux ans qui pourrait être accordé à la France. La bonne moitié de l'Allemagne, qui s'y oppose absolument, finira par s'y résoudre. La gauche française veut croire qu'elle a fait reculer l'adversaire germanique. Elle l'a simplement rendu un peu plus méfiant pour la suite.

Chapitre 16

UNE FRANCE QUI S'EN SORT

Que les Français surpassent en pessimisme tous les autres peuples, y compris ceux qui souffrent le plus de la crise, comme les Italiens ou les Espagnols, c'est un fait bien établi. La France vit en état de dépression nerveuse chronique entrecoupée par des crises de nerfs, voire d'hystérie. L'ambiance était délétère avant l'affaire Cahuzac, elle est devenue irrespirable avec les jeux nauséabonds du « Qui savait quoi ? » et du « Qui possède quoi ? ». Dans ce tableau sinistre, subsistent trois points forts et une incertitude.

Ça va péter

Tout d'abord, la méfiance est beaucoup plus forte à grande qu'à petite échelle. La confiance reste vivace au niveau de la famille, de la commune, de la petite entreprise, de l'école, mais elle disparaît si l'on parle de la société en général et de ses institutions, des valeurs de la République, de la classe dirigeante ou de la politique. En bas, ça va ; en haut, c'est n'importe quoi ! Pourtant, l'optimisme nataliste défie la morosité. Contre toute attente, la reprise de la fécondité entamée dans les années 1990 s'est maintenue en dépit de la crise.

Comment peut-on combiner ce noir pessimisme avec le désir d'enfant, acte de confiance dans l'avenir s'il en est ? Les démographes se perdent en conjectures. Enfin la France jouit d'une solidité administrative à toute épreuve. La classe politique a perdu son autorité, mais l'appareil étatique a conservé la sienne. Les services publics marchent, les fonctionnaires sont compétents, intègres et dévoués, l'économie souterraine reste marginale. Cette continuité de l'État compense depuis deux siècles notre maladive instabilité constitutionnelle. Si demain « ça pète », on sait déjà que les préfets, les agents du fisc, les gendarmes et les cantonniers seront fidèles au poste. En grève, peut-être, mais loyaux. Il semble même que nos surprenants taux d'intérêt à 2 % distinguent moins notre solvabilité financière que notre crédibilité administrative. Le fisc français passe pour l'un des plus efficaces au monde et les investisseurs asiatiques ou moyen-orientaux pensent que la France ne peut être en réelle difficulté financière dès lors qu'elle dispose d'un outil aussi efficace pour aller prendre dans les poches des Français l'argent qui pourrait manquer à l'État.

Cette France dépressive et charpentée risque-t-elle d'exploser ? Les observateurs retiennent leur souffle. Consultant et spécialiste des relations sociales, Hubert Landier s'interroge sur l'état d'apesanteur dans lequel se trouve l'opinion au printemps 2013 : « Les Français, me dit-il, semblent faire le deuil de la période heureuse qu'ils ont connue, sans la reconnaître, d'ailleurs. Ils savent que le "plus mal" sinon le "pire" est devant eux. Ils se rassurent comme ils peuvent. Par la dénégation, par le repli sur soi. Seuls ceux qui ont "tout à perdre", ceux notamment des secteurs protégés, ou ceux qui n'ont "rien à perdre", les salariés qui voient leur usine fermer, se manifestent. Je dirais que les autres Français sont dans un état d'hébétude. Un état toujours transitoire. » Raymond Soubie et Pierre

Ferracci, tous deux excellents connaisseurs et praticiens de notre vie sociale, se sont interrogés sur ce calme apparent qui ne présage rien de bon. Pour le premier : « La société souffre mais elle tient. Jusqu'à quand ? [...] Ce qui me frappe, c'est à la fois le caractère anxiogène de la montée du chômage [...] et l'absence de traduction de cette situation en termes de conflits sociaux et de manifestations dans la rue. » Le second parle d'une forme de « fatalisme » : « Ce fatalisme perturbe les syndicats, car il souligne leurs difficultés à proposer des alternatives. » « Vous dites "fatalisme" ? reprend Raymond Soubie. Je parle plutôt de "résignation". Mais d'une résignation qui s'accompagne d'un rejet de tout ce qui est perçu comme institutionnel. » Et de conclure que ce genre de situation peut conduire « soit au repli sur soi, à l'abstention généralisée, soit à une révolte spontanée ou à une explosion populiste[1] ».

Les Français sont à ce point excédés qu'à la moindre étincelle leur désespérance et leur mécontentement pourraient se transformer en colère et en rage. Mais ce passage du malheur à la révolte est-il vérifié ? En deux mille ans d'histoire, les raisons de se révolter ne furent jamais aussi faibles qu'en mai 1968. Tous les voyants étaient au vert, le pouvoir d'achat était au plus haut, le chômage au plus bas et la pilule était en vente dans les pharmacies. Les Français n'avaient vraiment aucune raison de « tout foutre en l'air ». C'est pour cela sans doute qu'ils se sont offert ce grand carnaval révolutionnaire. Ils étaient disponibles.

Par la suite, ils ont connu une épouvantable épidémie de chômage sans jamais descendre dans la rue. Les grandes grèves de novembre 1995 furent déclenchées par les cheminots qui

---

1. « En France, la résignation avant la révolte sociale ? », débat entre Pierre Ferracci et Raymond Soubie, *Les Échos*, 5 mars 2013.

défendaient leur retraite à 50 ans, et non par les 3 millions de chômeurs. Tous les mouvements sociaux ont été conduits par des travailleurs statutaires ou par des étudiants, jamais par ceux qui endurent les pires conditions de vie ou de travail. Les Français ressentent aujourd'hui l'envie de se révolter : ils le disent dans les sondages. Qu'ils en soient retenus par les difficultés de leur vie quotidienne, la peur du chômage, les craintes pour l'avenir de leurs enfants ou les crédits impayés, c'est une hypothèse à retenir ; que cette colère rentrée soit lourde de dangers, c'en est une autre, non moins vraisemblable. Les explosions retardées sont en général les plus violentes, et la société française est de nature explosive. L'Histoire l'a amplement prouvé.

Les travailleurs en lutte

Les Français ne seront pas les acteurs passifs des grands marchandages internationaux qui vont se faire sur leur dos, et n'accepteront pas sans réagir les mesures d'austérité, les vraies, qui leur seront infligées en contrepartie de l'aide internationale. Aussi longtemps que les populations inorganisées, les retraités, les jeunes, les chômeurs, les salariés, seront les seules concernées, la colère envahira les rues en imposants cortèges, et le gouvernement laissera passer l'orage en priant le Ciel d'éviter une nouvelle affaire Malik Oussekine[1]. Tout se compliquera lorsque les milices revendicatives – secteur public, agriculteurs, routiers, ambulanciers et chauffeurs de

---

1. Malik Oussekine était un étudiant franco-algérien qui fut frappé à mort par des policiers lors de la manifestation du 6 décembre 1986 contre le projet de réforme universitaire porté par Alain Devaquet. Cette bavure policière engendra une polémique nationale.

taxis – entreront dans la danse. Sans compter les imprévisibles et incontrôlables mouvements d'une jeunesse plus ou moins lycéenne et étudiante. On retrouvera alors les rituels de notre conflictualité sociale. En un premier temps, le pouvoir dit qu'il est tenu par la réalité et qu'il ne cédera pas. Les manifestants comprennent qu'il leur faut durcir leur action. Et le gouvernement finit par battre en retraite pour accepter le lendemain ce qui n'était pas négociable la veille. La tradition s'est donc instaurée de toujours anticiper le recul du pouvoir. Toute l'affaire doit se conclure sur ces deux pas en arrière. Et, lorsque le gouvernement feint de ne pas céder, c'est qu'il a payé en sous-main pour ne pas perdre la face.

Les Français lanceront ces vagues revendicatives sans savoir que les règles du jeu ont changé. Ils trouveront en face d'eux un gouvernement qui, le dos au mur, ne pourra plus reculer. Car les marchés financiers, qui détiennent l'argent et sont les maîtres du jeu derrière les autorités européennes ou le FMI, réagissent à l'opposé des gouvernements. Ils voient dans la résistance populaire une raison de durcir leurs positions et de faire grimper les taux d'intérêt. C'en est fini de l'épreuve de force qui se gagne grâce à « la combativité des travailleurs en lutte ». Entre la rue qui attend une réponse et un pouvoir devenu muet, le bras de fer risque de dégénérer. Le poids des corporations, la tradition révolutionnaire, l'idéologie de la confrontation, les réactions populaires, tout concourt à rendre les affrontements plus durs chez nous que dans les autres pays méditerranéens. Ils pourraient entraîner une paralysie générale sur le modèle de 1968. La folie en moins, la colère en plus.

La société réagira à sa façon, par des explosions, des grèves, des manifestations, et que pourra faire la classe politique ? À supposer que le pays plonge dans un chaos incontrôlé, on ne voit pas François Hollande venir à la télévision brandir l'article 16 de la Constitution : « Lorsque les institutions de la République, l'indépendance de la Nation, l'intégrité de son territoire ou l'exécution de ses engagements internationaux sont menacées d'une manière grave et immédiate et que le fonctionnement régulier des pouvoirs publics constitutionnels est interrompu, le président de la République prend les mesures exigées par ces circonstances. »

Cette disposition est une arme de dissuasion, pas d'emploi. Même le général de Gaulle n'en a pas fait usage en mai 1968, et François Hollande n'est pas homme à recourir aux pleins pouvoirs. Pourtant, il se trouvera pris en tenaille, ne pouvant céder d'un côté sans aggraver la pression de l'autre. S'il tente de calmer les marchés en renforçant l'austérité, il fait monter d'un cran la colère des Français ; s'il renonce à certaines mesures impopulaires, il fait exploser nos taux d'intérêt. Il ne pourrait compter que sur son autorité personnelle. Mais que pèse celle d'un chef de l'État qui ne recueille que 30 % d'opinions favorables et d'une classe politique dont les Français se méfient à 70 % ? Les institutions seront donc paralysées par l'éclatement de l'opinion entre deux blocs du refus antagoniques et deux blocs du compromis non moins opposés. Impossible de faire face à une situation paroxystique avec des mécanismes constitutionnels déréglés. C'est la crise de régime. Cela arrive périodiquement en France. La dernière fois, c'était en 1958. Un retour en arrière peut être riche d'enseignements.

Quand la France faisait la quête

Une France qui se fait dicter sa politique par l'étranger, n'est-ce pas intolérable ? Sans doute. Est-ce déjà arrivé ? Certainement. Voici deux textes, restés confidentiels en leur temps :

« Le gouvernement américain est très disposé à aider la France, mais à condition que cette aide représente le couronnement d'une politique de redressement et pas le moyen d'échapper à celle-ci. [...] Les Américains mettent en cause le niveau excessif de la demande intérieure alimentée par la consommation tant publique que privée. Dans leur esprit, la France doit tendre à réduire son déficit budgétaire, ou bien elle n'a rien à attendre d'eux. » Et voici une note interne du sous-directeur de la Banque de France discutant avec nos partenaires européens : « La puissance économique et monétaire de l'Allemagne s'accroît de jour en jour. La France est l'homme malade de l'Europe, elle gêne et inquiète ses partenaires alors qu'elle prétend avoir jeté avec eux les bases d'une association durable. Nous savons que nous allons tout droit à la faillite. »

Nous sommes en 1957 ; le premier extrait est de Hervé Halphand, ambassadeur de France à Washington ; le second, du sous-gouverneur de la Banque de France, Jean Saltes, relatant des discussions au sein de l'Union européenne des paiements. La situation financière de la France est alors catastrophique. Comme tout pouvoir faible, la IVe République n'a cessé de naviguer entre déficit et inflation. Pour les finances intérieures, elle a toujours fait tourner la planche à billets, entretenant l'inflation et faisant perdre sa valeur à notre monnaie. Solution commode qui ne marche pas pour l'extérieur. Les importations se paient en devises ou en or et, depuis 1945, notre balance commerciale est constamment déficitaire. Ce déséquilibre s'est aggravé avec la guerre d'Algérie, car Guy Mollet a voulu combiner mesures sociales et dépenses militaires. Les finances n'ont pas suivi. En 1956, nos exportations ne couvrent plus que les trois quarts de nos importations. Les réserves de la Banque de France seront bientôt à sec. Le pays est menacé de faillite. Il doit quémander auprès du FMI, autant dire des États-Unis, et de l'Union européenne des paiements, autant dire de l'Allemagne. En cette année 1957, la France appelle au secours toutes les puissances financières. L'historien Olivier Feiertag[1] a minutieusement reconstitué cette négociation. Une lecture édifiante quand la France s'indigne de voir l'Europe cadrer et vérifier nos budgets.

La crise des changes a commencé dès 1956. Sitôt les premiers contacts internationaux, nos partenaires nous claquent la porte au nez. « Mettez-vous au régime, on verra après ! » Sous la menace, le ministre des Finances, Félix Gaillard, lance donc à l'été 1957 un grand plan d'austérité pour rassurer nos prêteurs : compression des dépenses publiques, alourdissement des impôts, restriction du crédit, vérité des prix, enfin augmentation des droits de douane, l'équivalent d'une dévaluation de 20 %. La France, devenue bon élève, va-t-elle obtenir les crédits dont elle a besoin ? Certainement pas. Six mois d'âpres négociations commencent.

La France voudrait un prêt d'un milliard de dollars, mais les Américains exigent en contrepartie un plan de rigueur renforcé. Elle s'adresse à ses partenaires européens et s'entend dire par le représentant de l'Allemagne qu'elle doit « restreindre le volume de la demande intérieure globale », et par son homologue britannique, qu'il lui faut « resserrer le crédit et augmenter la fiscalité ».

Tout ce qu'elle croyait avoir déjà fait. Pour donner une idée de l'ambiance, notre représentant résume ainsi ce qu'il entend : « La France consomme trop de charbon, trop de pétrole, trop

---

1. Olivier Feiertag, « La Banque de France et son gouverneur face à la sanction des finances extérieures sous la IVe République », *Matériaux pour l'histoire de notre temps*, année 1995, volume 37, numéros 37-38, p. 15-22. Extrait de sa thèse consacrée à Wilfrid Baumgartner.

d'acier, trop d'aluminium, trop de laine, trop de coton, trop de papier. La population française consomme trop de viande et de denrées alimentaires de toutes natures. » Le représentant des États-Unis n'est pas plus aimable : « Est-il normal, demande-t-il, que la consommation en France ait augmenté dans les années récentes au rythme annuel de 6 % alors que, dans le même temps, les syndicats hollandais acceptaient une réduction volontaire du niveau général des salaires ? »

Les Américains ne sont nullement gênés de mettre en question la politique de la France. Nous sommes engagés dans la guerre d'Algérie qui, à leurs yeux, n'est qu'une détestable guerre coloniale. En aidant la France, ne vont-ils pas la financer ? Ils refusent donc tout prêt bilatéral et entendent passer inaperçus dans un arrangement commun avec d'autres prêteurs. De leur côté, les Allemands exigent que des experts internationaux indiscutables viennent examiner nos comptes. Force est d'accepter. Le directeur général du FMI, Per Jacobsson, arrive donc à Paris, s'installe au ministère des Finances et commence ses investigations. Il ne regarde pas seulement le budget, mais également les comptes de la Sécurité sociale, des entreprises publiques, surveille l'évolution de la masse monétaire, passe au peigne fin le bilan de la Banque de France. Dans son rapport, base des négociations finales, il ne demande rien de moins qu'une réforme constitutionnelle afin d'accroître les pouvoirs du gouvernement sur les instances parlementaires, présumées plus dépensières !

En définitive, il faudra que Jean Monnet, le Français le plus connu et apprécié dans les hautes sphères américaines, prenne la tête de la délégation qui se rend à Washington, et recommence le supplice des admonestations : la France se fait tancer sur sa politique en Afrique, sur son instabilité gouvernementale, elle doit promettre de réduire encore son déficit de

600 milliards de francs, expliquer comment elle compte financer ses opérations militaires en Algérie, etc. Tout cela pour arracher, le 30 janvier 1958, un prêt de 655 millions de dollars accompagné d'un report d'échéances, le tout noyé dans d'autres avances du FMI, de l'UEP, de l'Eximbank ou de la Banque centrale allemande. Qu'il ne soit surtout pas dit que les États-Unis financent la guerre d'Algérie !

La situation dans laquelle se trouve la France aujourd'hui n'est pas sans précédent. Si nous connaissions mieux notre histoire, nous ne serions pas autrement surpris de ce qui nous arrive.

De Gaulle, le recours

La IVe République avait aussi des problèmes financiers, mais elle avait d'abord un problème algérien. Tant bien que mal, elle pouvait vivre avec les premiers, pas avec le second. En 1958, elle s'en est remise à l'armée et a fait la guerre, faute de pouvoir faire la paix, étant incapable de définir une politique algérienne. En novembre 1957, après trente-six jours de crise ministérielle, Félix Gaillard réunit tous les partis dans son gouvernement, ce qui lui assure l'investiture et le condamne à l'inaction. Le 15 avril 1958, il tombe à son tour. « La République est à la dérive, constate Michel Winock. Le pouvoir est vacant et le restera jusqu'au 13 mai. L'alternative politique est de plus en plus clairement entre la guerre à outrance et l'acceptation de négociations qui risquent d'amener l'Algérie à l'indépendance. Ni l'une ni l'autre ne paraît possible ; nulle majorité parlementaire n'existe pour l'une ou l'autre solution. L'impasse est totale. Cette crise profonde du régime politique, pris dans l'étreinte d'une contradiction insurmontable, encourage un autre acteur à sortir de sa réserve : l'armée[1]. »

Pendant un mois, le rituel républicain tourne à vide. Les uns après les autres, les pressentis, René Billières, Maurice Faure, Jean Berthoin, se récusent ; les prétendants, Georges Bidault, René Pleven, Michel Debré, viennent faire leur tour de piste et renoncent. C'est finalement Pierre Pflimlin qui est retenu. Pourquoi pas ? Ces noms, à eux seuls, illustrent l'inanité des solutions parlementaires. Pierre Pflimlin réussit tant bien que mal à constituer un gouvernement. Trop tard. Il entre en fonctions le 13 mai tandis qu'Alger explose et que, surtout, l'armée fait entendre sa voix. La IVᵉ République a implosé. Aucune combinaison de partis ne peut reprendre la situation en main ni résoudre la question algérienne. Il n'est de solution qu'en dehors de l'épure, en changeant le cadre du problème. Au reste, tout au long de la crise, les antigaullistes se seront révélés incapables de proposer une alternative crédible au pays.

Réduire l'avènement de la Vᵉ République à la personne du général de Gaulle, voire aux agissements plus ou moins séditieux des gaullistes, n'explique rien. Car les Français connaissent le personnage et, d'une certaine façon, l'ont même rejeté. Certes, ils vénèrent le héros du 18 juin 1940 et lui réservent une place glorieuse dans l'Histoire, mais, pour ce qui est de l'homme politique, ils ne l'ont jamais suivi. Son rassemblement, le RPF, a échoué. Les électeurs ont épousé le « régime des partis » et ne ressentent pas la nécessité de la voie atypique qu'il propose. Au début de 1958, c'est un homme du passé, absent du jeu politique. Un an plus tard, sa popularité atteint les 67 % !

---

1. Michel Winock, *L'Agonie de la IVᵉ République : le 13 mai 1958*, Paris, Gallimard, 2006.

Le pire est arrivé, l'opinion a réagi. Face à l'impuissance des institutions, elle s'est déportée du niveau politique et partisan vers le niveau national et civique que, dans ce contexte, le général de Gaulle semble incarner. Pour de nombreux Français, cette adhésion est de circonstance, ce qu'on a bien vu lors des référendums sur l'Algérie, et ne remplace pas les affinités partisanes. À la formule : « Tout le monde est, a été ou sera gaulliste », il faut ajouter : « Tout en restant radical, socialiste, de droite ou communiste. »

Les péripéties qui conduiront à son investiture puis à la fondation de la Ve République sont bien connues. Quelles leçons faut-il en tirer ? Le 1er juin 1958, lors du débat d'investiture, Pierre Mendès France reconnaît à la tribune : « Ce régime disparaît parce qu'il n'a pas su résoudre les problèmes auxquels il était confronté. » Tout est dit. Parmi les 321 parlementaires qui votent l'investiture, la plupart ne sont en rien gaullistes et ne se laissent pas intimider par les militaires. Ils cèdent à la nécessité : de Gaulle est le passage obligé pour sortir la France de l'affaire algérienne. Il s'agit donc d'une solution de circonstance qui bouscule le jeu parlementaire et se justifie par l'urgence. Sans doute parlerait-on d'un gouvernement de salut public, car c'est bien de cela qu'il s'agit, si l'expression n'avait été usurpée par les factieux d'Alger.

Voilà comment peut se nouer et se dénouer une crise de régime. Elle se manifeste par une paralysie des institutions, qui ont épuisé le jeu des possibles et ne peuvent plus appréhender la réalité. Elle se résout en adoptant un nouveau mode de fonctionnement. Temporaire ou définitif, peu importe. Ce ne sont pas les comploteurs qui provoquent les ruptures, ce sont les régimes en bout de course. La décomposition devient le facteur déterminant, la recomposition est affaire de circonstances. En 1958, celles-ci nous ont offert un homme providentiel.

Le plan Rueff

La mémoire collective a réduit l'action du général de Gaulle, dans les premières années de la Ve République, au changement de la Constitution et à la politique algérienne : « Je vous ai compris », la « paix des braves », l'« autodétermination », etc. Pour la politique économique, elle n'a retenu que le passage au « franc lourd ». C'est bien peu. Car les efforts méritoires de Félix Gaillard n'avaient pas suffi à rétablir nos finances. Le plus difficile restait à faire.

Le Général a tiré les conséquences de l'« implorante mission » de Jean Monnet tendant la sébile à Washington. « Pour de Gaulle [...], une France aux caisses vides, à la monnaie instable, dans l'impossibilité de faire face à ses engagements, ne peut retrouver son rang[1] », note Georgette Elgey. Or, découvre-t-il, « sur tous les postes à la fois, nous sommes au bord du désastre ». Nommé ministre des Finances, Antoine Pinay reste fidèle à sa recette fétiche : l'emprunt gagé sur l'or, sur le louis d'or, défiscalisé et échappant à l'impôt successoral.

Deux semaines après son investiture, pour sa première allocution radiodiffusée, le Général demande aux Français d'« assurer un succès triomphal à l'emprunt que nous allons ouvrir ». De Gaulle venant faire la retape pour placer son 3,5 %, on l'a un peu oublié, mais, dès lors qu'il fallait trouver

---

1. Georgette Elgey, *Histoire de la IVe République*, tome 4 : *De Gaulle à Matignon : juin 1958-janvier 1959*, Paris, Fayard, 2012.

de l'argent, mieux valait solliciter les Français que les Américains. De fait, la confiance est revenue, et l'État engrange 324 milliards. De quoi souffler.

En vérité, de Gaulle hésite encore sur sa politique économique. Mais il a le souvenir du dilemme qu'il a vécu en 1945 à la tête du Gouvernement provisoire de la République française. À l'époque, Pierre Mendès France est ministre de l'Économie nationale et René Pleven ministre des Finances. Le premier recommande une politique de rigueur qui restaure au plus vite l'appareil productif, tandis que le second se prononce pour une augmentation du pouvoir d'achat, quitte à faire de l'inflation pour assurer la paix sociale. De Gaulle se prononce pour son ministre des Finances. Le 5 avril, Mendès France lui adresse une lettre de démission cinglante : « Est-ce en bafouant ceux qui ont cru que nous voulions une république pure et dure que nous referons la France ? » De Gaulle répond en invoquant « le pays malade et blessé ». Bref, il a reculé devant des mesures impopulaires et il sait qu'il a eu tort. Pour son retour au pouvoir, il va faire du mendésisme, hélas sans Mendès. Il a rencontré l'homme qui va concevoir cette politique : Jacques Rueff.

Économiste intransigeant, ce dernier pose en principe que « l'équilibre financier est la conséquence nécessaire de tout ordre social ». Équilibre, donc, équilibre à tout prix. Dès le 10 juin 1958, il remet à Antoine Pinay une note en quinze points résumant sa philosophie et ses recommandations. Un comité se réunit en secret pour élaborer un plan de redressement sur cette base. En novembre, le plan est prêt. Il se heurte aux critiques et au scepticisme des technocrates, puis des hommes politiques. Tout le monde est effrayé, et il y a de quoi. Rueff a prévu 400 milliards d'économies dans les dépenses publiques, de fortes hausses des impôts, des coupes dans les subventions, une surveillance des prix, une libération des échanges pour 90 % des produits, une dévaluation de 20 % et la création d'une nouvelle monnaie. Les critiques sont unanimes. Pour les experts, cette austérité ne peut qu'étouffer – « tuer », disent même certains – l'économie ; pour les hommes politiques, braver ainsi l'impopularité, c'est donner des verges pour se faire battre. Le plan est délibéré le 26 décembre au cours d'une réunion du gouvernement qui ne dure pas moins de dix heures. Tous les ministres, à tour de rôle, montent au créneau pour critiquer tel ou tel point du plan. Même Antoine Pinay prend ses distances. Les menaces de démission fusent de partout, y compris celle du général de Gaulle, qui promet de partir si le plan n'est pas adopté. En définitive, de Gaulle fera comme le ministre britannique Benjamin Disraeli : « Tous contre, moi pour. Le oui l'a emporté. »

Les socialistes, Guy Mollet en tête, quitteront le gouvernement. Le 28 décembre 1958, en guise de vœux, de Gaulle offre aux Français des « sacrifices » et en fait un énoncé qui n'épargne personne. Aucun gouvernement n'a jamais présenté un tel programme. Les réactions sont furibardes. Habilement, le chef du gouvernement et son équipe ont placé une mesure provocante en guise de paratonnerre pour focaliser le mécontentement populaire : ils suppriment les retraites des anciens combattants. C'est la goutte qui fait déborder le vase de la colère. Cent mille manifestants envahissent Paris, drapeaux et mutilés de guerre en tête. Réaction attendue. La retraite est rétablie pour les poilus de la Première Guerre mondiale. La grogne retombe.

Le passage de l'impopularité

Contrairement à ce que craignaient les politiques, ce plan put être appliqué et la confiance restaurée ; contrairement aux prévisions des économistes et des technocrates, l'inflation fut cassée, les équilibres rétablis, la croissance repartit et toutes les dettes de la France furent progressivement remboursées. Quant au nouveau franc, il ne sera pas dévalué dans les dix années qui suivront. Cette politique économique s'est donc révélée être celle qui convenait à la France. Pourquoi fut-elle à ce point combattue par les hommes de la IVe République ?

Parce qu'elle se fondait sur des mesures impopulaires et présumées inapplicables. Les partis s'en tenaient au déficit, à l'inflation, à la dévaluation, donc à une économie plus démagogique que politique, la seule qu'ils pouvaient faire. À l'évidence, les précédents chefs de gouvernement n'auraient pas pu imposer un plan Rueff aux Français. Mais le général de Gaulle n'y serait pas arrivé non plus s'il avait inscrit son action dans le jeu parlementaire, en tant que représentant d'une majorité. La rupture qu'il a imposée le situait au-dessus des partis, au seul service de la nation. Une prétention très rapidement rejetée par la gauche, mais qui a su convaincre une partie de l'opinion. Libéré des attachements partisans, le Général se plaçait à un niveau civique. Il a pu parler de l'intérêt général sans être suspecté de défendre des intérêts particuliers, jusqu'à ce qu'il se retrouve plombé par son propre camp.

Dans l'esprit des leaders politiques, cette parenthèse aurait dû se refermer avec la fin du drame algérien, en 1962. C'est alors que le général de Gaulle a dépassé ce rôle de sauveur intérimaire en imposant l'élection du président de la République au suffrage universel, pérennisant ainsi la Ve République.

Le Général parti, la République a repris progressivement le fonctionnement républicain classique autour des partis. La classe politique, la droite en particulier, a oublié les enseignements de 1958, tout comme la gauche ceux de 1983, et, d'un côté comme de l'autre, on a sacrifié l'exigence des équilibres aux facilités de l'hyperkeynésianisme.

Oublions le drame algérien, qui, fort heureusement, n'a pas d'équivalent dans la France de 2013, et ne retenons que la crise financière, qui est, par bien des points, comparable à celle que nous traversons. Des « sacrifices » ont donc été nécessaires pour sortir de la crise. La règle est générale : le rétablissement des finances n'est jamais une partie de plaisir. Il nécessite un pouvoir politique respecté, un consensus fort, capables d'imposer des mesures impopulaires. En 1958, c'est le recours à l'homme providentiel qui a fourni l'autorité nécessaire. En 2013, il n'y a aucun sauveur suprême à l'horizon, alors que l'épreuve s'annonce beaucoup plus rude. La France est en décrochage, l'économie à l'arrêt, et la dévaluation, outil précieux du redressement en 1958, nous est interdite.

Le sauvetage réussi il y a un demi-siècle était un jeu d'enfant comparé à celui auquel nous devons faire face. Pour le mener à bien sans avoir un de Gaulle à la manœuvre, il faut garder à l'esprit cette France de 1958, cette France qui s'en est sortie.

Chapitre 17

LA PARENTHÈSE CIVIQUE

Une société convulsive, insurrectionnelle, une opinion sombrant dans la plus noire méfiance, une classe politique écartelée entre ses multiples et paralysantes divisions, une situation de la plus extrême urgence et les décisions à prendre les plus difficiles, assemblez tous ces éléments et vous avez une crise de régime.

Les étrangers se plient à leurs règles constitutionnelles, si contraignantes soient-elles, et ne les corrigent qu'en toute dernière extrémité. Pour les Français, au contraire, une Constitution est essentiellement un produit malléable et jetable. Ils ont déjà amendé à vingt-quatre reprises celle de la Vᵉ République, et certains considèrent que, la cinquantaine venue, elle a fait son temps. Il flotte dans l'air du temps un projet de VIᵉ République qui s'appellerait plus justement IVᵉ République *bis*. Car tous les changements constitutionnels, qu'ils soient proposés par Arnaud Montebourg, Jean-Luc Mélenchon, les Verts ou d'autres, reviennent toujours à purger le péché « monarchiste » de 1958 et à retrouver la bonne République de nos aïeux accommodée au goût du jour.

Le gouvernement du peuple, par le peuple et pour le peuple n'est qu'une formule creuse quand les citoyens se comptent en dizaines de millions. Elle laisse en suspens la seule question qui compte : qui prend les décisions ? Est-ce un représentant élu, est-ce une assemblée de représentants, est-ce le peuple dans son ensemble ? La Ve République a déplacé le curseur vers la première solution, la VIe nous entraînerait vers la troisième. On voit bien pourquoi. Il n'est rien de si plaisant, de si valorisant que le réquisitoire contre la démocratie représentative de la Ve et le plaidoyer pour la démocratie directe de la VIe. Un premier prix assuré au grand concours d'Indignation.

Partons du peuple ignoré, méprisé, jamais consulté, réduit à sa seule fonction électrice alors qu'il est, lui, au contact d'une réalité qu'ignorent nos élites. Venons-en à la démocratie qu'il faut régénérer en court-circuitant une classe politique démonétisée. Il nous faudrait donc revenir à la proportionnelle afin de permettre à tous les courants de s'exprimer et de peser sur les décisions, créer des structures participatives à tous les niveaux et ne rien décider qu'avec l'approbation de la base, en organisant consultations et référendums par tous les moyens, pétitions, sondages ou réseaux sociaux. Les citoyens se verraient ouvrir des recours contre toute décision, les responsables seraient placés directement sous le contrôle populaire et pourraient même être révoqués à tout instant.

L'évolution de nos sociétés nous conduit tout droit vers cette utopie. Un individu qui se voit reconnaître chaque jour de nouveaux droits, de nouvelles libertés, de nouveaux pouvoirs, doit intervenir directement, à tout moment, dans les affaires publiques. À l'échelle locale, cela va de soi, mais pourquoi pas à l'échelle nationale ? Il faut en finir avec cette minorité civique qui réduit le Français au rôle épisodique d'électeur, et imposer une citoyenneté majeure qui donne à chacun le droit de se faire entendre partout, tout le temps et à propos de tout. Ajoutons à cela la contestation générale de la compétence et les nouveaux liens horizontaux et non plus verticaux que crée l'universelle connexion d'Internet. Voilà donc les principes constitutionnels des temps nouveaux qui devraient connaître un franc succès.

À l'opposé de cette démocratie exigeante, toujours à l'écoute et aux ordres du peuple, la Ve République, qui réduit la souveraineté populaire à la désignation des dirigeants, voire du chef de l'État, et ne le sanctionne qu'*a posteriori*, fait mauvaise figure. Toute cabossée par la réalité, elle s'offre comme le meilleur repoussoir pour les tenants d'une VIe République abusant de sa perfection virtuelle. N'est-ce pas l'occasion ou jamais de faire basculer notre monarchie élective dans une véritable démocratie participative ? Réagissant à cette tentation, Jacques Julliard n'y va pas par quatre chemins et qualifie de « crétinisme institutionnel » cette manie française de vouloir changer ce qui va bien quand on ne peut s'attaquer à ce qui va mal[1]. Car nos règles constitutionnelles ne sont pas un handicap, mais un atout face à la tempête qui s'annonce.

Repartons de 1958. Les Français auraient-ils voté pour le plan Rueff ? C'est peu probable ; même la caution du Général n'aurait pu les convaincre. Il en serait allé de même en 1983 si le plan Delors avait été soumis à référendum. D'autant qu'il faut admettre la possibilité du refus pour poser la question. La réalité soumise à consultation ne saurait être qu'alternative, et, pour tout dire, peu contraignante. Mais est-ce toujours le cas ? A-t-on nécessairement le choix entre une solution plaisante et une solution amère ? Et qui donc accepterait une pénitence dont il peut se dispenser ? Dans l'économie de guerre que nous allons pratiquer, il ne suffit pas de « faire payer les riches », il faut aussi mettre à mal les retraites, les exemptions d'impôt, la

---

1. Jacques Julliard, « Une stupidité, la VIe République ! », *Marianne*, 20-26 avril 2013.

Sécurité sociale, l'administration territoriale, le marché du travail, etc. Autant de décisions qui seraient rejetées dans une consultation populaire. Il en irait de même avec un Parlement tout-puissant, éclaté entre quelques dizaines de partis. Dans ces circonstances extrêmes, le pouvoir doit avoir le droit à l'impopularité et le contrôle démocratique doit sanctionner une gestion et non pas imposer l'approbation permanente. Voilà ce qu'on ne veut plus entendre. Mais l'heure des comptes ne peut pas être celle des assemblées générales permanentes.

Or, constate le constitutionnaliste Pascal Jan, « la Constitution de 1958, par le jeu de ses multiples interprétations, est d'une infinie souplesse. [...] Elle concilie les exigences de la démocratie parlementaire et la nécessité impérieuse de stabilité de l'exécutif[1] ». Elle a pu fonctionner en situation de cohabitation, avec des gouvernements minoritaires, en légiférant par ordonnances, en recourant au référendum, en élargissant le rôle du juge constitutionnel. Elle a pu se déporter vers son pôle monarchique ou bien vers son pôle parlementaire. Ce n'est pas une nouvelle Constitution que nous avons à inventer, mais une nouvelle interprétation de celle qui, depuis un demi-siècle, régit la France.

Le jeu des impossibles

Gardons les principes démocratiques et laissons l'idéologie au vestiaire. Comment éviter une explosion générale en appliquant une politique indispensable, mais imposée à travers la contrainte extérieure à une classe dirigeante paralysée ? Comment le faire

---

1. Pascal Jan, « À quand la... VIIe République ? », *Libération*, 30 avril 2013.

dans le cadre de nos institutions, sans disposer d'un leader charismatique capable de rassembler les Français ?

Toute la difficulté de l'exercice consiste à transformer le pire en opportunité. Depuis des années, les Français jouent à se faire peur. Ils connaissent les dangers, mais veulent croire qu'une solution, on ne sait pas laquelle, existe qui permettra, au dernier moment, de s'en sortir. Impossible n'est pas français. Tout changera, en revanche, lorsque la peur passera du virtuel au réel. Depuis des années, les Grecs les plus lucides répétaient que cela ne pourrait durer éternellement. Ils y pensaient, puis oubliaient, et, tout à coup, voici que surgit l'alternative : mémorandum ou risque de faillite.

Cette prise de conscience change les perceptions, les comportements. Au mieux, elle provoque une mobilisation débouchant sur un redressement ; au pire, une révolte et une panique conduisant à l'autodestruction. Comment faire pour tirer le meilleur parti du choc qui suivra notre rencontre avec le mur ? Il vaudrait mieux s'interroger avant de s'écraser sur l'obstacle, et regarder les réactions de ceux qui ont connu une telle situation : les Italiens. Nous avons beaucoup à retenir des heurs et malheurs de l'expérience Mario Monti.

L'Italie se donne à Monti

Nicolas Sarkozy caressait l'espoir d'entraîner la France sur les traces de l'Allemagne. C'était oublier le fossé qui sépare la discipline germanique de l'insouciance méditerranéenne. Outre-Rhin se trouvent des modèles que nous ne suivrons pas ; en revanche, de l'autre côté des Alpes se déroule une histoire qui annonce celle que nous pourrions connaître à l'avenir.

En Italie, la dérive financière est comparable à la nôtre mais n'est pas, comme chez nous, encadrée par de fortes institutions étatiques. À Rome, les finances vont à vau-l'eau dans une république qui brinquebale depuis toujours. Le recours permanent à l'emprunt n'a pas été alimenté par l'excès de la dépense publique, mais par l'insuffisance des recettes fiscales. Entre l'économie au noir, la fraude, l'évasion et la corruption, l'État n'est pas capable de percevoir l'argent qui lui revient et doit faire appel au crédit pour boucler ses budgets. Il est ainsi arrivé, dès 1990, à un taux d'endettement égal à 120 % du PIB. Depuis lors, la dette française a plus que doublé, la dette italienne s'est maintenue. Au tournant des années 2010, pour eux comme pour nous, s'effectue le retour à l'équilibre.

Le régime italien est depuis longtemps à bout de souffle, terrassé par le bulldozer médiatique Silvio Berlusconi. La communication y tient lieu de politique ; elle écarte les sujets qui fâchent et laisse le pays glisser sur la pente du déclin. En 2011, la situation italienne devient critique. Les marchés qui se sont attaqués successivement à la Grèce, au Portugal et à l'Espagne se retournent maintenant vers ce champion du surendettement. L'Europe prend peur. Avec une dette qui atteindra bientôt les 2 000 milliards d'euros, l'Italie fait partie du système, sa chute pourrait entraîner celle de tout le continent. Les autorités européennes font pression sur Berlusconi afin qu'il remette de l'ordre dans ses comptes pendant qu'il en est encore temps. Le *Cavaliere* embobine son monde en annonçant une série de réformes, toujours les mêmes : retraites, droit du licenciement, réduction des dépenses, réforme de la fiscalité, privatisations… qu'il s'empresse d'oublier sitôt rentré à Rome. Jean-Claude Trichet lui adresse des lettres comminatoires dont il ne tient aucun compte. Plus Berlusconi parade pour rassurer les marchés, plus il les inquiète.

Les taux d'intérêt montent irrésistiblement. À la fin de 2011, ils atteignent 6,8 %. C'est le niveau auquel la Grèce et le Portugal ont dû faire appel à l'aide internationale. L'Italie doit se ressaisir. Pour l'Europe, et pas seulement pour elle, c'est une question de survie. Mais, pour sauver l'Italie, il faut se débarrasser de Berlusconi. La Commission, la BCE, l'Allemagne, la France, tout le monde en est convaincu. Le faire partir ne serait pas trop difficile, car ses troupes le lâchent et sa popularité flanche : elle n'est plus qu'à 20 % d'opinions favorables.

Par qui le remplacer ? C'est toute la difficulté. Fort heureusement, Giorgio Napolitano, le président de la République italienne, est à la manœuvre. Ancien résistant, ancien communiste, il incarne, à 86 ans, la rigueur civique dans une république en décomposition. Il est convaincu que la solution ne peut venir d'une nouvelle « *combinazione* » entre partis. La classe politique n'a plus aucun crédit, c'est en dehors d'elle qu'il faut choisir le nouveau pouvoir. Depuis six mois, il a un candidat en tête : Mario Monti.

Monti connaît personnellement tout le monde dans les hautes sphères européennes, mais n'est connu que de nom par le peuple italien. Grand universitaire, il est surtout, comme dit son biographe Guillaume Delacroix, le « roi des cumulards[1] ». On le retrouve dans tous les lieux d'influence et de pouvoir : à l'Aspen Institute, dans le *think tank* Bruegel, à la Trilatérale mais aussi chez Goldman Sachs et chez Moody's. Toujours comme conseiller et non comme salarié. Il a surtout été commissaire européen, une nomination due à Silvio Berlusconi. Pendant dix ans, à Bruxelles, en tant que juge-arbitre

---

1. Guillaume Delacroix, *Le Mystère Mario Monti. Portrait de l'Italie post-Berlusconi*, Paris, Plon, 2012.

de la concurrence, il a fait trembler les plus grands, comme General Electric ou Microsoft. Homme austère, il devient, pour le public, « *il Professore* » ou encore « Super Mario ». À l'été 2011, il a pris date dans le *Corriere della Sera* en se prononçant pour un « gouvernement atypique ». Il est « en réserve de la République ».

Au début du mois de novembre, les choses se précipitent. Berlusconi, mis en minorité à l'Assemblée, remet sa démission au président de la République. Le 8, Giorgio Napolitano nomme Mario Monti sénateur à vie ; trois jours plus tard, il le désigne comme président du Conseil. Gagnant très confortablement sa vie – il déclare un revenu annuel de 1,5 million d'euros –, Mario Monti renonce à son indemnité de 12 000 euros par mois. L'intégrité du nouveau promu est indiscutable, sa compétence aussi, mais quelle sera sa base politique ? Les partis de gouvernement savent que l'Italie est au bord de la faillite et que Monti a la confiance des marchés financiers. Ils ne peuvent que lui apporter leur soutien. Il forme un gouvernement de techniciens : une préfète à l'Intérieur, une pénaliste à la Justice, un diplomate aux Affaires étrangères, un amiral à la Défense, une économiste aux Affaires sociales, un banquier aux Finances, etc. Tous de très bon niveau. La chambre le plébiscite : 556 voix contre 61. Seuls les populistes de droite de la Ligue du Nord et le petit parti gauchiste Italie des Valeurs du juge Di Pietro votent contre.

L'Italie se retrouve donc dans une configuration inédite : les représentants du peuple n'exercent plus directement le pouvoir exécutif, ils l'ont délégué à un gouvernement de salut public formé d'experts pour une durée limitée – la législature prend fin au printemps 2013 – avec une mission bien précise : éviter le défaut de paiement et redresser le pays.

En cette fin 2011, la solution Monti fait l'unanimité. L'Europe est soulagée, les marchés financiers reprennent confiance, les taux commencent à baisser, les Italiens approuvent à près de 70 %. Cette expérience qui commence sous les meilleurs auspices va pourtant se terminer en queue de poisson une année plus tard. Quels enseignements peuvent en tirer des Français, qui, eux aussi, sont confrontés à une crise financière, bientôt doublée d'une crise de régime ?

Le choc de la vérité

En rompant avec un jeu parlementaire perverti, l'Italie bascule de la démagogie à la démocratie. Le changement est d'abord dans le langage, constate l'italianiste Marc Lazar : « Les Italiens apprécient le discours de vérité tenu par Mario Monti alors que Berlusconi, jusqu'à l'été 2011, s'entêtait à répéter que l'Italie se portait bien en dépit des preuves contraires[1]. » Le nouveau chef du gouvernement pose le diagnostic contraire et en tire la conséquence : l'austérité.

Concrètement, ce sera 45 milliards de dépenses publiques en moins et 50 milliards d'impôts en plus. Il ne se défausse pas sur l'étranger, mais l'assume dans l'intérêt du pays : « J'ai toujours mis un point d'honneur, dira-t-il, à ne jamais utiliser l'argument : "C'est difficile, mais c'est la Commission de Bruxelles qui le demande." » Ce discours de rigueur, le si peu charismatique « *Professore* » l'assène sans trop de ménagements. Il est libre de toute attache partisane et peut dire les choses pour la seule raison qu'il les croit vraies. Immense

---

1. Cité dans un article d'Isabelle Lesniak, « Comment Mario Monti a mis l'Italie au régime », *Les Échos*, 1er novembre 2012.

privilège par rapport aux hommes politiques ordinaires. Il peut aussi prendre les décisions qu'il estime justes sans avoir à se demander si elles seront acceptées par son camp.

Il fait donc alterner des mesures dites de droite et d'autres dites de gauche. Mesures de droite : réforme des retraites bouclée à la hussarde – l'âge du départ recule à 66 ans, les pensions ne sont plus indexées, les régimes spéciaux sont supprimés – et ouverture de négociations sur le droit du travail ; mais aussi mesures de gauche avec le choc fiscal qui s'abat sur les plus fortunés et sur la classe moyenne des petits entrepreneurs et travailleurs indépendants. Sans compter les professions fermées qui vont devoir s'ouvrir à la concurrence.

Là encore, la révolution fiscale est d'abord dans le discours. Les Italiens découvrent une notion qui n'a plus cours chez eux : le civisme. Depuis toujours, ils ressentent l'impôt comme un tribut prélevé par une puissance étrangère. On le paie pour autant qu'on ne puisse pas y échapper. Ce qui est le cas des salariés en situation régulière. Pour le reste de la population, l'évasion fiscale est une activité économique comme une autre, honorable et indispensable, entretenue par des systèmes de niches fiscales qui coûtent quelque 160 milliards d'euros à l'État. Silvio Berlusconi n'a jamais remis en cause cet état de fait dont il a si largement profité, et n'a jamais eu qu'une solution pour faire rentrer l'argent dans les caisses de l'État : l'amnistie fiscale. Tout change avec Mario Monti qui dénonce la fraude comme un crime et entend la poursuivre comme telle.

Il s'agit là d'un problème économique central. Aussi longtemps que toute une partie de l'économie est défiscalisée, toute augmentation de l'impôt renforce la prime d'évasion. Plus les taux sont élevés, plus il est intéressant d'y échapper. Les enjeux sont colossaux. La Cour des comptes évalue la fraude à 60 milliards et l'économie défiscalisée à 120 milliards. Sans compter les milliards des activités mafieuses. En face, l'État est démuni. Il a même privatisé la chasse aux fraudeurs, ce qui lui coûte 1,5 milliard et ne lui rapporte que 600 millions. Chiffres dérisoires.

Après avoir désigné l'ennemi, Monti lance ses troupes. La Garda di Finanza monte des opérations commandos, largement médiatisées, dans les fiefs du fric comme Cortina d'Ampezzo. Elle découvre par milliers des propriétaires d'avions privés, de yachts, de voitures de luxe, qui, pour le fisc, sont censés vivre avec moins de 7 000 euros par an ! À l'échelon du dessous, ce sont des milliers de petits entrepreneurs, de commerçants, d'artisans, de travailleurs indépendants, traqués par le formidable réseau d'ordinateurs Serpico, qui se trouvent acculés, ruinés par les redressements fiscaux. Les nouveaux contribuables parlent de « terrorisme fiscal », font même état de « suicides fiscaux ». Il faut faire rentrer l'impôt, mais aussi en créer de nouveaux. Monti remet en vigueur l'imposition de la résidence principale. Une taxe qui rapporte gros, car 75 % des Italiens sont propriétaires de leur logement, mais qui, de ce fait, suscite un ample mécontentement populaire.

La réforme du Code du travail ouvre le conflit avec les grandes confédérations syndicales. Elle tourne autour de l'article 18 de la loi de 1970 qui interdit pratiquement les licenciements dans les entreprises de plus de quinze salariés. Le début des négociations montre que, pour les syndicats, c'est le *casus belli*. Le pays risque d'être paralysé, les parlementaires de ne pas suivre. Peu soutenu, Monti recule et se contente d'une réformette cosmétique mal ficelée.

Le jeu se complique face aux corporations qui font jouer tous leurs relais au sein de la classe politique. Les taxis, dont Monti voulait déréglementer la profession, bloquent les villes.

Ils font reculer le champion de la concurrence qui avait fait plier Bill Gates ! Monti veut encore s'attaquer au système bancaire dont l'endogamie ferait de nos grands corps un modèle de concurrence.

Qu'une politique, si bien intentionnée soit-elle, et surtout si elle l'est, bute sur des difficultés dans sa mise en œuvre, rien de plus naturel. Que le soutien populaire s'effrite et que le mécontentement progresse, c'est inévitable. Mais la déception naît surtout de l'absence de résultats. Le bilan de l'année 2012 est particulièrement cruel : − 2,3 % pour la croissance, − 3 % pour la consommation, de 8,5 à 11 % pour le chômage. Voilà la contrepartie d'une si rude austérité. Seule amélioration : le déficit public passe sous la barre des 3 %. La belle affaire : la dette, elle, a bondi de 120 à 127 % du PIB.

Si encore l'Italie se portait mieux sur le plan international. Certes, avec Mario Monti, elle a reconquis une crédibilité perdue avec Berlusconi, mais les marchés financiers ne saluent que mollement les efforts italiens. Les taux d'intérêt ne montent plus et le pire a été évité, c'est certain. Mais la décrue est très lente, alors que les frais financiers coûtent une fortune au pays. Durant l'« année Monti », les taux d'intérêt seront au même niveau que dans l'« année Berlusconi » qui l'a précédée. Il faudra attendre la toute fin de 2012 pour descendre en dessous de 5 %.

La fermeture de la parenthèse

Mario Monti était arrivé avec un slogan : « Rigueur, croissance, équité ». Au bout d'un an, les Italiens ont senti la rigueur et même plus, ils peuvent admettre l'équité, mais ils ne voient aucune croissance au bout du chemin. Monti répète sur tous les tons qu'il lui faut du temps, qu'on ne peut pas réparer en un an les dégâts de décennies d'incurie, qu'après la remise en ordre reviendront la confiance puis le redémarrage économique. Mais il peine à convaincre une population dont les souffrances avivent l'impatience. Les partis se préparent à reprendre la main, à refermer la parenthèse extra-parlementaire. Ils vont provoquer la chute de Mario Monti.

Pendant des années, la République s'est contentée de mal fonctionner en Italie. Elle donnait une très mauvaise image de la démocratie, jetait le discrédit sur le système représentatif et la classe politique, mais enfin, le pays s'accommodait de ce pouvoir faible et discrédité. Avec la crise et Berlusconi, le système se délite. Il ne peut plus servir, mais peut encore nuire. Le malaise politique est beaucoup plus profond qu'en France, où pourtant...

Il y a d'abord l'arrogance d'une classe politique qui s'est installée en Italie comme en pays conquis. Les parlementaires italiens sont les mieux payés d'Europe. En 2011, ils gagnent 11 700 euros, contre 7 000 pour leurs homologues français. 60 % de plus ! Sur le plan territorial, les potentats locaux se font des situations en or. Les Italiens ont ainsi découvert que Luis Durnwalder, président de la province de Bolzano, gagne 320 000 dollars par an. La presse a aussitôt fait la comparaison avec le salaire de Barack Obama : 36 000 euros de moins pour l'Américain. L'État utilise une flotte de 500 000 voitures, contre 61 000 en France. Quant aux partis, ils empochent des subventions publiques sans la moindre justification. Le fonctionnement de la République a été estimé à 25 milliards d'euros. Et cela ne vaut que pour la face légale, la partie émergée de l'iceberg.

Car il y a la partie souterraine. Les liens toujours suspectés avec les mafias et les scandales à répétition qui touchent tous les partis les uns après les autres. Et souvent en même temps.

La corruption fait à ce point partie du système qu'un chef de gouvernement avec la justice aux trousses en est devenu la parfaite incarnation. Et, parce que avec lui on le sait, on en soupçonne les autres.

Justement, Berlusconi, que les observateurs internationaux s'étaient dépêchés d'enterrer à la fin de 2011, prépare les prochaines élections. En décembre 2012, il défie Monti en lui retirant son soutien à l'Assemblée et annonce son retour en politique.

Il Professore doit-il se mesurer au *Cavaliere* ? Le premier a toujours dit qu'il ne voulait pas entrer en politique. Orgueilleux, il répugne à solliciter les suffrages. Les partis n'ayant manifestement pas l'intention de prolonger son bail au palais Chigi, il va abandonner un chantier en plein travail au risque de voir défaire tout ce qu'il a fait.

Est-ce pour suivre sa trace qu'il fait le pas de trop et se lance en politique ? Il jouit encore d'une bonne popularité (47 % au mois de novembre 2012), mais l'opinion n'est pas le corps électoral, et les chiffres ne se transposent pas d'un monde à l'autre. Les Italiens ne comprennent pas le revirement qui l'a fait descendre dans l'arène. Entre ceux qui rêvent encore de se débrouiller avec Berlusconi, ceux qui veulent faire table rase de ce système pourri en suivant Beppe Grillo et ceux qui veulent en finir avec la technocratie libérale et revenir à la démocratie sociale de gauche, il ne reste vraiment pas beaucoup d'espace pour le nouveau candidat. Il lui faudrait se révéler un grand leader charismatique : le contraire même de ce qu'il est. Sa défaite est annoncée par les sondages, confirmée par les urnes. *Exit* Mario Monti. Reste son bilan qui est tout sauf négligeable.

Le pire, qui s'annonçait à la fin de 2011, a été évité, l'Italie ne s'est pas retrouvée en cessation de paiement et n'a pas été placée sous tutelle internationale. Mais ce que l'on a évité est, par définition, oublié. D'autant qu'en 2013 la contrainte de la finance internationale semble s'être relâchée. L'Italie ingouvernable qui sort des urnes et qui, de fait, restera sans gouvernement pendant deux mois devrait effrayer les marchés. On attendait une explosion des taux d'intérêt, elle n'a pas eu lieu. Même pendant cette période, le pays a pu se financer dans des conditions tout à fait satisfaisantes.

Cela prouve que la bulle financière qui inonde le monde de liquidités en provenance des banques centrales, qui assure à la France des taux d'intérêt si bas, et même ce délai de deux ans pour en revenir aux 3 %, permet de placer à peu près n'importe quoi. Si l'on ajoute à cela l'intervention discrète et efficace de la BCE, l'Italie post-électorale s'est donc trouvée dans une situation très favorable. Mais qui n'a aucune raison de durer. Le nouveau chef de gouvernement, Enrico Letta, devra maintenir la rigueur sinon l'austérité. L'Italie n'est pas tirée d'affaire, loin de là. Il lui faudra des années d'efforts pour libérer son appareil de production de la bureaucratie, de la corruption et de la concurrence déloyale de l'économie souterraine.

Ne reste-t-il donc rien de l'héritage Monti ? Certainement pas : « Cette équipe a plus transformé le pays en un an que les précédentes en vingt ans », estime un orfèvre en la matière, Angel Gurria, secrétaire général de l'OCDE. Hormis la réforme des retraites, Mario Monti n'a pu mettre à son actif beaucoup des changements qu'il espérait réaliser. De ce point de vue, le bilan peut paraître modeste. Mais l'essentiel ne tient pas à telle ou telle mesure, il réside dans la révolution culturelle qu'a connue l'Italie. Expérience inédite, elle a mis en avant un gouvernement civique qui ne parle pas au nom de telle ou telle faction, mais au nom de l'intérêt général.

La première révélation est évidemment celle de la vérité. Pour la première fois depuis longtemps, les Italiens ont entendu leurs dirigeants dire les choses comme elles sont au lieu de les embobiner avec de bonnes paroles. Il s'agit là d'un préalable indispensable.

La seconde est celle de la légalité. Il était admis dans la culture italienne que l'on pouvait ignorer et même frauder la loi dès lors qu'on ne se faisait pas prendre. La réalité se dédoublait entre une face légale, émergée, et une face illégale, immergée. Une grande économie moderne ne peut fonctionner ainsi. Avant même d'être une question d'honnêteté, c'est une question de simple efficacité. Le pire de tous les impôts est celui qui n'est pas perçu ; le pire de tous les règlements, celui qui n'est pas respecté. Là encore, un changement est intervenu et il a été rendu possible par cette rupture avec le mode de gouvernance traditionnel. C'est parce qu'il était étranger à la classe politique que Mario Monti a pu faire découvrir le civisme aux Italiens.

Dire la vérité et restaurer la légalité sont les deux indispensables conditions de tout progrès ; rien ne prouve qu'ils soient définitivement acquis. Le gouvernement Monti n'a pas eu le temps d'insérer son action dans la durée. Il appartiendra à la classe politique qui reprend les commandes de le faire. Et c'est là que le bât blesse. Si elle y était prête, elle aurait poursuivi, sous une forme ou sous une autre, l'expérience en cours. Or elle n'avait qu'une seule envie : revenir au pouvoir.

À la fin de l'année 2011, les parlementaires italiens se sont retrouvés sur le Vésuve à la veille de l'éruption ; ils ont été contraints à une évacuation précipitée. L'extrême urgence a donc ouvert une opportunité, mais il eût fallu, pour redresser le pays, que la classe politique prenne conscience de ses manquements et de ses insuffisances, qu'elle renouvelle son personnel, sa pensée, ses méthodes. En réalité, elle n'a cédé qu'à contrecœur, bien décidée à revenir sitôt l'alerte passée, sans avoir rien changé. L'Italie n'était pas en état de saisir cette opportunité. Enrico Letta pourra-t-il imposer le renouvellement ? Il faut l'espérer car, à renouer avec la politique pratiquée auparavant, les Italiens se retrouveront au même point qu'en novembre 2011. Mais sans un Mario Monti pour éviter la faillite.

Chapitre 18

LA DERNIÈRE CHANCE

Imaginons cela. François Hollande, les yeux rougis par l'absence de sommeil, venant présenter à la télévision l'accord conclu au terme de l'ultime « réunion de la dernière chance ». D'un côté, la France se voit accorder un prêt de 200 milliards à trente ans, étalé sur cinq ans, et bénéficie à la BCE d'une ligne de crédit dont les modalités seront définies avec l'Allemagne pour chaque tirage. Si elle ne respecte pas ses engagements, elle n'aura pas cet argent. De l'autre, il faut procéder à 20 milliards de coupes budgétaires à effet immédiat, 10 dans le budget de la Sécurité sociale, précise le président, plus 40 milliards échelonnés sur trois ans. Pas d'impôts nouveaux, mais un prélèvement obligatoire de 10 % sur tous les patrimoines au-delà de 100 000 euros, transformé en rente perpétuelle défiscalisée. La France doit instaurer le contrat de travail unique facilitant les embauches… et les licenciements, revoir l'indemnisation du chômage, privatiser pour 30 milliards de participations industrielles et financières, réduire de 3 % les traitements des fonctionnaires de catégories B et A, uniformiser les régimes de retraite, prolonger la durée de cotisation jusqu'à 44 ans, soumettre les prestations sociales à des franchises et conditions de revenus, diminuer de 5 % les dotations aux collectivités locales, diviser par deux le nombre des députés et sénateurs, restructurer l'administration territoriale, etc. Il y en a pour tous les Français. Pas un qui ne soit concerné. Le chef de l'État insiste sur l'âpreté des discussions, l'importance des concessions qu'il a pu arracher, et sur le fait que, maintenant, la France n'a plus le choix. Si elle repoussait cet accord, cela équivaudrait à un défaut. Elle ne pourrait plus trouver à des conditions acceptables l'argent dont elle a besoin pour payer les traitements, les pensions, et pas seulement les frais financiers liés à sa dette.

Il ne s'agit plus d'une possibilité que l'on peut ignorer, mais d'une probabilité à laquelle il serait sage de se préparer. La Commission européenne nous en a donné un léger avant-goût sur le thème des retraites ; la suite risque d'être beaucoup plus rude. Elle pourra se faire en une seule annonce au terme d'une crise dramatique, comme je l'ai imaginé ici, ou bien de façon plus étalée, en une série d'étapes de plus en plus rigou-r ses. Peu importe : la réalité se fera entendre depuis l'étranger, et ses recommandations finiront en injonctions.

De moins en mieux

Mais ce discours informatif, même doublé d'un discours explicatif, ne suffirait pas. Car il laisserait les Français face à un marché de dupes : la punition ou la faillite. C'est évidemment inacceptable. Le redressement de nos finances ne vise pas seulement à nous éviter la banqueroute, il doit remettre la France en état de marche, redonner espoir à la jeunesse, en finir avec le déclin. Ce plan d'austérité et de réformes n'est audible qu'accompagné d'un programme politique qui assure de nouveau un avenir au pays. La partie politique d'une intervention présidentielle que je me garderai bien d'imaginer.

Le pire serait d'en rester aux exigences des autorités monétaires internationales. Sans plus, sans moins. Le gouvernement se transformerait alors en administration judiciaire appliquant la feuille de route, l'œil rivé sur les indicateurs comptables, avec pour seul objectif d'éviter le défaut de paiement. Rien de tel pour plonger les Français dans la désespérance totale et précipiter le pays dans le chaos. N'oublions pas, en outre, que ces mesures seraient présentées comme hostiles et agressives. Une muleta pour lancer la charge xénophobe. Or le monde n'a aucune intention malveillante à notre égard, il redoute plus que tout un naufrage de la France aux conséquences incalculables. En vérité, les exigences de nos créanciers – celles que j'ai imaginées, ou d'autres – n'auraient rien de vraiment original. Elles reprendraient pour l'essentiel les recommandations de nombreux rapports, ceux de la Cour des comptes en premier lieu, et les préconisations de la Commission européenne. Avec la France, la question n'est jamais « Que faire ? », mais « Comment faire ? ». Et cela dure depuis quarante ans. Prenez n'importe quel technocrate ou parlementaire, il vous énumérera les mesures à prendre et les politiques à suivre. C'est le système qui crée cette paralysie, et qui mettrait le président dans le plus grand embarras au moment de choisir un gouvernement pour appliquer cette politique de salut public.

Une légitimité sans autorité

« Ce qui nous menace n'est pas l'explosion, mais l'implosion, le chaos, l'impuissance complète du politique, la paralysie, et donc les effets d'autodestruction douce qui vont avec ce genre de situation[1]. » Dès aujourd'hui, un observateur aussi raisonnable que Marcel Gauchet ressent la crainte d'une crise sociale dévastatrice. Imagine-t-on ce que provoquerait pareille épreuve ? Elle rappellerait par certains points celle de mai 1958, avec ses trois leçons : un État qui ne maîtrise pas ses finances tombe sous la coupe de l'étranger ; le rétablissement suppose de grands efforts, c'est-à-dire des sacrifices ; enfin cette cure, pénible sur le moment, peut relancer l'économie et revigorer le pays sur des bases assainies. En revanche, les solutions politiques qui ont fait leurs preuves à l'époque sont à oublier. Nous n'avons aucun homme providentiel en réserve, aucune Constitution de rechange, rien qu'une opinion jugeant, aujourd'hui comme hier, que la classe politique est globalement responsable du désastre.

Conserver le même Premier ministre n'aurait aucun sens, le changer pas davantage. La perte de confiance n'est pas attachée à un homme, et l'on voit mal comment le remplacement de Jean-Marc Ayrault ou de son successeur par un autre leader socialiste pourrait y remédier. Ajouterait-on Martine Aubry, Ségolène Royal, Claude Bartolone, Michel Sapin, Bertrand Delanoë, Michel Rocard, que le compte n'y serait toujours pas. Un gouvernement socialiste qui doit, sous contrainte extérieure, mettre en œuvre des mesures que la gauche a toujours condamnées est incapable de prendre cette politique à son compte, de lui donner sens et d'impulser sur ces bases le redressement du pays.

Face au déchaînement de l'extrême gauche, à la désertion de la gauche socialiste, la majorité devra chercher des renforts au centre : du pain bénit pour les prédicateurs extrémistes. En

---

1. « Marcel Gauchet : "Hollande a peur des chiens" », entretien avec Élisabeth Lévy, *Le Point,* 18 avril 2013.

butte à tous les séismes, le pouvoir sentirait toutes les plaques tectoniques se dérober sous lui les unes après les autres.

Les questions se poseraient pratiquement dans les mêmes termes si, après une dissolution, s'instaurait un régime de cohabitation. Les extrêmes dénonceraient chaque jour l'impéritie d'une classe politique qui a si bien ouvert les frontières qu'elle a livré la France aux puissances financières. Pour peu que droite et gauche poursuivent leur éternelle querelle, les partis de gouvernement perdraient leurs derniers points. Les fronts populistes auraient vite fait de dépasser la majorité des suffrages.

Un gouvernement arc-en-ciel

Le président devrait-il franchir un pas de plus et s'orienter vers une formule d'union nationale ? Le rêve et la revanche de François Bayrou et, plus généralement, des courants centristes ! D'ores et déjà, les Français, qui constatent l'impuissance de la gauche après celle de la droite, sont près de 80 % à souhaiter un gouvernement d'union. Cette formule semble conforme à la nouvelle configuration du corps électoral. Avec les partis populistes hypertrophiés, les différences droite/gauche à ce point réduites, n'est-ce pas la formule de gouvernement la mieux adaptée ? Sans doute. On l'a vue fonctionner en Allemagne, pourquoi pas en France ?

Les seuls précédents sont liés à la personne du général de Gaulle, et à des périodes de crise extrême. À la Libération, le Gouvernement provisoire de la République française regroupait toutes les tendances, y compris les communistes. Il dura six mois. En 1958, le tout premier gouvernement de Gaulle mêlait des gens de droite, partisans de l'Algérie française, et des socialistes, Guy Mollet en tête. Là encore, la gauche retourna assez vite dans l'opposition. Combien de temps faudrait-il pour que, face au mécontentement général, aux révoltes, aux émeutes, aux coups de force politiques, la grande coalition soit déchirée par des dissensions internes ? Chaque ministre à tour de rôle ferait son chantage à la démission, se désolidariserait des mesures impopulaires. L'union sombrerait bien vite dans un tous contre tous qui achèverait de discréditer les partis.

Mais la véritable interrogation porte sur la légitimité. En quoi la retrouve-t-on en associant tous les partis qui ont gouverné la France au cours des dernières décennies ? Rappelons cette évidence : notre pays n'a subi ni guerres ni cataclysmes, il a été ruiné par un demi-siècle de démagogie. Cela, les Français l'ont compris, et les partis de gouvernement, droite, gauche et centre confondus, en portent à la fois la responsabilité et la culpabilité. Parvenus à cette situation de blocage total, les représentants du peuple, du seul fait qu'ils appartiennent aux partis de gouvernement, ne sont plus jugés bons pour le service, donc plus opérationnels. Comme les hommes de la IVe République en 1958, comme les hommes politiques italiens en 2011. Il ne leur reste qu'une légitimité électorale, source de toute autorité en démocratie, mais une légitimité nue qui ne confère pas l'autorité pour gouverner. Cette déqualification des acteurs politiques, partis ou individus, c'est le fait majeur, constitutif de la crise de régime. Elle est aujourd'hui annoncée, elle sera demain avérée.

Le personnel politique n'a plus la cote. Ce n'est pas affaire de personnes, mais de statut. Parmi les élus et leaders des partis, il en est de grande qualité. Nul ne le conteste. Mais ils souffrent du discrédit qui frappe la classe politique dans son ensemble. Tous les sondages confirment cette rupture entre l'opinion et ses représentants. 76 % des sondés disent n'avoir plus confiance dans les responsables, 57 % pensent que la plupart sont corrompus, etc. Les politiques sont donc décrédibilisés dans leur parole et, plus encore, dans leur action. Ils en ont d'ailleurs pris acte. Quand ils veulent faire entendre une vérité déplaisante, ils passent par des experts. Michel Pébereau, Michel Camdessus, Didier Migaud, Louis Gallois, Jacques Attali et bien d'autres ont été missionnés sur tel ou tel sujet. Leur légitimité est double : fondée sur leur compétence et en quelque sorte négative, fondée sur la non-appartenance à la classe politique. Étant en dehors des partis, ils sont présumés « au-dessus » et sont autant valorisés par ce qu'ils ne sont pas que par ce qu'ils sont.

L'engagement partisan suscite une méfiance qui place toute notre mécanique républicaine en porte-à-faux. Les partis jouent un rôle essentiel et ambigu. Ils servent de repères pour l'opinion, de relais pour l'action. Ils prétendent n'œuvrer qu'au service du pays, mais n'aspirent en fait qu'à exercer le pouvoir, à en savourer les privilèges. Le conflit d'intérêts est consubstantiel à la démocratie représentative. Et comment savoir si le bien commun l'emporte sur la recherche des places ? Pour assurer sa réélection, François Hollande devrait faire baisser le chômage et les impôts, augmenter la croissance et le niveau de vie. La recette, simple, est inapplicable dans le contexte actuel. Il devra recourir aux méthodes électoralistes bien connues : soigner ses clientèles et affaiblir l'adversaire. Concrètement, cela signifie protéger le secteur public et les immigrés, tout en favorisant Marine Le Pen afin qu'elle devance le candidat UMP au premier tour. L'opposition, sachant que ses promesses ne sont pas crédibles, doit mobiliser contre les fonctionnaires et les immigrés, tout en poussant Mélenchon, son allié objectif. Quel est le niveau de compatibilité entre de telles stratégies et l'intérêt national ? La question ne doit pas être posée. Chaque parti postule qu'en tout état de cause ce qui est bon pour lui est bon pour le pays.

Pour une majorité de Français, cet arrangement, qui est au cœur même de la vie démocratique, ne fonctionne plus. Face au bilan catastrophique des dernières décennies, elle ne voit plus les hommes politiques en serviteurs de l'État, mais en partisans, au mieux aveuglés par leur idéologie, au pire mus par leur cupidité. C'est tout à fait désolant, mais il est absurde de l'ignorer.

La mise sous tutelle de la France achèverait de décrédibiliser notre classe politique. C'est alors que le renouvellement du personnel, ne serait-ce qu'à titre temporaire, s'imposera. Lorsque le passé devient un passif, que les hommes d'expérience sont renvoyés à leurs responsabilités, les nouveaux venus sont accueillis à bras ouverts.

Le recours extraparlementaire

Le pouvoir se voit donc imposer une politique impopulaire qu'il doit à son tour imposer aux Français. Imagine-t-on le niveau de méfiance et de rejet si ce sont les mêmes hommes, les mêmes partis, qui prétendent nous sortir d'un piège dans lequel ils nous ont fourrés ?

Sous le choc de telles annonces, les Français seront en rupture de politique, tentés de rejeter ce qu'ils connaissent et d'essayer ce qu'ils n'ont jamais vu à l'œuvre. Pourquoi pas le Front national ? Si la République ne peut pas changer son offre, elle se donnera au populisme.

Jamais il n'aura fallu à nos hommes politiques autant d'autorité pour gouverner, pour faire admettre les efforts, pour éviter les explosions sociales, pour impulser le changement.

Jamais ils n'en auront eu aussi peu. La conclusion coule de source : pour surmonter cette crise de régime, il faudra sortir du jeu parlementaire traditionnel, confier le pouvoir exécutif à des non-professionnels de la politique dans un gouvernement de salut public. Une expérience Mario Monti à la française, en quelque sorte. En retrouvant le meilleur du début, en évitant le pire de la fin. Peut-on former, pour une période limitée, une équipe dirigeante sur des bases civiques et non plus partisanes afin de faire accepter les contraintes de l'heure, mais aussi de mettre en place les changements si longtemps différés ? D'autres hommes pour une autre politique, une nouvelle légitimité pour de nouvelles finalités. On ne cherche plus à gagner les prochaines élections, mais à faire gagner la France.

En vérité, la question est moins : « Est-ce le bon choix ? », que : « Y aura-t-il un autre choix ? » On ne sort pas d'une crise de régime sans rupture institutionnelle. Conserver le président et la Constitution mais changer les gouvernants, c'est bien le moins. Que pourrait-on attendre d'un tel changement ?

L'expérience italienne a d'abord provoqué un indispensable choc de confiance. Sur les marchés financiers, mais également auprès de l'opinion. Dans un pays où la classe politique ne recueille plus que 4 % d'opinions positives, un chef du gouvernement inconnu du grand public s'est vu offrir une cote de popularité avoisinant les 70 %. C'est un atout indispensable pour gouverner sous de telles contraintes. Nul politicien professionnel n'aurait suscité un tel engouement, fait naître une telle espérance. Cet élan ne pouvait venir que d'un homme nouveau n'appartenant pas à la classe politique. Il montrait que, dans l'instant, l'opinion plaçait la nouvelle gouvernance à un niveau civique et non plus partisan. Fait capital, ce n'est pas le technicien qui est appelé au nom de sa compétence, mais le grand citoyen dégagé des intérêts partisans, au service du pays.

Le pacte de gouvernement

Pour ne pas dépendre d'un parti, il faut être soutenu par tous. Un expert qui ne recueillerait à l'Assemblée que les voix des socialistes ou que celles des députés UMP aurait encore moins d'autorité qu'un chef de parti. Mario Monti n'avait pas été investi par une majorité, mais par une quasi-unanimité des députés italiens. Il avait donc pris le meilleur de la représentation nationale, sa légitimité, en évitant le plus contestable, ses mauvaises manières. Il n'avait pas manœuvré pendant vingt ans pour en arriver là, n'avait rien à gagner dans l'aventure, mais bénéficiait de l'assise politique la plus large. Un Premier ministre apolitique ne saurait entrer à Matignon sans avoir été choisi par le président de la République, soutenu par quatre cents députés, missionné pour redresser le pays, et sans avoir d'élections à gagner.

Cette seule exigence suffit à rendre cette éventualité totalement irréaliste. Comment imaginer une union nationale sans participation ? Ce consensus des partis pour se dessaisir du pouvoir ? C'est aussi invraisemblable que pouvait l'être l'investiture de Mario Monti… en 2008. Des formations qui ont dans leur ADN le gène de l'opposition et le gène du pouvoir ne céderont pas la place. Sauf s'il s'agit de laisser à d'autres le « sale boulot », entendez : les mesures indispensables pour éviter un défaut de paiement et restaurer notre compétitivité, mesures que des hommes de parti soucieux de leur réélection sont incapables de prendre. Sauf s'il n'est plus d'autre recours que de mener enfin la politique obstinément repoussée à plus tard depuis des décennies. L'imminence d'un étranglement financier et l'injonction de l'étranger constituent donc les préalables pour mettre les partis politiques en réserve de la République.

Mais ils sont toujours détenteurs de la légitimité démocratique et ne peuvent la déléguer que dans des conditions particulières, à des fins bien précises. C'est dire que tous les partis de droite, de gauche et du centre devraient se mettre d'accord sur un pacte de salut public qui définirait les missions, les limites d'un tel gouvernement, et qui les engagerait. Il suffit d'imaginer Martine Aubry, François Fillon, François Bayrou, Jean-François Copé, Arnaud Montebourg et les autres autour d'une même table tentant de s'accorder sur un cadre d'action pour mesurer la difficulté de l'exercice. Peut-être qu'en les privant de nourriture… et encore ! Mais il faut aussi imaginer la situation du pays pris dans l'affrontement ouverture/fermeture. La gauche, la droite et le centre, tous proeuropéens, se trouveraient obligés de soutenir les mesures annoncées face aux fronts des refus qui les combattent sur le mode grec de 2012 et qui risquent de les déborder.

Ainsi se mettent peu à peu en place les pièces de cet intermède civique dans lequel la gouvernance du pays doit passer du niveau majoritaire au niveau national. Or, pour les assembler, nous avons une grande supériorité sur les Italiens : notre président de la République. Non pas le personnage falot prévu par la Constitution italienne – et dont la personnalité de Napolitano a magnifié le rôle –, mais notre monarque républicain qui chapeaute la Ve République. Pour autant qu'il s'appuie sur une majorité parlementaire, il tient vraiment les commandes du pays. L'État italien est si faible que Mario Monti fut présenté comme le « candidat de l'étranger ». Rien de tel en France avec un président qui nomme discrétionnairement le Premier ministre et l'impose au Parlement.

Lui-même devrait donner les gages d'une impartialité qui le situe nettement au-dessus des affrontements partisans. Certes, les présidents, une fois élus, se croient obligés d'affirmer qu'ils sont les représentants « de tous les Français, et pas seulement de leurs électeurs ». Dans la pratique, certains Français se sentent tout de même moins représentés que d'autres. Pour conduire ce grand rassemblement, il faudra cesser d'être l'homme d'un camp et, surtout, en faire la démonstration.

Peut-on imaginer cela ? François Hollande oubliant ses références partisanes comme celles de ses interlocuteurs ? La droite cessant de s'opposer pour coopérer sans arrière-pensées ? En période normale, il n'y a là que vœux pieux ; mais qui pourraient prendre consistance dans une France acculée, pré-révolutionnaire. C'est alors que la peur du chaos peut inspirer une salutaire sagesse à nos dirigeants.

Parce qu'elle rendrait possible cette rupture salvatrice, cette crise ultime serait bien une opportunité pour le pays. Un gouvernement de salut public aurait paradoxalement une marge de manœuvre supérieure à celle de tous les gouvernements politiques, fussent-ils d'union nationale. Lui seul pourrait, sans crainte, sans autorisations ni complexe, pratiquer une politique qui ignore également les références de la droite et de la gauche.

Un chef de gouvernement sans légitimité électorale ne deviendrait-il pas un simple collaborateur du président ? L'expérience prouve qu'il n'en est rien. L'hôtel Matignon a été aussi bien tenu par MM. Pompidou, Barre, Balladur et Villepin – et, avant eux, si l'on veut bien se souvenir, par le général de Gaulle de juin 1958 à janvier 1959 –, qui tous n'avaient jusque-là détenu aucun mandat électif, que par les députés et sénateurs. Or celui-là aurait une légitimité renforcée par rapport à ses devanciers, puisqu'il serait investi par la confiance du président et du Parlement, et pas seulement du parti majoritaire. Matignon serait donc doté d'une crédibilité démocratique égale, sinon supérieure à celle de l'Élysée.

Un tel Premier ministre serait le contraire même d'un « pape de transition » expédiant les affaires courantes. Tout d'abord, il interviendrait dans des circonstances exceptionnelles, obligeant à prendre des décisions non moins exceptionnelles, mais, surtout, il devrait changer davantage la France en deux ans qu'elle ne l'a été en vingt ans. Là encore, l'exemple italien montre qu'un tel personnage a bien cette capacité. Ne dépendant d'aucun parti, n'ayant aucune réélection à assurer, il a plus à gagner qu'à perdre en tentant l'impossible.

Un Mario Monti français

Sur l'exemple Monti, nous voyons que le premier changement qu'apporte un Premier ministre civique, c'est la vérité. Rupture capitale. Depuis quarante ans, la classe politique dit aux Français que ça va mieux, et ils constatent que ça va plus mal. Il est temps de leur dire que ça va mal afin qu'ils découvrent que ça peut aller mieux.

Un tel gouvernant n'a pas de clientèle à ménager, il n'a pas à consulter tous les matins sa courbe de popularité. Formidable liberté par rapport à l'homme politique qui soupèse chaque annonce dans sa balance électorale. C'est ainsi que Mario Monti a pu briser le tabou italien sur la légalité et sur la fraude. Cela lui a sans doute coûté quelques points de popularité. Il pouvait se le permettre. En France, ce n'est pas là qu'est le tabou : tout le monde dénonce la fraude fiscale. Chez nous, Jérôme Cahuzac ébranle la République lorsqu'il cache son argent en Suisse ; en Italie, le *Cavaliere* a pu gouverner à loisir tout en étant poursuivi pour fraude fiscale.

Mais nous avons aussi nos interdits et, en premier lieu, cet étouffant « politiquement correct » qui empêche de dire les choses et qui, du moindre truisme, fait une révélation. Il faut aussi pouvoir s'exprimer sans agressivité et sans retenue sur les blocages du corporatisme ou les méfaits de la finance. Imaginez cette libération : des gouvernants qui appellent un chat un chat et un privilège un privilège ! Après quarante ans d'immobilisme, le pouvoir politique oserait enfin mettre à contribution la France des rentiers et des nantis.

Un gouvernement non partisan et non politique, civique pour tout dire, serait donc le contraire même d'un administrateur judiciaire appliquant mécaniquement et à la lettre les mesures d'austérité qui rassurent les marchés. Il devrait débrider et débloquer, réveiller et relancer, redimensionner et redynamiser, retrouver et réinventer, renouveler et renforcer, bref remobiliser la France. Un sursaut qu'il n'est plus possible de provoquer à partir d'une position partisane. Seul un dirigeant au-dessus des partis peut appeler les Français à l'union, parler au nom de la nation sans être suspecté d'arrière-pensées intéressées.

Une telle formule ne fait-elle pas litière de la démocratie ? Celle-ci exige que le pouvoir émane du peuple et ne dépende pas seulement du mérite, si éminent soit-il. Tel est bien le cas avec un gouvernement investi par les deux sources de la légitimité démocratique : le chef de l'État et le Parlement, dans des conditions de durée et d'objectif très strictes. Au reste, le président peut toujours démettre le Premier ministre, et le Parlement retoquer ses projets de loi, ou même voter une motion de défiance. L'essentiel est donc préservé dans une situation de totale ingouvernabilité.

Qui pourrait être ce « Monsieur X » qui prendrait le relais des hommes politiques à la tête de l'exécutif ? Il appartient au président de la République de le choisir. J'ai du mal à penser qu'il n'y ait pas déjà songé et qu'il n'ait pas sa petite liste. Un Mario Monti français devrait jouir d'une grande autorité liée à sa compétence et à sa réussite professionnelle. Capitaine d'industrie, technocrate, banquier, universitaire, peu importe : son nom doit être connu et reconnu de ses pairs, mais également des instances internationales. Il doit également être absolument intègre et dépourvu de toute ambition politique, cela va de soi. Dans le trio de tête, trois noms s'imposent, tous trois socialistes, ce qui peut être un avantage pour prendre des mesures difficiles. Mais tous trois, en cours de carrière, ont été promus par des gouvernements de droite. Ce sont donc des personnalités consensuelles dans un monde déchiré par les antagonismes.

Si la classe dirigeante votait aujourd'hui, sans doute enverrait-elle à Matignon Pascal Lamy. Il a fait ses armes auprès de Pierre Mauroy et de Jacques Delors avant de devenir commissaire européen. En 2005, il est nommé directeur général de l'Organisation mondiale du commerce et voit son mandat renouvelé à l'unanimité en 2009. À 65 ans, il est disponible, au service de la République. Nul doute que son arrivée rassurerait les marchés financiers. Mais, pour les Français, ne serait-il pas un OVNI rapidement dénoncé comme grand horloger de la mondialisation ?

L'itinéraire de Louis Gallois n'est pas moins éblouissant. Comme Lamy, il commence dans les cabinets ministériels de gauche, puis bifurque vers le monde de l'industrie. À la tête de la SNCF, il gagne la confiance des syndicats, ce qui est indispensable mais pas courant, puis est nommé à la tête d'EADS en pleine crise et s'en va en plein succès. Qui plus est, il n'a jamais profité des avantages financiers, pourtant parfaitement légaux, de son poste. Voici l'oiseau rare : le grand patron qui ne veut pas faire fortune. François Hollande l'a nommé commissaire général à l'investissement, l'a chargé du fameux rapport sur la compétitivité, et tout le monde le verrait bien ministre. Pourquoi pas Premier ministre ?

S'il n'est pas, comme Lamy et Gallois, couvert des plus prestigieux diplômes, Didier Migaud a sur eux l'avantage d'avoir été un élu du peuple. Député socialiste, il a représenté la 4ᵉ circonscription de l'Isère de 1988 à 2010 tout en étant, sur le plan local, maire de Seyssins, conseiller général et conseiller régional. Comme parlementaire, c'est un travailleur acharné, le plus actif de l'Assemblée, dit-on. Il s'est notamment acquis une compétence reconnue sur les questions financières et, avec le centriste Alain Lambert, il fut à l'origine d'une grande réforme, la LOLF (loi organique relative aux lois de finances), qui, en 2001, a renouvelé et modernisé la procédure budgétaire. Il a été élu en 2007, à l'unanimité, président de la commission des Finances, et Nicolas Sarkozy l'a nommé en 2010 Premier président de la Cour des comptes en remplacement de Philippe Séguin. Un poste clé en période de crise financière et que, de l'avis unanime, il tient avec rigueur et impartialité. Il possède donc une double légitimité, démocratique et méritocratique.

Voilà trois personnalités remarquables qui pourraient fort bien tenir le rôle d'un Mario Monti français si la crise l'exigeait. Il en est d'autres tout aussi compétentes et qualifiées qui perpétuent cette tradition des « grands serviteurs de l'État ». Et l'on pourrait de même trouver dans la « société civile » des titulaires pour les différents postes ministériels. Au reste, les hommes politiques n'auraient pas à être exclus dès lors qu'ils seraient choisis en raison de leurs compétences et non pas de leur appartenance politique. Hubert Védrine reviendrait-il aux Affaires étrangères, Alain Juppé ou Gilles Carrez au Budget ou Michel Rocard aux relations avec le Parlement, cela ne changerait rien au caractère non partisan d'un tel gouvernement, trait essentiel pour bien marquer la rupture dans la conduite du pays.

La classe politique qu'on mérite

La classe politique n'a jamais proclamé l'état d'urgence. Alors même qu'elle précipitait la France dans le mur, elle a voulu perpétuer son rituel politicien d'alternance comme si de rien n'était. C'est cette gouvernance de l'irréalité par l'irréalité et pour l'irréalité qui doit cesser. Et cela ne peut se faire en conservant les mêmes procédures, le même système, la même légitimité, les mêmes hommes. Un tel changement, temporaire, rappelons-le, est indispensable ; encore faut-il qu'il débouche sur un succès. Qu'il ne reproduise pas l'épilogue Monti qui, après avoir connu des ratés, s'est assez mal terminé. Quels enseignements tirer de ces échecs ?

Tout d'abord, la Constitution italienne, de nature débilitante, ne peut générer un pouvoir crédible. Il n'existe pas à la tête du pays un chef susceptible de déléguer l'autorité. Le président italien ne fait jamais qu'avancer un nom ; le président français, lui, nomme. C'est tout différent. Un pouvoir dilué et un pouvoir concentré ne peuvent engendrer la même gouvernance.

La suite de l'expérience est largement conditionnée par la qualité du soutien politique. Mario Monti s'est retrouvé bien abandonné quand il a dû affronter les corporations et les syndicats. Un gouvernement ne peut à lui seul moderniser un pays. En France, il pourrait compter, ce qui n'était pas le cas en Italie, sur le pouvoir du président, mais, si les députés restent les défenseurs des lobbies et les marionnettes des corporations, s'ils ne voient pas plus loin que leur réélection, s'ils s'opposent à toutes les mesures qui dérangent l'ordre établi, le Premier ministre, si déterminé soit-il, ne parviendra pas à sortir la France de son conservatisme minéral.

Je me réjouirais que mon pays puisse faire l'économie d'une telle expérience, qu'il surmonte les difficultés présentes dans le cadre du fonctionnement normal des institutions. J'en serais heureux, mais ce serait une divine surprise, car la France suit obstinément la route du pire, refuse toutes les bifurcations vers le meilleur, et se dirige vers ce point où le contournement parlementaire constituera une dernière chance. Celle d'un chef de l'État qui, face à une situation politique bloquée, devra recourir à une solution non conventionnelle pour rendre son autorité au pouvoir exécutif.

Crise de régime, épisode extraparlementaire : tout cela est assez prévisible. Ce qui l'est moins, c'est l'issue d'une telle expérience. Si l'on en croit le précédent transalpin, elle peut permettre d'éviter le désastre dans l'immédiat, mais, à elle seule, elle marque le point sans transformer l'essai. La suite dépend pour l'essentiel de la classe politique. Va-t-elle mettre entre parenthèses les querelles droite/gauche pour donner ses chances à la recouvrance, ou va-t-elle poursuivre ses luttes de pouvoir et précipiter la décadence ? Dans la première voie, il faut deux à trois années pour préparer (sans doute faudrait-il dire « réparer ») l'avenir en combinant les mesures d'austérité et les mesures de redressement. Nul doute que les réactions des Français et, plus encore, des corporations, seront violentes pendant ces années où la situation se dégradera avant de s'améliorer.

Les réformes les plus profondes ne se feront pas en un jour et ne donneront pas de résultats en un an. Or elles sont indispensables pour remettre le pays dans ses marques. C'est alors seulement que les politiques pourront normalement reprendre les commandes. Si le gouvernement de transition ne dispose pas d'un soutien sans faille ni d'une durée suffisante, il ne pourra consolider le socle du changement.

La classe politique sera-t-elle capable de mettre entre parenthèses ses intérêts partisans pour ne tenir compte que de l'intérêt général ? En Italie, elle a gâché la chance qui se présentait. En France, elle est sans doute de meilleure qualité ; nous n'avons pas connu l'équivalent du phénomène Berlusconi, mais pourrait-elle s'élever pour autant au niveau d'un véritable sursaut civique ? Si la réponse devait être donnée aujourd'hui, elle serait négative, sans hésiter. Ni les uns ni les autres ne sont capables de surmonter leur aveuglement partisan, leur soif de pouvoir. S'ils devaient passer la main, ils s'empresseraient d'éliminer leurs remplaçants, de miser sur leur échec et de reprendre la place. Mais la question ne se pose que « toutes choses inégales par ailleurs ».

Une crise d'une telle violence combinant la menace de banqueroute, la mise sous tutelle, le blocage politique, la misère populaire et les mesures impopulaires dans un climat pré-insurrectionnel, une telle crise, donc, change pour le meilleur ou pour le pire tous les comportements et crée une singularité politique hors normes. Pour l'envisager, il faut dépasser le champ du possible en sachant que l'invraisemblable de la veille peut devenir la vérité du lendemain. Notre chance ! Car les luttes de pouvoir entre les partis ne sont porteuses d'aucune espérance. Elles accompagnent le décrochage sans rien éviter. Fort heureusement, cette impuissance même est porteuse de changement. Avec une classe dirigeante complètement acculée, la chance entre dans le jeu.

En mettant en cause le monde politique, je n'entends pas transférer sur lui toutes les responsabilités et toute la culpabilité. Je laisse cela aux populistes, qui donnent à croire que l'élite, telle une armée d'occupation, impose sa loi au peuple. Absurde ! Nous vivons en démocratie : nos représentants sont aussi nos élus, ceux que nous nous sommes donnés, ceux que nous méritons. En république, le salut public se propose au sommet et se gagne à la base. Nous sommes tous comptables de l'avenir.

Si les Français ne croient pas au consensus civique, s'ils n'y voient qu'une combine pour imposer l'austérité, et non une chance pour sauver le pays, alors tous les accords entre partis ne serviront à rien. Nul aujourd'hui ne connaît le comportement d'une population française soumise à de telles épreuves, menacée d'une telle catastrophe. Nul, surtout, ne connaît les effets des réseaux sociaux dans de telles circonstances : sont-ils les relais ou les concurrents de la réalité ? Dans l'équation, c'est le paramètre insaisissable. Nous savons comment le système politique pourrait se remettre en marche. Mais nous ne verrons qu'à l'épreuve s'il peut entraîner la France. Autant dire les Français.

Ce n'est pas le pays qui est en cause mais ses habitants. Des « enfants gâtés[1] », comme le souligne Sophie Pedder, qui, au fil des ans, se sont installés dans le déni de réalité et entament un difficile retour au réel. Nous arrivons à la séquence cruciale, celle que notre société se révèle incapable de franchir sans heurt. Mais l'inévitable crise de régime nous offre

---

1. Sophie Pedder, *Le Déni français : les derniers enfants gâtés de l'Europe*, *op. cit.*

l'occasion d'une salutaire rupture. Pour les Français, ce pourrait être l'expérimentation d'une politique moderne, pragmatique et consensuelle, une politique qui servirait l'intérêt général indépendamment des intérêts partisans et particuliers. Les vociférations des extrémismes, la crispation des égoïsmes ne feraient que la crédibiliser. Une opération-vérité qui serait aussi une vaccination anti-démagogique.

Depuis que notre horizon s'est bouché, l'optimisme s'impose comme un devoir civique. Les bons Français se devraient de croire et de faire croire que nous trouverons la solution en poursuivant dans la voie du déclin. Ce gaz euphorisant propage les illusions, annonce les plus graves désillusions. Cessons de nous rassurer à bon compte, c'est anxiogène. Regardons la réalité en face : les choses iront de mal en pis. Inexorablement, notre système politique va se paralyser, la contrainte extérieure se resserrer. Mais ne nous désespérons pas à contretemps : du pire peut naître le meilleur. Seule une France menacée d'asphyxie et d'explosion trouvera en elle la force du sursaut. Ce sera maintenant ou jamais, l'opportunité à saisir.

Remerciements

Il n'était pas facile de voir au-delà de *L'Échéance*. La rupture qui s'annonçait fermait l'horizon. Mais le seul avenir intéressant est celui qui se dérobe. J'ai donc cherché longuement, obstinément, la suite de notre histoire. Dans cette quête, j'ai été constamment aidé, conseillé, guidé par Sophie de Closets, ma fille et mon éditrice. Sans elle, je n'en serais pas venu à bout. Qu'elle en soit ici remerciée. Elle a marqué toutes ces pages de son empreinte. Claude Durand a accepté de relire avec exigence, attention et bienveillance ces pages, et Olivier Nora m'a, comme toujours, accueilli avec chaleur chez Fayard. Je les en remercie tous deux vivement.

Je tiens aussi à dire toute ma gratitude aux équipes de Fayard qui ont su, comme chaque fois, mettre leur talent au service de ce livre, et particulièrement à Juliette Lambron, Élise Roy, Audrey Simoes, Marie Stolinski et Marie Lafitte.

Table

Photocomposition Nord Compo
Villeneuve-d'Ascq

Impression réalisée par
CPI BRODARD ET TAUPIN
La Flèche

pour le compte des Éditions Fayard
en août 2013

PAPIER À BASE DE
FIBRES CERTIFIÉES

Fayard s'engage pour
l'environnement en réduisant
l'empreinte carbone de ses livres.
Celle de cet exemplaire est de :
1,000 kg éq. CO_2
Rendez-vous sur
www.fayard-durable.fr

Dépôt légal : septembre 2013
N° d'impression : 3002054
36-57-4425-9/02
Imprimé en France